Max Gallo est né à Nice en 1932. Agrégé d'histoire, docteur ès lettres, il a longtemps enseigné, avant d'entrer dans le journalisme – éditorialiste à *L'Express*, directeur de la rédaction du *Matin de Paris* – et d'occuper d'éminentes fonctions politiques : député de Nice, parlementaire européen, secrétaire d'État et porte-parole du gouvernement (1983-1984). Il a toujours mené de front une œuvre d'historien, d'essayiste et de romancier.

Ses œuvres de fiction s'attachent à restituer les grands moments de l'Histoire et l'esprit d'une époque. Elles lui ont valu d'être un romancier consacré. Parallèlement, il est l'auteur de biographies abondamment documentées de grands personnages historiques (*Napoléon* en 1997, *De Gaulle* en 1998), écrites dans un style extrêmement vivant qui donne au lecteur la place d'un spectateur de premier rang.

Depuis plusieurs années Max Gallo se consacre à l'écriture.

DE GAULLE

4 – *LA STATUE DU COMMANDEUR*

DU MÊME AUTEUR
CHEZ POCKET

MAX GALLO

DE GAULLE

4

LA STATUE DU COMMANDEUR

ROBERT LAFFONT

© Éditions Robert Laffont, S.A., Paris, 1998
ISBN 2-266-09305-3

Pour Jean-Pierre Chevènement

« Vous avez tort d'être pessimiste. Il faut croire à la France. Dans trente ans, dans trente-cinq ans, elle ressuscitera peut-être... C'est justement alors qu'on aura besoin de de Gaulle. C'est alors que les Français redeviendront, ou deviendront, vraiment gaullistes. Enfin, c'est comme cela que je vois les choses. »

De Gaulle à Michel Droit,
11 décembre 1965.

« Avant dix ans, il s'agira de vous transformer en personnage romanesque... La réalité que vous avez empoignée ne sera pas votre héritière : les personnages capitaux de notre Histoire sont dans tous les esprits, parce qu'ils ont été au service d'autre chose que la réalité. »

André Malraux
à Charles de Gaulle,
11 décembre 1969,
Les Chênes qu'on abat.

« Tel est ce de Gaulle que vous haïssez ou que vous jugez de haut. Shakespeare en quête de personnages n'aurait trouvé que celui-là en France... »

François Mauriac, *De Gaulle*, 1964.

Première partie

1er janvier 1963 – avril 1963

Je sais ce à quoi le passé et le présent m'engagent. Je sais qu'il n'appartient qu'à moi de piloter le navire. Je sais qu'il n'y a pas de relâche à la houle des difficultés.

Charles de Gaulle, *Mémoires d'espoir*,
tome II, *L'Effort*.

1

Sur la terre gelée, de Gaulle marche d'un bon pas.

Le parc de la Boisserie et toute la campagne autour de Colombey-les-Deux-Églises sont comme pétrifiés. Il fait, en ce début du mois de janvier 1963, autour de moins vingt degrés.

Il n'a pas froid. Il frappe le sol de sa canne, la main gauche enfoncée dans la poche de son long manteau sombre.

« Allons, allons, marmonne-t-il, il faut encore que je force ma vieille carcasse. »

Voilà deux fois qu'il fait le tour du parc et il n'a pas envie de rentrer.

Il aime ces promenades solitaires autour de sa demeure, dans ce paysage de plateaux vallonnés aux horizons ouverts. Rien de tel pour mettre ses idées au point, faire jaillir un mot, concevoir une perspective. Il répète à mi-voix les phrases qu'il a ciselées et qu'il prononcera, dans quelques jours, le 14 janvier, lors de la conférence de presse qu'il a décidé de tenir, pour ouvrir cette année 1963.

« Une année nouvelle, c'est comme une mer inconnue », murmure-t-il.

Plusieurs centaines de journalistes seront présents dans la grande salle des fêtes de l'Élysée. Il peut imaginer leurs questions et aussi, hélas, quoi qu'il réponde, leurs commentaires du lendemain. Ils seront sceptiques, et pour beaucoup hostiles.

C'est ainsi.

Il le sait. Il l'a dit : « Les journalistes français s'engouffrent comme une meute derrière tous ceux qui prennent position contre moi. »

Il s'arrête un instant au milieu de ce chemin qu'il a déjà des milliers de fois parcouru.

Pourquoi cette opposition de la presse, des milieux politiques, des élites ?

Ils se sont tous dressés contre lui, il y a quelques semaines, invitant les Français à voter « non » au référendum qui prévoyait l'élection du président de la République au suffrage universel. Du Sénat au Conseil d'État, des éditorialistes des journaux de province aux leaders des partis politiques, tous, ouvertement ou discrètement, ont fait partie du cartel des « non », dénonçant la « dictature », le « pouvoir personnel », la « violation du droit », de la « Constitution ». Les députés ont voté à l'Assemblée une motion de censure. Et pour finir, quoi ? Une majorité de 62 % de suffrages exprimés en faveur du « oui ». Et – l'Assemblée ayant été dissoute – une majorité absolue de députés de l'Union pour la Nouvelle République, de gaullistes, a été élue. À l'exception du radical Maurice Faure, du socialiste Guy Mollet, les principaux dirigeants du cartel des « non » ont été battus !

Il recommence à marcher. L'année 1962 a bien été cette « année capitale » qu'il prévoyait.

Il a enfin pu, avec les accords d'Évian, dégager la France de la « boîte à scorpions », de la « boîte à chagrins » qu'était la guerre d'Algérie.

Il aperçoit, longeant la limite du parc de la Boisserie, une patrouille de gendarmes. C'est vrai, la haine née de l'affaire algérienne est encore présente. On va sans doute encore tenter de l'assassiner. Mais si ces « soldats perdus » tirent aussi mal que lors de l'attentat du Petit-Clamart, alors il survivra.

Il a un mouvement des épaules. Et puis, mourir sous les balles, dans sa soixante-treizième année, pour lui, ne serait-ce pas la meilleure des fins ?

Mais il y a les autres. Le Premier ministre Georges Pompidou, contre lequel un attentat a été monté, dans sa commune d'Orvilliers. Jacques Vendroux, qui parce qu'il est le beau-frère de de Gaulle reçoit des lettres de menaces qui s'en prennent à toute sa famille, et même à ses petits-fils.

Il faudra en finir avec ces tueurs. Que la justice passe contre ceux qui sont entre les mains de la justice, ce lieutenant-colonel Bastien-Thiry, l'organisateur des attentats de Pont-sur-Seine, du Petit-Clamart, contre le président de la République.

Mais sous prétexte de défense de la légalité, ces assassins trouvent d'étranges alliés. Le Conseil d'État a décrété inconstitutionnelle la Cour militaire de justice. Et, à l'Assemblée, quand le gouvernement a présenté un projet de loi portant création d'une Cour de sûreté de l'État, on a entendu un député, François Mitterrand, s'écrier : « Le pouvoir a obtenu tout ce qu'il désirait. Il a sa Constitution, son gouvernement, sa majorité, son référendum, sa télévision, sa force de frappe. Il s'apprête à avoir son Sénat. Il a son Europe. Peut-être voudrait-il maintenant sa Justice ? »

Il faut simplement que la justice passe ! Et qu'on n'avance pas des arguties pour protéger des hommes qui ont tiré sur une femme – Yvonne de Gaulle –, qui menacent des enfants.

Il rentre, s'installe à son bureau, dans la tour. Après la marche, il a chaud.

Il consulte les notes déposées sur la table par l'aide de camp. Il lui semble parfois que certains, parmi les membres du gouvernement, hésitent à affirmer des positions nettes, reculent devant les arguments de leurs adversaires, qu'ils sont partisans d'une politique de compromis. On oublie les crimes, les tentatives d'assassinats, au nom du respect du droit ou pour favoriser une réconciliation rapide avec les partisans de l'Algérie française. Alors que les tueurs de l'OAS – Organisation Armée Secrète – sont encore à l'affût.

Il écrit :

« L'attentat du Petit-Clamart doit être jugé par la Cour militaire de justice.

« J'ai décrété que cette Cour en était saisie. Le fait qu'on ne lui a pas notifié le décret est illégal et inacceptable. Il faut que cette obstruction cesse séance tenante. Le procès peut et doit avoir lieu devant la Cour militaire de justice sans délai.

« Faute de quoi, je serais amené à tenir pour démissionnaires tous ceux, quels qu'ils soient, qui ont manœuvré et manœuvrent pour qu'il en soit autrement. »

Il va adresser cette note à MM. Pompidou, Foyer et Messmer, Premier ministre, garde des Sceaux et ministre des Armées. Qu'ils se le tiennent pour dit. Et qu'on juge Bastien-Thiry.

Il ressent tout à coup la fatigue comme si son corps, peut-être à cause de la différence si grande de température entre le froid sec, à pierre fendre, et cette chaleur, s'affaissait.

Il est entré dans sa soixante-treizième année. Et cette inquiétude qui revient : « J'ai peur de vieillir, de ne plus être maître de mon jeu et de ne pas le savoir. »

Il confie parfois cette crainte, presque de l'angoisse. Mais avoir conscience de ce risque, le formuler lucidement, c'est déjà le combattre, fournir la preuve qu'on y échappe.

Il recommence à lire les phrases qu'il a écrites en vue de la conférence de presse, il les récite.

Tant qu'il pourra ainsi apprendre par cœur des pages et des pages de texte, il évitera ce « naufrage » qu'est la vieillesse. Et il n'a pas le droit d'y succomber. Trop à faire encore.

Maintenant que le boulet algérien n'entrave plus la France, il va pouvoir engager la grande partie à laquelle elle a droit. Et c'est le moment. Il a suffi de quelques années pour que la situation internationale change. Après l'affrontement à Berlin, à Cuba, les États-Unis et l'URSS vont, faute de pouvoir se faire la guerre, engager une politique de détente. Et la France est la « troisième réalité internationale » parce qu'elle a une « ambition nationale » et qu'elle s'est dotée d'une force de frappe atomique indépendante.

Il veut marteler cela lors de la conférence de presse du 14 janvier. Pas question d'adhérer, comme le souhaitent les États-Unis, à une « force multinationale ». Washington fournissant les fusées Polaris mais se réservant de décider de leur utilisation. À Nassau, aux Bahamas, la Grande-Bretagne a accepté ce marché de dupes. Elle n'est plus qu'une vassale ou le « Cheval de Troie » des États-Unis en Europe. Pas question de la laisser, dans ces conditions, adhérer au Marché commun. Il l'a dit au Premier ministre britannique Macmillan :

« Ce pauvre homme à qui je ne pouvais rien accorder avait l'air si triste, si abattu, que j'avais envie de lui mettre la main sur l'épaule et, comme Édith Piaf dans la chanson, de lui dire : "Ne pleurez pas, Milord." »

L'Europe indépendante, il faut la bâtir avec l'Allemagne. Il veut proposer au chancelier Adenauer, qui vient en voyage officiel à Paris, à la fin janvier, la signature d'un traité de coopération franco-allemande.

Il est le seul à pouvoir conduire cette politique.

Il se lève. Il marche dans son bureau.

« Je sais ce à quoi le passé et le présent m'engagent. Je sais qu'il n'appartient qu'à moi de piloter le navire. Je sais qu'il n'y a pas de relâche à la houle des difficultés. »

Qui va le soutenir ?

« Il y a chez nous toute une bande de lascars qui ont la vocation de la servilité. Ils sont faits pour faire des courbettes aux autres. Et ils se croient capables de ce seul fait de diriger le pays. »

On l'a vu en juin 1940. Qui est venu à Londres, les premières semaines ? Ni grands bourgeois, ni généraux, mais des juifs, des francs-maçons, des monarchistes, des hommes que les institutions avaient écartés, qui avaient préféré leur liberté de pensée à leur carrière. Ceux qui n'avaient comme bien que leur honneur.

« Le peuple est patriote, dit-il. Les bourgeois ne le sont plus, c'est une classe abâtardie. Ils ont poussé à la collaboration, il y a vingt ans, à la Communauté européenne de défense, il y a dix ans. »

Ils ont été vichystes, puis ils ont prétendu défendre l'Algérie française. Ils haïssent de Gaulle. Et maintenant « tous ces bonshommes se prétendent européens. Mais ils se moquent complètement de l'Europe. Ce qu'ils veulent ? Des places ».

Il rentre à Paris, à la veille de la conférence de presse. Il devine déjà les réactions qu'elle va susciter : « politique intransigeante », « nationaliste », « antieuropéenne », etc.

Il dit à mi-voix : « En réalité, je suis presque le seul homme d'État européen. Il y a les chercheurs de fromage. Ce sont tous des copains. Ils ont préparé leurs traités ensemble ; CECA, CED, Euratom, Marché commun, tous ces organismes internationaux qui sont bons pour attraper la vérole. Au fur et à mesure qu'on négociait les traités, on se répartissait les places. Et les Français n'étaient pas en retard ! Ils étaient généreux avec les intérêts de la France, pourvu qu'on se montrât généreux avec leurs intérêts. Et ils se voulaient présidents de ceci, présidents de cela... Qu'ils le reconnaissent ou non, qu'ils en soient conscients ou non, tous ces braves gens ne pensent qu'à leur carrière. Ils se foutent complètement de leur pays. »

Il hausse les épaules. Il faut bien faire comprendre l'essentiel, exagérer quelque peu !

Il pénètre dans la grande salle de l'Élysée où, ce 14 janvier 1963, se pressent huit cents journalistes.

Il s'assied, attend que le brouhaha cesse.

« Mesdames, Messieurs, commence-t-il.

« Je me félicite de vous voir... »

Il est serein, assuré. Derrière lui, il y a cette année 1962, « capitale ». Dominée.

« Maintenant, dit-il, la France est en mesure de considérer et de traiter les problèmes non pas sous une forme plus ou moins haletante et changeante, mais en tant que desseins continus et décisions de longue portée... »

Il faut être clair. Affirmer l'ambition nationale et européenne de la France, ce qui veut dire...

Il lève les avant-bras, poings fermés :

« Les principes et les réalités s'accordent pour conduire la France à se doter d'une force atomique qui lui soit propre... Verser nos moyens dans une force multilatérale sous commandement étranger, ce serait contrevenir à ce principe de notre défense et de notre politique.

« Et si on accueillait la Grande-Bretagne dans le Marché commun, ce serait la fin de celui-ci, tel qu'il se bâtit à six, avec vocation à l'indépendance.

« Il apparaîtrait une communauté atlantique colossale, sous dépendance et direction américaines, qui aurait tôt fait d'absorber la Communauté européenne. »

En revanche, il faut signer un traité de coopération avec l'Allemagne.

« Eh bien, je crois que j'ai satisfait, Mesdames, Messieurs, autant que j'ai pu votre curiosité... »

Il se lève. Il ne ressent pas la fatigue. Au contraire. Il dit encore à mi-voix, pour lui-même : « Moi vivant, la Grande-Bretagne n'entrera pas dans le Marché commun. Elle n'y viendrait que pour faire éclater la machine. »

Il penche la tête.

« Mais, dès que j'aurai tourné les talons, elle arrivera. »

C'est déjà une pointe de désenchantement qui le taraude. Et, le soir, quand il écoute les premiers commentaires, l'irritation s'accroît. Le lendemain, voici les journaux. Presque tous réservés, comme c'était prévisible. Et le 22 janvier, après la signature du traité de coopération avec l'Allemagne – le traité de l'Élysée – les commentaires ont le même ton.

Le Monde écrit : « C'est l'accord des Burgraves dont le contenu est proche de zéro. » Selon les communistes – « la voix de Moscou » – de Gaulle a pactisé avec les « militaristes allemands ». Pour Mitterrand, le traité fait de l'Allemagne un « arbitre ». Et Jean Monnet, comme les éditorialistes du *Figaro* ou de *L'Aurore*, s'indigne qu'on ferme la porte à l'Angleterre, qu'on refuse la force multi-nationale américaine !

Il secoue la tête. Une fois de plus, il est seul, portant les ambitions de ce pays à bout de bras.

Mais comment ces « observateurs » ne voient-ils pas qu'il joue une carte décisive pour la France ? Il faudrait arrimer la France et l'Allemagne pour parvenir à une vraie construction européenne, à une Europe indépendante. Alors – il le sent bien – que le vieux chancelier Adenauer, même s'il a signé le traité de l'Élysée, ne veut pas choisir entre Paris et Washington. En Allemagne, la classe politique préfère l'alliance avec l'Angleterre et les États-Unis plutôt qu'avec la France !

C'est pourtant cela qu'il faut vouloir.

Et il le veut.

Mais que faire contre « l'esprit d'abandon » de ces élites françaises qui ne croient plus à la nation ? Le conformisme et la lâcheté aveuglent ces beaux esprits.

« Quand on dit ce qui est, on fait scandale. Si on dit que l'Angleterre est une île, personne n'en revient. Si on dit que l'OTAN a un commandement américain, tout le monde est choqué. C'est pourtant la vérité. »

Il parcourt la revue de presse.

Les journaux anglais le traitent de « président Soleil » ! Et *Le Canard enchaîné*, chaque semaine, le représente sous les traits d'un Louis XIV vieilli, monarque vaniteux, sentencieux et bigot, entouré de courtisans. Il lit parfois cette chronique, « La cour », sans irritation. On le voit donc ainsi. « Le roi, écrit-on, ne souffre les éclats populaires qu'excités à son applaudissement et n'est jamais prodigue de sa compassion... » Il aurait « érigé le retranchement de tous les mouvements du cœur en irréfragable maxime de sa monarchie ».

Il n'est pas surpris. Il sait, depuis des décennies, que le prix à payer pour lui est l'incompréhension, la haine aussi. Il n'en souffre plus. Il a déjà tant plu sur lui qu'il ne sent pas l'averse.

Et rien, ni l'esprit d'abandon, ni l'esprit de dérision, ne peut le faire dévier du but choisi. Les autres, après tout, n'ont pas à savoir ce que vaut son âme : c'est affaire entre lui et quelques proches, entre sa conscience et Dieu. Et peut-être entre lui et l'Histoire.

Il reçoit en tête à tête Jean Foyer, le garde des Sceaux. Il évoque le cas de l'un des généraux mêlés à la tentative du putsch d'Alger, jugé et emprisonné.

« Sa femme a de sérieuses difficultés financières, dit-il. Je prélèverai régulièrement une somme sur ma cassette personnelle. »

Il parle d'une voix sèche, sans regarder Foyer.

« Vous la lui remettrez par le truchement d'un prêtre. Mais, vous m'entendez bien, ni de mon vivant, ni après ma mort, la famille ne doit connaître l'origine des secours. »

2

De Gaulle feuillette rapidement les journaux. Mais l'indignation est encore si forte qu'il ne peut que parcourir les articles sans réussir à les lire. Il gagne son bureau et commence à écrire.

« Note pour M. Peyrefitte, 2 février 1963

« Je ne puis comprendre comment et pourquoi la RTF a donné, hier soir, le spectacle vraiment odieux d'une opération sans anesthésie. C'est une vile réclame, tant pour les gens de *Cinq colonnes à la une*, pour qui rien ne vaut que l'horreur et le sang, que pour tels médecins "m'as-tu-vu ?" et pour une certaine équipe effrénée de la télévision elle-même. »

Il s'interrompt.

Il ne se passe pas de jour qu'une émission ne le choque. Et il en est de même avec le journal télévisé. Et pourtant, il s'agit d'une Radio Télévision Française !

Il reprend la plume.

« Plus que jamais, il apparaît que la RTF, placée sous la tutelle directe de l'État et payée par lui, est une espèce de fief livré aux "lobbies" et incontrôlés. »

La colère ne retombe pas.

Cette télévision d'État critique tout ce qui est « officiel et national », et exalte « tout ce qui est contre l'ordre établi et l'action des pouvoirs publics français, que ce soit au-dedans ou au-dehors ». Et comme philosophie les journalistes n'expriment que l'individualisme, le goût pour le « pittoresque », l'anecdote et le pessimisme.

Il faudrait qu'Alain Peyrefitte, ministre de l'Information, donne des directives. Il faudrait réformer le journal télévisé. « Mais pour le faire, il est nécessaire de nettoyer la maison de fond en comble, ce qui implique des mises en congé nombreuses et, sans doute, une épreuve de force momentanée.

« Rien ne serait plus mauvais que de mettre quelques nouveaux emplâtres sur cette jambe malade, en tâchant d'éviter encore une fois l'opération. »

Il soupire. Il cherche la feuille sur laquelle il a recopié quelques maximes de moralistes. C'est La Bruyère qui a raison lorsqu'il dit : « Le meilleur de tous les biens, s'il y a des biens, c'est la retraite en un endroit qui soit son domaine. » Et Chamfort a-t-il tort d'écrire : « Il y a deux vérités qu'il ne faut jamais séparer de ce monde : Que la souveraineté réside dans le peuple, et que le peuple ne doit jamais l'exercer » ?

De Gaulle baisse la tête.

« Ferme les yeux et tu verras », a dit Joubert.

Il est préoccupé. Il sent que le répit – auquel il n'a jamais cru mais qu'il a peut-être espéré, et il a eu tort – déjà s'achève.

Au cours des derniers Conseils des ministres, ceux des 24 et 30 janvier, il a remarqué les visages inquiets de certains ministres. Une grève perlée des mineurs de charbon de Decazeville dure depuis plusieurs mois, et les organisations syndicales ont lancé un ordre de grève générale des charbonnages à compter du 1er mars. Les mineurs de fer de Lorraine ont décidé de se joindre au mouvement. Pompidou a envisagé de décréter la réquisition de tous les mineurs. Le froid est rigoureux, argumente-t-il. Une corporation, même celle des mineurs, ne peut à elle seule gêner tous les Français, handicaper l'économie nationale.

Le ministre des Postes a annoncé pour sa part une grève de vingt-quatre heures dans les PTT.

Depuis, la situation s'est encore dégradée.

De Gaulle reprend les journaux, puis consulte la revue de presse.

La plupart des quotidiens approuvent le mouvement des mineurs. Même *Le Figaro* le salue et le trouve justifié. Et il est vrai que l'inflation ronge le pouvoir d'achat, mais peut-on augmenter les salaires des mineurs de 11 % ?

Il commence à dicter une note pour le Premier ministre.

Il faut « maintenir notre stabilité financière et monétaire, tout en aidant à l'expansion régulière et ordonnée de notre économie et, corrélativement, au progrès social ».

Il faut que l'État joue son rôle par l'intermédiaire du Plan, cette « ardente obligation ».

Cela suffira-t-il ? L'inquiétude ne le quitte pas en cette fin février 1963. Il sait qu'il faut moderniser ce pays. Il le veut pour l'armée, et il connaît les résistances des officiers. Mais c'est toute la société qui va être bouleversée par les nouvelles techniques, les nouvelles énergies. Que vaut le charbon si, demain, comme il le souhaite, l'énergie nucléaire permet la production d'électricité ?

Les mineurs sont à terme une profession condamnée. Et ils le pressentent. Ils sont fiers de leur place dans le monde ouvrier. Mais, derrière eux, il y a tous ceux qui, ayant perdu la bataille du référendum et des élections législatives, peuvent se servir de ce mouvement social pour attaquer – il le dira au Premier ministre – « qui vous savez ». Sinon, tous ces journaux bien-pensants seraient-ils à ce point favorables au mouvement qui s'amorce ? Ce que tous cherchent, c'est une revanche, et comme les partis politiques sont impuissants, ils soutiennent les mineurs !

Le samedi 2 mars, il est à Colombey. Le froid est rude. Il travaille dans son bureau.

Il lit une note du ministre de l'Intérieur commentant les dernières arrestations de commandos de l'OAS. Un groupe avait préparé un attentat au fusil à lunette pour l'abattre, lors de sa visite à l'École militaire, le 15 février. Ces mêmes tueurs – le plus connu d'entre eux est un déserteur, Gilles Buscia – avaient envisagé une opération destinée à libérer Bastien-Thiry, dont le procès s'est ouvert le 28 janvier. On attend le verdict d'un jour à l'autre.

Autre note policière : l'interrogatoire du colonel Argoud a commencé. Ce chef de l'OAS a été retrouvé, à Paris, devant la préfecture de police, ligoté dans une camionnette. Un appel téléphonique a alerté la Police judiciaire. Argoud affirme avoir été enlevé en Allemagne, roué de coups et conduit à Paris.

De Gaulle referme le dossier.

Il a tout ignoré de cette opération. A-t-elle été montée par le ministre des Armées, Messmer, avec l'accord du Premier ministre ? Les Allemands ont protesté. La presse, une fois de plus, s'est déchaînée : violation des règles internationales, de la souveraineté d'un État ami, utilisation de « truands » pour réaliser cet enlèvement qui, à en croire certains, est comparable – en pire ! – à l'enlèvement du duc d'Enghien par Napoléon Bonaparte.

On oublie naturellement que ces hommes ont tué et tenté de tuer. Et les leaders de l'OAS deviennent des héros et des martyrs. La BBC interviewe complaisamment Georges Bidault, et la presse allemande publie les propos de Jacques Soustelle.

Le gouvernement serait, à en croire Soustelle, « une dictature tempérée d'anarchie. Au sommet, un homme seul exerce le pouvoir tyrannique sans limite et sans frein. Au-dessous de lui, les ministres intriguent, les administrations se querellent, le malaise social s'étend, les ouvriers se mettent en grève, les paysans se révoltent. Personne ne sait de quoi demain sera fait »...

Bidault, Soustelle... qui lui furent proches, sont devenus des ennemis déclarés, prêts à saisir toute occasion, un attentat, une grève, pour accéder à nouveau à une part du pouvoir !

Combien sont-ils ainsi à le haïr ? Les vichystes, ceux qui ne lui pardonnent pas d'avoir eu raison en 1940, ceux qui voient en lui l'incarnation de leur lâcheté et de leurs erreurs, et tous ces hommes politiques que les nouvelles institutions ont écartés du pouvoir. Et ces centaines de milliers de pieds-noirs pour qui il est celui qui a, comme ils disent, « bradé l'Algérie ». Et ces officiers qui s'estiment trahis, qui craignent la reconversion de l'armée, la mise en œuvre de la stratégie atomique ; beaucoup ne croient pas à la possibilité d'une défense française indépendante.

Il y avait le peuple. Et si ce mouvement de grève des mineurs le faisait lui aussi basculer dans le camp des opposants ?

Il entend, déchirant le silence de cette fin de matinée du samedi 2 mars, le vrombissement d'un moteur. Un gendarme apporte un pli du Premier ministre. C'est l'ordre de réquisition des mineurs que doit signer le président de la République.

Il hésite quelques secondes. Signer ici, à Colombey et non à l'Élysée, c'est peut-être une erreur ! Et puis, comment penser qu'on peut ainsi « contraindre quatre cent mille hommes à travailler s'ils n'y consentent pas » ? « Mais il est concevable que tout ou partie de la corporation voit dans le décret signé par moi l'affirmation de l'intérêt national, et juge devoir s'y soumettre. »

Il date de Colombey. Il signe.

Il est de retour à l'Élysée.

C'est la succession habituelle des audiences, de ministres venus présenter leurs projets. Il reçoit Messmer, l'écoute faire le point sur la préparation d'une explosion atomique qui doit intervenir au Sahara, le 18 mars. Les Algériens protesteront sans doute. Messmer précise par ailleurs que la fabrication en série des bombes A a commencé.

De Gaulle écoute. Quand Messmer se lève, il lance :

– Argoud, vous êtes au courant ?

– Naturellement, mon général, reprend Messmer.

C'est donc la Sécurité militaire qui a agi, comme il l'avait supposé, et non des « gangsters au service du pouvoir », comme continue de le prétendre la presse.

– Je n'aime pas qu'on ligote un officier comme un saucisson, dit seulement de Gaulle.

Il ne condamne pas l'opération, « illégale » il est vrai au regard du droit international. Mais entre l'OAS et la nation, entre les tueurs et lui, c'est la guerre. Et il faut la gagner, donc aller jusqu'au bout.

Le 4 mars, le verdict condamnant à mort Bastien-Thiry et Bougrenet de La Tocnaye tombe.

Maintenant, il faut aller vite, décider de gracier Bougrenet de La Tocnaye qui n'a été qu'un exécutant. Quant au sort de Bastien-Thiry, le chef, l'organisateur des attentats de Pont-sur-Seine et du Petit-Clamart, de Gaulle hésite.

Il se sent, comme chaque fois qu'il doit ainsi choisir de trancher une vie, déchiré.

Il n'éprouve pas de compassion pour cet homme, à l'évidence un fanatique.

Bastien-Thiry a donné l'ordre de tirer sur une voiture dans laquelle il y avait une femme, Yvonne de Gaulle. Il a fait courir des risques mortels à des innocents, dont trois enfants, qui se trouvaient à bord de la voiture Panhard venant en sens inverse de celle du Général et prise elle aussi sous le feu. Il a mêlé des étrangers à cette affaire, en les payant pour qu'ils tuent le chef de l'État. Et pour finir, ajoute de Gaulle, en faisant une moue de mépris, « le moins qu'on puisse dire est qu'il n'était pas au centre de l'action », prétendant, au cours de son procès, qu'il n'avait pas eu l'intention de tuer, mais d'enlever celui qu'il appelle « le chef de l'État de fait, du pouvoir de fait ».

Méritant la peine de mort donc, mais il s'agit de la vie d'un homme, d'un fils dont le père est un officier courageux, gaulliste des premières heures.

De Gaulle hésite. Et tout à coup, cette nouvelle : les tueurs de l'OAS ont abattu, devant sa porte, place Saint-Foix à Neuilly, le banquier Henri Laffont. De Gaulle l'a reçu, la veille, à l'Élysée. Laffont voulait évoquer des affaires concernant l'OAS. C'est pour cela qu'on l'a tué. Inacceptable ! Il entend Yvonne de Gaulle dire à Teissère, l'aide de camp : « Si ceux qui viennent voir le Général pour lui dire ce qu'ils doivent lui dire se font assassiner, ce n'est plus possible. »

C'est exactement ce qu'il pense.

Et cependant il n'arrive pas encore à se décider.

Il préside, le 8 mars, le Conseil supérieur de la magistrature qui examine le dossier Bastien-Thiry.

Il marche dans le parc de l'Élysée en compagnie d'Alain de Boissieu qui assure, tenant l'information d'un officier, cousin du condamné, que Bastien-Thiry a séjourné plusieurs mois dans une maison de santé pour « dérangement intellectuel », « nervosité excessive », « manque d'équilibre dû à une grande fatigue ».

De Gaulle s'arrête. Peut-être une issue.

– C'est incroyable, murmure-t-il. En êtes-vous sûr ? Votre messager est-il digne de foi ?

Ces faits n'ont jamais été évoqués à l'audience.

Il reçoit, quelques heures plus tard, l'avocat de Bastien-Thiry, venu présenter le recours en grâce, mais l'avocat ne peut et ne veut apporter la justification des troubles mentaux de Bastien-Thiry. Bastien-Thiry a-t-il choisi le sacrifice ? Il faut trancher.

« Moi, je ne compte pas, murmure de Gaulle. C'eût été une sortie comme une autre, et même une belle sortie. Il faudra bien que j'y passe, mais il y a l'efficacité de l'État. »

Le 11 mars 1963, à l'aube, au fort d'Ivry, Jean-Marie Bastien-Thiry est fusillé.

Au courrier de ce même matin, 11 mars, une lettre adressée au général de Gaulle par le colonel Bastien-Thiry, le père du condamné. Il demande la grâce de son fils et renouvelle ses sentiments d'admiration pour le général de Gaulle qu'il a toujours suivi, depuis l'époque où il tenait garnison à Metz. Et leurs enfants ? Peut-être se sont-ils côtoyés dans le même collège des jésuites Saint-Clément.

Il semble à de Gaulle que son destin l'oblige ainsi souvent à ces confrontations avec les commencements de sa vie. Il est bouleversé. Il pense à ce père, à ce fils.

– Les Français ont besoin de martyrs, dit-il. Il faut qu'ils les choisissent bien. J'aurais pu leur donner un de ces crétins de généraux qui jouent au ballon dans la cour de la prison de Tulle. Je leur ai donné Bastien-Thiry. Celui-là, ils pourront en faire un martyr, s'ils le veulent, lorsque j'aurai disparu. Il le mérite.

C'est un printemps amer, mais il faut faire face. Il doit être ce môle que la houle peut battre, mais ne réussit jamais à recouvrir.

Il se tasse sur lui-même en regardant ces journaux télévisés, où l'on ne voit que des grévistes, des agriculteurs en colère. « Voilà ce qui s'est passé et ce qui se passe en France. Opposition, agitation, augmentation des prix, protestation. Le tout "exposé" par un "journaliste" qui n'a évidemment aucune directive ou qui, s'il en a, n'en tient aucun compte. »

Qui dira que la croissance a été de 7 % cette année ? Qui rappellera ce qu'était la situation de la France, il y a cinq ans, la nation enlisée dans l'affaire algérienne et menacée de guerre civile ? Qui dira que pour la première fois, au xxᵉ siècle, ses soldats ne se battent plus, ni dans une rizière, une tranchée ou un djebel ?

Il écoute les commentaires sombres et exaltés. Il voit ces images de milliers de mineurs, gueules noires casquées, qui défilent le long de la Seine, en un immense cortège venu du Nord et de Lorraine. Ils se rassemblent, nombreux et débonnaires, sur l'esplanade des Invalides, ce 13 mars 1963. Ils crient en souriant sans colère, avec une sorte de fraternelle ironie : « Charlot, des sous ! Des sous, Charlot ! »

Autour d'eux, une foule joyeuse, solidaire. Et les journaux, tous les journaux qui les soutiennent.

L'ordre de réquisition n'a eu aucun effet. Au contraire.

La grève s'est étendue. Le 10 mars, à Lacq, elle a été décrétée illimitée. Et l'intervention du Premier ministre à la télévision, le 8 mars, n'a eu aucun effet. Georges Pompidou avait pourtant assuré que la réquisition empêcherait la grève. En fait, elle a transformé ce conflit social en une épreuve de force.

Au Conseil des ministres du 13 mars, de Gaulle écoute les interventions des différents membres du gouvernement. Il approuve la formation d'une commission des « sages ». Il faut bien trouver un moyen de sortir de l'impasse. On le sollicite d'intervenir à la télévision. Il s'y refuse. Il ne s'agit que d'un conflit social et non d'une tragédie nationale. Il faut à la fois laisser la commission des sages proposer des solutions et ne pas céder.

Il s'isole. C'est une épreuve nouvelle qu'il affronte, où se mêlent inextricablement les sentiments légitimes d'une profession et les manœuvres des opposants.

Il regarde ces reportages sur les corons. Il est ému. Il a voulu, à la Libération, que les houillères entrent dans le « patrimoine national ». Il connaît le labeur des mineurs. Il se sent homme du Nord. Ses frères, Xavier et Jacques, son beau-frère Alfred Cailliau ont été ingénieurs des mines. Et pourtant, il ne faut pas capituler. Il faut moderniser ce pays, et les mines sont appelées à fermer.

Et il y a tous ceux qui utilisent ce mouvement pour attaquer de Gaulle, pour dénoncer le « décret de Colombey », le représenter en souverain d'un autre âge qui, enfermé dans sa demeure, « ordonne », réquisitionne ses « sujets ».

Il admet qu'il n'était pas très habile de signer ce décret hors de l'Élysée. Il en avait eu conscience. Mais ce qui est fait est fait.

Il faut tenir.

Il le dit aux ministres : « Il ne faut jamais privilégier un groupe sur la nation, ni sacrifier l'avenir pour surmonter un embarras présent. Le salut du pays avant tout. »

Il s'indigne. « Des sous, des sous ! Ils en sont tous là ; qu'ils soient ministres ou qu'ils soient mineurs, ils se foutent éperdument des autres ! »

Il ne peut pas accepter ce comportement. Que la commission des sages fasse son rapport. Et que le gouvernement ne soit pas dupe du soutien que les journaux – l'opinion – apportent au mouvement.

Le 18 mars, il écrit au Premier ministre :

« Mon cher ami,

« Chaque jour, chaque heure qui passe montre plus clairement que l'affaire des grèves est une entreprise politique dirigée contre "qui vous savez", avec le concours de toutes les oppositions.

« Il est essentiel pour le présent et pour l'avenir que l'issue soit l'échec complet de ceux qui ont monté cet assaut.

« Cela exige d'abord que, du côté du gouvernement, aucune concession ne soit faite pas rapport à ce qui avait été dit.

« Cela exige aussi que le gouvernement se décide à informer le public sur les réalités, en ce qui concerne le progrès du niveau de vie des Services publics depuis 1958 et la nécessité de l'équilibre.

« S'il en est ainsi, le succès final est assuré. Sinon, tout y passera.

« Amicalement. »

Il lit le rapport sur le conflit qu'un jeune fonctionnaire, Jacques Delors, a rédigé au nom des « sages », Pierre Massé et François Bloch-Lainé. Ces économistes préconisent une augmentation des salaires de 4 à 8 %. Il sent que, à partir de ce texte, la négociation peut aboutir, la grève s'achever.

Le gouvernement ne s'est pas renié car il avait proposé ce compromis dès le début du conflit, il y a près d'un mois. Mais il ne veut pas être dupe : la réquisition a été un échec. Le monde ouvrier s'est écarté. Il faut renouer avec lui, concevoir et proposer une politique sociale pour accompagner la modernisation nécessaire de la nation. Il faut que les salariés aient le sentiment de *participer* à la vie de leur entreprise. Telle doit être l'une des grandes tâches à venir.

Le 3 avril 1963, un accord est signé avec les représentants des mineurs et le travail reprend.

Maintenant, il faut faire le bilan.

Il est seul dans son bureau de Colombey. Ce décret malheureux, signé ici, à la Boisserie, l'a placé « en première ligne », dans un conflit que le gouvernement n'a su ni prévoir, ni maîtriser. Mais « il ne faut jamais se renier. L'action comporte toujours à court terme des dommages dans l'opinion. Mais si on veut ménager la chèvre et le chou et danser d'un pied sur l'autre, les dommages à long terme sont irréparables ».

Il a le sentiment que rien d'essentiel n'a été brisé. Mais combien est fragile le rassemblement des Français ! Que de forces qui tirent à hue et à dia, que d'intérêts particuliers, que d'oppositions aussi, résolues, décidées à l'abattre !

Le 19 avril, à l'Élysée, il prend place dans le salon Murat, derrière la petite table Louis XV où il s'est souvent installé depuis cinq ans. Il veut, puisque le travail a repris, parler aux Français, leur expliquer le sens de la crise. Les caméras de télévision tournent.

« Naturellement, dit-il, chaque personne et chaque profession désire pour ce qui les concerne obtenir davantage. Et de crier "des sous ! des sous !" ou bien "des crédits ! des crédits !" mais les sous et les crédits ne sauraient être alloués que si nous les possédons... La République pour être le progrès ne peut être la facilité ! »

Il lève les mains.

« Nous avançons, mais il y faut l'ordre et l'effort. À d'autres, la facilité ! »

L'allocution terminée, il descend lentement l'escalier du perron qui conduit des salons au jardin.

Il marche lentement en cette fin de matinée ensoleillée. Il a vécu déjà tant de printemps, soixante-treize ! Et pourtant, à chaque fois, cette renaissance de la nature le surprend et l'émeut par sa vigueur, sa beauté.

34

Tout recommence toujours. Il veut répéter cette phrase que, depuis le début de cette année, il s'efforce de ne jamais oublier un seul jour : « Je sais qu'il n'y a pas de relâche à la houle des difficultés. »

C'est la loi de la vie, la loi des saisons qui reviennent.

Et qui ignore cette loi s'aveugle !

Il revient lentement vers le palais. Il s'arrête sur le perron.

La vie lui a appris aussi que « le temps simplifie tout à mesure qu'il passe. Il vient un jour, dans l'Histoire, où une seule chose compte en définitive, pour un État et pour son armée : avoir gagné ou avoir perdu ».

Il entre dans le palais.

« Tâchons de gagner », murmure-t-il.

Deuxième partie

Avril 1963 – mai 1964

L'essentiel n'est pas ce que pense le comité Gustave, le comité Théodule, le comité Hippolyte, mais ce qui est l'intérêt du peuple français. J'ai conscience de l'avoir discerné depuis un quart de siècle et je suis résolu, puisque j'en ai la force, à continuer de même.

Charles de Gaulle, Orange,
26 septembre 1963.

3

De Gaulle prend place au bout de la grande table familiale. Il regarde les siens. Sa petite-fille Anne, assise entre ses parents Élisabeth et Alain de Boissieu, ses petits-fils.

Quand il les voit ainsi, tous rassemblés autour de lui, dans la salle à manger de la Boisserie, il a le sentiment que là est le sens profond de sa vie. Qu'il ne peut affronter la haine, l'hostilité, les incertitudes, les déceptions, l'ingratitude, les rivalités de la scène publique au centre de laquelle il se trouve exposé que parce qu'il existe, ici, à Colombey-les-Deux-Églises, ce lieu de quiétude et de bonheur.

Il interroge Yvonne de Gaulle, mais elle refuse en souriant de répondre. Elle ne dévoile jamais la composition du menu.

Il se tourne vers Alain de Boissieu.

– Vous voyez, dit-il à son gendre, je suis soi-disant le premier des Français, mais ici, c'est votre mère qui commande...

Elle est heureuse à la Boisserie. Ailleurs, elle fait face à toutes les obligations officielles. Elle est restée impavide sous les tirs croisés des tueurs de l'OAS. Elle ne conteste aucune des contraintes que le choix qu'il a fait d'une vie publique lui impose, mais il sait que c'est ici qu'elle est épanouie. Et lui aussi.

Qu'importent les palais et leurs dorures ! Elle préfère ses fleurs, ses petits-enfants. Et lui ? Existe-t-il une plus grande victoire que celle qu'il vient de remporter, au cours du dîner d'hier soir, en réussissant à faire cesser les sanglots de sa petite-fille, à la faire sourire et accepter de manger son potage, lui évitant ainsi d'avoir à regagner sa chambre, seule, punie, accablée ?

Voilà l'ordre naturel des choses. Le reste est bruit et fureur. Mais c'est cela aussi sa vie.

Il sort marcher dans le parc.

Il passe à pas lents devant le poulailler où Yvonne de Gaulle engraisse les volailles, parce qu'elle veut avoir « ses » œufs frais. Elle en expédie à son fils, à sa fille, pour leurs enfants. Il s'arrête un instant. Il n'accepte pas qu'on sacrifie ces poules. Qu'on les donne ! Qu'on offre à une communauté religieuse de Bar-sur-Aube le mouton avec lequel les enfants ont joué et qu'il faut maintenant abattre. Pas question qu'on se repaisse des animaux familiers ! Il ne supporte pas cette idée.

La violence, la dureté, la cruauté même, l'histoire des hommes en somme avec son visage barbare, ne doivent pas entrer ici, à la Boisserie.

Il est prêt à les affronter comme un chevalier qui revêt son armure, parce que telle est sa fonction, telle est la loi.

Mais ici, avec les siens : paix, douceur, tendresse.

Il peut enfin déposer le bouclier et le glaive, la cotte de mailles et le heaume, et apparaître enfin tel qu'il est aussi, un grand-père attendri, qui ne peut supporter les sanglots de sa petite-fille, ou bien qu'on tue les poules et le mouton.

Tout à l'heure, quand il rentrera dans son bureau, et demain, quand il regagnera le palais de l'Élysée, il sera temps de reprendre les armes.

Et comme on voudrait de toutes parts qu'il les dépose !

Pas un organe de presse – quotidien ou hebdomadaire, et même « le » journal respectable par excellence, *Le Monde*, dont il a permis la naissance, en 1944, en soutenant Hubert Beuve-Méry, afin que ce démocrate-chrétien en prenne la direction – qui ne colporte des rumeurs sur un prochain départ, qui n'accrédite l'idée que la grève des mineurs, les élections partielles qui se déroulent, dimanche après dimanche, ici et là, montrent l'érosion rapide du pouvoir.

On dit qu'Yvonne de Gaulle et Philippe de Gaulle insistent pour qu'il se retire au terme de son mandat, en 1965. Et pourquoi pas avant ?

Tous les politiciens sont à l'affût. Le socialiste Guy Mollet se dit prêt à ouvrir des discussions avec les communistes. Le MRP se donne de nouveaux leaders, Lecanuet et Fontanet. Des clubs, des comités se créent, et l'un d'eux, le Comité d'action institutionnelle, rassemble des radicaux, comme Charles Hernu et Maurice Faure, et François Mitterrand.

Mais que peuvent-ils si le peuple continue de se rassembler autour de de Gaulle ?

Il faut qu'il en ait le cœur net.

Il parcourt les départements. Il parle dans des dizaines de petites villes de Givet à Vitry-le-François, de Chaumont à Bar-sur-Aube, d'Épernay à Nogent-sur-Seine, de Saintes à Niort, de Parthenay à Poitiers. Les foules sont là. Avec le même enthousiasme.

Il lance à Mézières :

« Poursuivons notre route et poursuivons-la dans la solidarité. »

Il dit à Cognac, du haut de la tribune dressée sur la place François-Ier :

« La tâche qui est la mienne aura son terme. On se préoccupe de savoir ce qui arrivera après. C'est assez naturel de la part de beaucoup... »

Il laisse quelques secondes le silence s'établir. C'est la première fois qu'il évoque ainsi la fin de son rôle.

« Je m'en préoccupe un peu moins, reprend-il, parce que je sais, pour l'avoir expérimenté à travers beaucoup d'événements, que la solution du problème des Français n'est jamais dans des combinaisons, des arrangements, elle est dans les Français eux-mêmes et que, dans ces Français, j'ai confiance... »

Les applaudissements éclatent.

Les liens entre lui et le peuple ne sont pas brisés, malgré les problèmes sociaux, les grèves ici et là, les manifestations paysannes en Bretagne, dans le Midi, les grèves-surprises dans le métro. Et le projet de réglementation du droit de grève que le gouvernement, au terme de débats houleux, fait voter par l'Assemblée. Désormais, dans les services publics, avant tout arrêt de travail, il faudra déposer un préavis de cinq jours. Il en est convaincu, c'est bien sur ce terrain social et économique que va se jouer la partie. Mais elle ne fait que s'engager. Et l'opinion reste favorable. Dans l'île de la Réunion, lors d'une élection partielle, Michel Debré vient d'être élu député.

Il faut simplement, comme toujours, faire face, réformer, lutter contre l'inflation par le blocage des prix de cinquante et un produits, prévoir la régionalisation, moderniser les grandes entreprises, faire voter les lois d'orientation pour le monde agricole, préparer une réforme de l'Université puisque, en quelques années, le nombre d'élèves est passé de sept à neuf millions.

Er l'on voudrait qu'il parte, alors qu'il y a tant à faire !

Il se promène dans le parc de l'Élysée, en compagnie de Jacques Vendroux. Il évoque les réformes qu'il faut entreprendre. La question de l'école et de l'enseignement est capitale, dit-il.

« Le fait d'influer puissamment sur notre destin en instruisant la fleur du peuple implique un devoir national incomparable. »

Il s'interrompt quelques minutes.

« Sans doute, reprend-il, dans la haute idée que je me fais du rôle des maîtres entre le souvenir de mon père qui, au long de sa vie, prodigua comme professeur à des générations d'élèves sa valeur et son dévouement. D'ailleurs, dans tous les dits et écrits qui accompagnèrent mon action, qu'ai-je jamais été moi-même sinon quelqu'un qui tâchait d'enseigner ? »

Enseigner quoi ?

La nécessité du respect, de la dignité. En politique intérieure, dignité des individus, des ouvriers, des paysans, des classes défavorisées. En politique extérieure, dignité des peuples, si pauvres, si arriérés soient-ils, et surtout s'ils le sont. Dignité des Européens en face des Américains. Ils doivent cesser de se ruer à Washington pour y prendre leurs ordres. Et partout et toujours, dignité des humiliés et des offensés.

Il se tourne vers Jacques Vendroux.

– Alors, il paraît qu'on s'agite beaucoup de la fin de mon mandat, en 1965. On dit que je compte me retirer de la vie publique ?

1965. Deux ans passent si vite. Il aura soixante-quinze ans. Peut-être, en effet, ce sera le moment.

Il joue avec cette idée. Puis, il se dirige vers le palais de l'Élysée. Au travail.

Les dossiers sont entassés.

Il lit, plume en main, trace quelques lignes. « Il m'apparaît que 3,5 % d'augmentation en juin – pour les prix agricoles – est au-delà même du maximun raisonnable. »

Nouveau dossier : la justice. Il dicte une lettre pour le Premier ministre : « Il s'agit notamment de réadapter l'administration centrale, et réviser le statut de la magistrature et l'organisation judiciaire, de réformer les codes de procédures civile et pénale et de procéder à la réorganisation des professions para-judiciaires. »

Autre dossier. Nouvelle lettre à Pompidou : Il faut « rétablir l'Opéra et l'Opéra-Comique au rang qui leur revient ».

Une note pour Couve de Murville, ministre des Affaires étrangères : « Un reclassement du personnel des Affaires étrangères est en cours. Quelques agents qui ont fait partie de la France combattante sont, me dit-on, intéressés dans cette affaire et d'autant plus qu'il semble que tout au moins certains d'entre eux se verraient surclassés... Il est équitable et, vis-à-vis de moi-même, convenable, que cette rétrogradation relative n'ait pas lieu, sauf cas particulier très précis qu'il faudrait alors m'exposer. »

Tout est important. Négliger un détail, ce peut être introduire un grain de sable dans la machine de l'État, léser des hommes et compromettre toute l'action gouvernementale. Il a appris cela, il s'en souvient, dans les tranchées en 1914, quand il veillait à la tenue des hommes, à ces « détails » apparemment anodins – une cravate qu'il faut nouer, des vêtements qu'il faut brosser – et qui étaient décisifs pour le moral et la combativité de la troupe.

Il se soucie de l'impôt sur les entreprises et du sort de l'industrie métallurgique. La société Schneider est en difficulté : « Le but à atteindre est qu'elle reste française. »

Affaire symbolique. Affaire de dignité. Il doit veiller à ce que d'aucune manière la France ne soit affaiblie, contestée, diminuée.

« Mon cher Premier ministre,

« Il ne me paraît pas convenable que les membres du gouvernement accomplissent des déplacements à l'étranger comportant de leur part une apparition en public, sauf bien entendu au cas où leur tâche ministérielle leur crée, à cet égard, des obligations précises.

« D'autre part, je désire être informé à l'avance de ces projets de voyage et de leur objet... »

Il garde le dossier contenant les dispositions arrêtées pour l'anniversaire de la Victoire, le 8 mai. Il veut pouvoir entrer en contact, comme à son habitude, avec le peuple. Ou au moins le voir et être vu. Il écrit en marge :

« Pour l'Arc de Triomphe

« Beaucoup trop de motards. D'autant plus qu'il y a aussi un énorme escadron à cheval. »

Travail quotidien. Et il faut aussi recevoir les chefs d'État, présider le Conseil des ministres, celui de la Défense, celui de la magistrature et, en compagnie du roi et de la reine de Suède, pour le dîner de gala, à Versailles, s'avancer en tête du cortège dans la galerie des Glaces, jusqu'à la salle de théâtre restaurée – à l'initiative de Malraux – et assister à un spectacle de ballet.

Il faut se rendre en voyage officiel en Grèce, prononcer un discours devant la Chambre des députés à Athènes, exalter la Grèce qui « personnifia soudain et à la fois toutes les merveilles de la pensée, de l'art, de la science, de l'action et enfanta notre civilisation ».

Dire à l'aide de camp :

« Flohic, l'un de vos lacets de chaussures est dénoué, vous devriez prendre garde à ne point tomber. »

Et veiller à ne pas trébucher soi-même car, dans la lumière vive, sans lunettes – maudites opérations de la cataracte ! – il ne voit pas le rebord des marches. Il faut donc se fier à Flohic qui murmure : « Attention, bientôt marches », puis répète à chaque degré : « marche », « marche », « marche », « marche »... « fin des marches ». Et ne jamais montrer qu'on hésite. Avancer droit.

Droit dans la nef de Notre-Dame, pour la messe à la mémoire de Jean XXIII, mort le 3 juin 1963.

Droit dans les couloirs de la chancellerie de Bonn, pour rencontrer le chancelier Adenauer.

Et découvrir que le traité de l'Élysée scellant la coopération franco-allemande, s'il a été ratifié par le Bundestag, a été vidé de son contenu par l'adjonction d'un préambule qui déclare que le traité ne doit nuire ni à la défense commune, dans le cadre de l'Alliance atlantique, ni à l'adhésion de la Grande-Bretagne au Marché commun.

Les deux orientations que précisément le traité voulait combattre !

Mais Jean Monnet est passé par là, faisant pression auprès des députés allemands, mais l'Allemagne a été sensible aux arguments de Washington, mais les « faux témoins » belges et hollandais sont intervenus dans le même sens !

Et Kennedy a fait la tournée des capitales européennes, sauf Paris. Il s'est rendu à Berlin et, à quelques mètres du Mur qui divise la ville, s'est écrié : « *Ich bin ein Berliner !* » Je suis un Berlinois !

Rester droit.

Maintenir la dignité de la France, assurer son indépendance, sa souveraineté. Et retirer la flotte française de la Manche et de l'Atlantique, de l'OTAN. Les flottes anglaise et américaine sont sous commandements nationaux, pourquoi la France n'aurait-elle pas ce même droit ?

Quant au traité avec l'Allemagne ? Il hausse les épaules :

« Les traités, voyez-vous, sont comme les jeunes filles et comme les roses, ça dure ce que ça dure. Si le traité franco-allemand n'était pas applicable, ce ne serait pas la première fois dans l'Histoire... »

Il faut expliquer cela à l'opinion et donc préparer une conférence de presse et à cette fin s'isoler d'abord, réfléchir, écrire, raturer, apprendre, réciter, réciter encore. Puis entrer, droit, dans la salle des fêtes de l'Élysée, selon le rituel désormais établi.

« Mesdames, Messieurs,

« Je me félicite de vous voir... »

Écarter d'un geste de la main l'idée selon laquelle les relations entre la France et les États-Unis sont assombries par les critiques de la presse américaine et remises en cause par de profondes divergences. La France ne vient-elle pas de refuser de signer des « accords de Moscou » interdisant les explosions nucléaires dans l'atmosphère et dans la mer ?

« Je vous dirai, explique-t-il, que la pratique que je peux avoir, depuis tantôt vingt-cinq années, des actions publiques aux États-Unis fait que je m'étonne assez peu des saccades de ce qu'il est convenu d'appeler l'opinion... Mais il reste que ce qui s'est passé à Moscou montre que la voie suivie par la politique des États-Unis ne se confond pas avec la nôtre. »

C'est tout. Mais ceux des Européens qui se « ruent à Washington » n'ont évidemment pas la même idée de la dignité.

Il écoute un journaliste évoquer la rupture qui a eu lieu entre la Chine et l'URSS. Il élève, écarte les bras, secoue la tête.

« Je me refuse à entrer dans une discussion valable sur le sujet de la querelle idéologique entre Pékin et Moscou. Ce que je veux considérer, ce sont les réalités profondes qui sont humaines, nationales et par conséquent internationales. L'étendard de l'idéologie ne couvre en réalité que des ambitions. Et je crois bien qu'il en est ainsi depuis que le monde est né. »

Comprendront-ils que la réalité est faite de nations ? Et que c'est en reconnaissant et en respectant leur existence et leur souveraineté que l'Europe pourra naître ?

« C'est aux Six (les États membres du Marché commun) qu'il appartient de la faire naître. Et la France pour sa part s'y attend. »

« Mesdames et Messieurs, je vous remercie vivement de l'attention que vous m'avez apportée. »

Il se lève lentement, s'éloigne, laissant derrière lui cette rumeur, ce brouhaha qui a envahi la salle des fêtes dès qu'il a prononcé les derniers mots.

Tout en marchant dans les couloirs du palais de l'Élysée, il se souvient des différents moments de cette conférence. Sa mémoire n'a pas failli, les mots sont venus se mettre en place sans qu'il hésite. Il a même le sentiment que jamais il n'a aussi bien maîtrisé son exposé, qu'il a parlé avec à la fois de la passion et du détachement.

S'il décide de quitter sa fonction, ce ne sera pas parce que la vieillesse aura rongé ses facultés. Ou par crainte du « naufrage ». Mais, en fait, personne ne met en doute la vivacité, ni la vigueur de sa pensée. Il dérange, c'est tout. Il est resté ce gêneur, que les serviles ne supportent pas.

Et à quel moment, au long de sa vie, a-t-on accepté ses idées ?

Ni dans les années 30, ni dans les années 40, ni dans les années 50 ! Qu'il ait eu quarante, cinquante ou soixante ans, ça a toujours été, quand il s'est exprimé, le même concert, de la part des élites, d'incompréhension, de sarcasmes, d'aigreurs, de dérision, d'hostilité.

Il n'est donc pas surpris quand, le lendemain matin, il parcourt la presse. On l'accuse de vouloir, avec son « Europe des États », réveiller le nationalisme, détruire le Marché commun, provoquer les États-Unis, notre « grand allié », menacer la paix du monde en refusant l'accord de Moscou d'interdiction des expériences nucléaires non souterraines. Etc.

Et la conclusion, qu'on n'ose formuler mais qui est là, entre les lignes, c'est qu'il doit quitter le pouvoir. Et il imagine tous les conciliabules que tiennent les Jean Monnet, les Jean Lecanuet, les Guy Mollet, les Gaston Defferre, les François Mitterrand, pour parvenir à leurs fins.

« On me dit que certains se préoccupent vivement de ce qu'il faut faire en vue de ma future succession. Au total, je crois comprendre que, pour ceux-là, le problème consiste à rétablir le système qui était le leur et qui leur est resté très cher. Que pourraient-ils faire d'autre, en effet, s'il n'y avait plus de digue pour les contenir ? Ce qu'il est dans leur nature et dans leurs moyens de faire et qu'ils ont d'ailleurs toujours fait, je veux dire le ballet des combinaisons, des jeux, des crises que l'on connaît, qui se déroule à grands frais tant que rien de grave ne se passe et qui s'écroule tout à coup, comme en 1940 ou comme en 1958, quand l'orage finit par éclater ! »

Mais ils diront qu'il n'y a pas de tempête en vue ! Pire, que c'est lui qui les suscite, qu'il les espère, qu'il les attend avec impatience, ces « orages désirés » !

« Vous êtes un soldat et vous ne nous supportez que sur le pied de guerre, lui lance, dans un pamphlet, Georges Izard... Vous êtes resté le chef de guerre d'un peuple qui aspire à la paix... Ainsi, votre conception tragique du monde pénètre-t-elle dans notre vie quotidienne. Elle y provoque une tension constante. Pour employer une expression qui vous plaira, vous nous tuez au tracassin. »

Il repousse cette « Lettre affligée au général de Gaulle ». Elle a au moins le mérite de la franchise.

Il soupire. Peut-être, en effet, essaye-t-il, depuis toujours, de réveiller un peuple qui n'aspire qu'à la paix du sommeil, qui ne veut pas voir le monde.

Il a souvent pensé cela. Peut-être les temps de l'héroïsme sont-ils en effet terminés. Mais que reste-t-il alors de la nation ? De la vie collective ? Qu'offrir à la jeunesse de ce pays ?

Il songe à cette nuit du samedi 22 juin 1963 où, autour de quelques chanteurs, Johnny Hallyday, Sylvie Vartan, Richard Anthony, près de cent cinquante mille jeunes, à la grande surprise des animateurs de la soirée – la radio Europe n° 1, l'émission *Salut les copains* –, se sont rassemblés place de la Nation, cours de Vincennes, au rythme du rock et de ce qu'ils appellent le « yé-yé ». « Aucune formation politique ou confessionnelle n'aurait jamais réussi à mobiliser en France une telle armée de moins de vingt ans », a écrit Daniel Filipacchi, l'organisateur de cette soirée.

Que faire de cette énergie juvénile ? Quel sens ces jeunes vont-ils donner à leur vie ?

Va-t-elle se résumer ainsi en une série d'explosions, sans autre but qu'elles-mêmes ?

Quelques nuits de désordre et de bruit et puis tout retombera, laissant des aubes vides, des places et des rues jonchées de débris de vitres, de panneaux de signalisation abattus, de carrosseries de voitures défoncées, d'arbres aux branches cassées.

Il est assis dans son bureau de la Boisserie. Il vient d'achever la lecture du *Partisan*, un livre que son auteur lui a envoyé. Auguste Lecœur est un ancien dirigeant communiste qui a rompu avec le PCF, un résistant exemplaire, mineur de charbon, qui avait soulevé toute la région du Nord dans une grande grève contre l'occupant. Il le feuillette à nouveau. Il l'a lu avec intérêt et émotion.

Il répond à Lecœur.

« À mesure que passent les années et les événements, écrit-il, nous sommes, je le crois, quelques-uns à penser qu'au total ce que nous fîmes de mieux, ce fut de combattre ensemble quand cela était difficile. »

Il s'interrompt. Ce n'est pas cela qu'il veut dire d'abord. La guerre, le combat commun relèvent des circonstances, du moment historique. Mais ce livre dit aussi autre chose, que de Gaulle ressent le besoin d'exprimer, en ce moment où, précisément, semble peu à peu disparaître ce qui fait sens à la vie.

Il reprend la lettre.

« Ce qui est la raison d'une vie, c'est d'avoir cru, voulu et fait quelque chose en assumant le risque et le danger, écrit-il. Le reste au point de vue de l'Homme a finalement peu d'importance. »

4

Il referme le dossier, pose les mains à plat sur son bureau, puis il se laisse aller en arrière, la tête légèrement levée, les yeux mi-clos.

Les notes qu'il vient de lire ne laissent aucun doute. La classe politique et journalistique n'a plus qu'une seule obsession : l'élection présidentielle, c'est-à-dire sa succession.

Il tapote le dossier.

Tous ceux qui rêvent à la « fabrication du président », les Jean-Jacques Servan-Schreiber, propriétaire de *L'Express*, et le petit groupe de journalistes qu'il a rassemblé autour de son hebdomadaire – Jean Ferniot, Georges Suffert – ont lu *The Making of the President,* de Theodore H. White, qui raconte comment on a fabriqué Kennedy. Jean-Jacques Servan-Schreiber, le « Kennedillon » français selon le mot de Mauriac, veut répéter l'opération. Au profit de qui ?

Ça « grenouille » dans ces clubs où se rassemblent intellectuels, journalistes, hommes politiques, hauts fonctionnaires, syndicalistes. Le Club Jean-Moulin vient de mettre en chantier, si les informations contenues dans le dossier sont exactes, *Un manifeste pour l'élection présidentielle.* Jean-Jacques Servan-Schreiber a constitué une « équipe de France », décidée à trouver l'homme politique capable de vaincre de Gaulle. Pierre

Mendès France ou Gaston Defferre ? Et naturellement tous ceux qui sont opposés à la politique européenne de la France, les amis de Jean Monnet, de Guy Mollet, les proeuropéens et les proaméricains sont de la partie.

De Gaulle se rassied. Il prend une feuille, écrit en souriant :

« Dans les vases clos des colloques, congrès, conférences, confrontations, débats, tables rondes, se manifestent

« ceux qui exposent,

« ceux qui proposent,

« ceux qui déposent,

« ceux qui disposent,

« ceux qui supposent,

« ceux qui composent,

« ceux qui transposent,

« ceux qui apposent,

« ceux qui opposent,

« bref, ceux qui posent. »

Il ferme les yeux.

Il se sent si serein. Cette meute qui jappe lui semble si ridicule, si dérisoire. Elle imagine qu'il va démissionner d'ici quelques semaines, de façon à surprendre l'opinion et les partis toujours affaiblis et divisés. Et dans ce climat favorable, il organisera en janvier ou février 1964 une élection anticipée et sollicitera un second mandat. Ils croient à cette rumeur. Et peut-être est-ce Georges Pompidou ou Roger Frey, le ministre de l'Intérieur, ou quelques autres gaullistes, qui l'ont lancée, pour entraîner la meute sur une fausse piste, agiter devant elle ce leurre afin de l'égarer, la forcer à se découvrir. Mais peut-être ceux-là, ses proches, s'impatientent-ils eux aussi. Pompidou a acquis de l'autorité, de la maîtrise. Il n'est plus l'inconnu, étranger à l'opinion et au milieu politique. Il s'est imposé. Et, estime-t-il, de Gaulle pourrait passer le relais.

En tout cas, la rumeur est là. Et tout ce petit monde s'agite. Quel remue-ménage ! *Le Monde* titre : « Le général de Gaulle semble préparer l'opinion à l'éventualité d'une élection présidentielle anticipée. »

Si *Le Monde* l'écrit...

Même les communistes le croient ! Jacques Duclos vient de lancer un appel à l'unité d'action, comme il dit ! Et Guy Mollet veut réunifier la « famille socialiste ». Et le Comité d'action institutionnelle a réuni, à Saint-Honoré-les-Bains, « un banquet des Mille ». Ils sont tous là, des radicaux – Charles Hernu, Maurice Faure – à Mitterrand, des communistes à des hommes politiques du centre droit. Avec un seul but : confédérer toutes les forces pour un candidat unique à l'élection présidentielle. Il secoue la tête. Ils se découvrent bien tôt ces prétendants avides ! Trop tôt. Et si la rumeur est un leurre, lancée par des gaullistes, elle est habile.

Et pourquoi ne pas saisir l'occasion ?

Il va visiter les départements de la Drôme, du Vaucluse, de l'Ain et du Rhône. Il atterrit à Orange, visite l'usine de Pierrelatte. Peut-être l'enthousiasme est-il moins grand que lors des voyages précédents. Sans doute l'effet des difficultés sociales, des grèves. Mais la foule est là cependant, de plus en plus nombreuse, de plus en plus chaleureuse, au fur et à mesure qu'il parcourt les villes – Orange, Jonquières, Sarrians, Carpentras. On l'entend lancer à la tribune de la place de l'Hôtel-de-Ville, à Carpentras :

« Depuis vingt-cinq ans, la principale, l'unique préoccupation du général de Gaulle, cette préoccupation, ce souci à travers les vents et les marées, c'est que la France en tant que telle ne s'en aille pas disparaître... Cela est indispensable à nous et au monde, car un monde sans la France perdrait beaucoup ! »

Il sent qu'on le comprend. À Lyon, la foule remplit la place des Terreaux. Il exalte l'indépendance de la nation : « Quinze cents ans d'histoire nous ont appris qu'être effectivement la France, cela ne va ni sans difficultés, ni sans risques, ni sans frais. Et pourtant, aujourd'hui plus que jamais, nous tenons à l'indépendance... Cette obligation de jouer notre rôle à nous, de ne laisser à personne le droit d'agir ou de parler pour nous... »

Le patriotisme est là, vivant dans cette foule, qui sait qu'il l'incarne. Alors, les clubs, les conciliabules, la « conjuration de l'opposition » comme dit Pompidou, sont bien peu de chose !

Il lance, à Orange, le 25 septembre 1963 :

« L'essentiel n'est pas ce que pense le comité Gustave, le comité Théodule ou le comité Hippolyte, mais ce qui est l'intérêt du peuple français. »

Les rires montent au milieu des applaudissements.

« L'intérêt du peuple français, reprend-il, j'ai conscience de l'avoir discerné depuis un quart de siècle et je suis résolu, puisque j'en ai la force, à continuer de même. »

Pouvait-il être plus clair ? Et pourtant la rumeur persiste. Il lui semble même que l'opposition n'a jamais été aussi résolue, aussi impatiente. Sans doute espère-t-elle qu'un mouvement social fera basculer le peuple dans son camp.

Et il est vrai que tout dépend désormais de la situation économique. Il le pense depuis des semaines. Il examine les chiffres. L'inflation a repris. Il convoque des « conseils restreints », limités aux ministres concernés et d'abord au Premier ministre et au ministre de l'Économie et des Finances, Valéry Giscard d'Estaing. Il veut un plan de stabilisation. Il faut maîtriser l'inflation, maintenir la stabilité de la monnaie, réduire les déficits. Or, ils se sont creusés. Il a fallu faire face à l'arrivée de près d'un million de pieds-noirs, les aider, subventionner une politique de construction des logements. La croissance est à 7 % l'an, le chômage est limité à quelques dizaines de milliers de personnes, mais il ne veut pas accepter la remise en cause de la monnaie ou bien l'augmentation de la dette :

« Il va falloir, dit-il, faire des économies budgétaires, resserrer le crédit, bloquer les prix et les salaires. »

Il observe Georges Pompidou et Valéry Giscard d'Estaing. Ces deux hommes sont, pour des raisons différentes, sinon réticents, du moins d'une trop grande timidité devant les mesures à prendre. Il le sent.

« Georges Pompidou semble moins convaincu que moi de l'importance primordiale de la stabilité du franc... Valéry Giscard d'Estaing, jeune ministre, qui certes condamne l'inflation... mais à qui l'exécution va incomber au premier chef, est-il assez impressionné par ce que sa tâche d'intérêt général implique de rigoureux à l'égard de chacun des intérêts particuliers... ?

« Cependant l'un et l'autre font leurs, sans réserves, mes résolutions. »

L'inflation baisse au bout de quelques mois. L'industrialisation se poursuit, mais il est vrai que la répartition des revenus laisse à désirer, que les salaires n'augmentent que faiblement, et donc le mécontentement s'accroît. Les services publics sont à nouveau touchés par la grève.

Il veut cependant maintenir ce plan de stabilisation, persévérer dans la politique de rigueur budgétaire.

Il écrit à Georges Pompidou :

« Mon cher Premier ministre,

« ... Il nous faut donc maintenant aller au fond des choses... et renoncer délibérément aux procédés dont l'usage s'est introduit au temps où la France n'avait plus de monnaie... Il nous faut donc prendre les mesures voulues, non seulement pour suspendre les effets du retour offensif de l'inflation, mais pour en préserver la France d'une manière constante et organique... »

Il s'arrête d'écrire. Peut-être imaginait-on qu'il ne suivrait pas ces questions au jour le jour, trop préoccupé de « grande politique » pour se soucier de « l'intendance ». Ce sont là des pensées qu'on lui prête. Comme s'il ne savait pas qu'une nation n'est grande que si elle peut assurer ses dépenses et qu'elle n'est souveraine que si elle dispose d'une économie saine !

Il reprend.

« Si j'ai tenu à préciser personnellement par cette lettre les idées et les intentions que je vous ai fait connaître au cours de nos récents entretiens, c'est afin de formuler explicitement ma pensée dans un domaine que je considère comme essentiel. »

C'est un dimanche matin de novembre. Il est resté à l'Élysée. Il achève de lire les dernières notes de ses conseillers. La situation s'est améliorée. Le plan de stabilisation a joué son rôle. Mais ne risque-t-il pas de freiner la croissance ? Il faudra examiner cette question avec le commissaire général au Plan, Pierre Massé, qui prépare le Ve Plan.

Il est l'heure.

Il se rend avec Yvonne de Gaulle à la petite chapelle qu'il a fait aménager dans le palais. Elle avait été retirée du culte par Vincent Auriol. Il va y entendre la messe. Mais il veille à ce que celle-ci soit strictement privée. Il n'y assiste qu'en compagnie d'Yvonne de Gaulle et des membres de sa famille qui sont présents à l'Élysée. Il a demandé à ce que l'officiant ne provienne pas de la Madeleine, la paroisse de l'Élysée, mais de la maison mère des Pères blancs des Missions africaines auxquelles appartient l'un de ses neveux, le père François de Gaulle.

La messe est servie par les aides de camp. Il reste immobile, le visage impassible, la tête penchée. Il a besoin de ce rituel immémorial. Mais l'État est laïc. Et sa foi est l'affaire de sa conscience individuelle. Et il ne peut la faire partager à la nation. Il a payé sur sa cassette personnelle les objets du culte.

Il regagne ses appartements. Il déjeune rapidement en compagnie de son beau-frère, Jacques Vendroux, et de sa belle-sœur. Puis il s'installe à une petite table de jeu et il commence une réussite. Il accomplit les gestes machinalement. Il peut ainsi s'isoler, penser, méditer, les doigts soulevant et posant les cartes.

Dans quelques jours, il aura soixante-treize ans.

Il a reçu, il y a deux mois, au château de Rambouillet, Konrad Adenauer, pour une visite d'adieu. Le chancelier allemand quitte le pouvoir à quatre-vingt-sept ans, en pleine possession de ses moyens intellectuels.

De Gaulle tourne une carte. Il aura quatre-vingt-sept ans dans quatorze ans, deux septennats ! Il imagine la rage qui doit saisir tous les prétendants à cette idée qu'il pourrait encore être président de la République, en 1977 ! Alors qu'ils sont là à piétiner d'impatience.

L'Express interviewe Monsieur X, mystérieux candidat à la présidence de la République. Procédé de lancement ridicule, puisque tout le monde au bout de quelques jours sait qu'il s'agit de Gaston Defferre. Un socialiste courageux et estimable, un protestant rigoureux. Mais il s'est dévoilé trop tôt, car il n'y aura pas d'élection dans quelques semaines, comme continuent encore de le croire ses « fabricants » !

Le désir de pouvoir décidément rend fou ! Certains affirment même que de Gaulle pense au comte de Paris pour lui succéder ! Tout cela parce qu'il a manifesté à son égard de la déférence, parce qu'à travers lui, c'est l'histoire de France et la monarchie qui en fut si longtemps le guide qu'il saluait. Mais le comte de Paris, comme successeur ? « Pourquoi pas le Grand Moghol ou la reine de Saba ? »

Il s'arrête, pose les mains à plat sur les cartes.

Et pourtant, il sait bien que, dans les têtes, la succession est ouverte, parce qu'il a soixante-treize ans et qu'on le guette, pour saisir une défaillance, l'annonce du déclin, du « naufrage ».

Il pense à cette phrase lancée aux Assises nationales de l'UNR à Nice, par Georges Pompidou. Il ne cesse d'y penser, il la retourne en tous sens.

Le Premier ministre a été apparemment clair : « La succession du général de Gaulle n'est pas près de s'ouvrir », a-t-il dit.

Mais pourquoi a-t-il ajouté :

« Le jour où la succession s'ouvrira, elle ira aux héritiers naturels, c'est-à-dire à ceux qui auront montré qu'ils sont décidés à suivre la voie de la liberté, de la justice, c'est-à-dire celle de la grandeur de la France, la voie du gaullisme ! »

Pompidou a-t-il voulu maintenir les opposants dans le doute, continuer d'agiter devant eux le leurre d'une succession proche, tout en affirmant qu'elle ne va pas s'ouvrir, façon de les désorienter ? Ou bien a-t-il déjà, de cette manière, fait acte de candidature, en prenant tout le monde de vitesse ?

De Gaulle sait que les députés UNR présents ont entouré Jacques Vendroux, imaginant que le beau-frère du Général connaissait ses intentions. A-t-il donc décidé de ne pas se représenter ? lui ont-ils demandé.

S'il y a chez Pompidou volonté de troubler l'adversaire, il a aussi inquiété les gaullistes.

De Gaulle ressent une pointe d'irritation. Il déteste qu'on dispose ainsi de son avenir.

Il quitte la table. Jacques Vendroux l'interroge sur le bridge qu'il pratiquait autrefois. Que pense-t-il des échecs ?

De Gaulle hoche la tête.

– Je n'ai jamais été très intéressé par le bridge qui comporte une part trop grande de hasard, dit-il. En ce qui concerne les échecs, c'est différent, on ne dépend que de soi-même.

Il fait quelques pas. Il repense à la phrase de Pompidou.

– Mais, reprend-il, j'ai cessé de pratiquer tous les jeux depuis que j'assume des fonctions qui ne me permettent ni de gagner, ni de perdre ! Si je gagne, on dira de moi, comme tous les mémorialistes l'ont dit par exemple de Louis XIV et surtout de Napoléon, que je ne dois qu'à la courtisanerie d'avoir vaincu mon adversaire.

Il sourit.

– Et si je perds, le gagnant ira partout se targuer d'avoir battu le général de Gaulle.

Et puis, la vie publique exige tant d'énergie, provoque de telles tensions, qu'il n'imagine même pas pouvoir se livrer à ces simulacres de conflits que sont les jeux.

Il est à chaque instant confronté à des adversaires et la partie qu'il mène ne cesse jamais. Le gain est toujours remis en jeu, aucune victoire n'est définitive. Et dans cette partie-là, il n'y a pas d'alliés. Une nation est toujours seule.

Il pense à cela lorsqu'il reçoit Ludwig Erhard qui a succédé à Adenauer. Il sent bien que le nouveau chancelier est homme prudent, qui se dit continuateur d'Adenauer. « Il est venu se faire couronner ici », murmure de Gaulle. Mais l'Allemagne a signé le traité de Moscou, limitant les expériences nucléaires. Et elle se dérobe quand il s'agit de concevoir une politique européenne indépendante. Erhard ne veut choquer ni les Américains, ni les Anglais.

Or, s'il n'y a pas d'entente, de volonté commune franco-allemande, que reste-t-il ? « L'Europe des Six est un rôti, lance de Gaulle. Le rôti, c'est la France et l'Allemagne. Avec un peu de cresson, l'Italie. Et un peu de sauce, le Benelux. »

S'il y a dérobade allemande, il n'y a plus de rôti ! Il n'y a plus d'Europe ! « Tout ça marche mal, maugrée-t-il. L'Europe piétine parce qu'il n'y a pas d'Européens. Nous avons voulu l'Europe, nous avons toujours voulu une Europe indépendante. » Mais qui la veut ?

Il a un mouvement d'impatience.

« Nous avons fait ce que nous avons pu. Nous avons essayé de sauver l'Europe. Si les autres n'en veulent pas, tant pis pour eux ! Ce qui est important, c'est d'être soi-même, de ne pas hésiter à s'affirmer, de ne pas se laisser "couillonner" ! »

Il faut donc que la France joue sa carte de nation souveraine.

Il se rend en Iran. Dans les rues de Téhéran, il s'avance vers la foule qui l'acclame, crie « *Zinhehbad de Gaulle !* », « Vive de Gaulle ». Il serre les centaines de mains qui se tendent. Il parle devant le Parlement iranien, se rend à l'Institut franco-iranien. Il pose la première pierre d'un lycée français, visite l'académie militaire impériale.

Il faut que la France ait une politique mondiale. Dès lors qu'elle a cette ambition et que son État est stable, fort, son économie rénovée, ses moyens de défense modernisés par l'accession à la stratégie nucléaire, elle peut faire jeu égal avec n'importe quel État. Car le poids d'une nation dans la politique internationale n'est pas seulement mesuré par les moyens dont elle dispose, mais par la volonté qui l'anime.

Il donne ses instructions à Edgar Faure, sénateur du Jura, qui se rend en Chine communiste, à la tête d'une délégation. Il faut que Pékin sache que la France est prête à reconnaître le gouvernement chinois et cela, quelle que soit la position des autres puissances. Que les Chinois soient persuadés que la France est souveraine et qu'elle ne se laisse pas imposer sa politique par les États-Unis, comme n'importe quel autre allié de Washington !

C'est le 22 novembre 1963, le jour de son soixante-treizième anniversaire. Il n'aime pas cette journée. Il lit un roman déconcertant, *Le Procès-Verbal*, d'un jeune auteur, Jean-Marie Le Clézio. Voilà donc ce qu'écrit un homme de vingt-trois ans ! Et il se sent touché par cette poésie de l'errance, dans un monde étranger.

Il est sensible à cet envoi. Il répond : « À moi qui suis au terme, vous écrivez que "le pouvoir et la foi sont des humilités". À vous qui passez à peine les premiers ormeaux du chemin, je dis que le talent, lui aussi, en est une. »

22 novembre 1963. On apporte une dépêche. Oui, il faut être humble ! John Kennedy vient d'être abattu, à Dallas. De Gaulle est bouleversé. La vigueur juvénile de ce président américain et le charme de sa jeune femme l'avaient frappé comme l'incarnation d'une jeune nation.

Et voici qu'on le tue d'une balle en pleine tête, le jour où lui-même devient encore un peu plus un vieil homme.

Mystère du destin.

Il dicte aussitôt une déclaration.

« Le président Kennedy est mort comme un soldat, sous le feu, pour son devoir et au service de son pays.

« Au nom du peuple français, ami de toujours du peuple américain, je salue ce grand exemple et cette grande mémoire. »

Maintenant, ce 25 novembre 1963, à Washington, il marche, dominant de la tête tous les chefs d'État, derrière l'affût de canon qui porte le cercueil du président assassiné et que recouvre la bannière étoilée.

Il est debout au garde-à-vous, devant la tombe.

Il murmure : « *What a tragedy !* »

C'est la France qui s'incline. Elle qui sait tenir tête aux États-Unis, elle qui refuse d'être vassale, elle sait marquer son amitié.

« Ce qui est arrivé à Kennedy, murmure-t-il, c'est ce qui faillit m'arriver. L'assassinat du président des États-Unis, à Dallas, c'est l'assassinat qui aurait pu abattre le chef de l'État français en 1960, 1961, 1962, à Alger ou à Paris. Cela ressemble à une histoire de cow-boys, mais ce n'est qu'une histoire d'OAS, la police est de mèche avec les ultras. »

Quant à l'assassin, Oswald, « c'est l'homme qu'il leur fallait, un merveilleux accusé... La police est allée trouver un indicateur qui n'avait rien à lui refuser et qu'elle tenait parfaitement en main. Ce type s'est dévoué pour tuer Oswald, le faux assassin, sous prétexte de défendre la mémoire de Kennedy. [Il hausse les épaules.] De la rigolade ! Toutes les polices du monde se ressemblent dans les basses besognes ».

Il retrouve Paris dans la grisaille et le froid humide de la fin novembre. Il n'a pas eu de dialogue avec Johnson, le successeur de Kennedy.

– L'Anglais Lord Home et l'Allemand Erhard se croient obligés de courir aller voir Johnson, je ne suis pas pressé, dit-il. C'est un radical de la IIIe ou tout au plus de la IVe. Une sorte de *Théodule* ou d'*Hippolyte* américain. Pour lui, l'Histoire se réduit encore à des combinaisons de couloir. Kennedy était un homme d'une autre envolée... Mais on ne peut jamais savoir, rappelez-vous Truman.

Le pouvoir peut, en effet, révéler certains hommes. Mais encore faut-il qu'ils renoncent à la « politicaillerie », qu'ils soient porteurs d'une grande idée, d'une « grande querelle ».

Il feuillette le livre que vient de lui adresser Raymond Aron. Il connaît l'intelligence de l'homme, philosophe, sociologue, journaliste, mais il se souvient aussi qu'à Londres, cet homme lucide, qui avait dénoncé la menace nazie, dès l'année 35, n'a jamais cru aux chances de succès de la France libre, même s'il était un adversaire déterminé de Vichy. Et maintenant, Aron doute, dans *Le Grand Débat*, de la politique étrangère de la France, de sa possibilité d'action indépendante entre USA et URSS.

« Mon cher Raymond Aron, commence de Gaulle.

« J'ai lu *Le Grand Débat*... Au fond, tout, "Europe", "Communauté atlantique", "OTAN", "armements", etc., se ramène à une seule et même querelle. Oui ou non la France doit-elle être la France ? C'était déjà la question à l'époque de la Résistance.

« Vous savez comment j'ai choisi, et moi je sais qu'il n'y a pas de repos pour les théologiens. »

Et Aron est l'un d'eux.

5

La douleur, tout à coup, lui cisaille le bas-ventre. Il ne veut pas tressaillir. Tout le monde doit ignorer sa souffrance, cette maladie banale qui rappelle le vieillissement du corps. Comment pourrait-il l'oublier alors qu'il vient d'entrer dans sa soixante-quatorzième année ? Il se tasse insensiblement sur lui-même, les mâchoires serrées. Peu à peu, la douleur se rétracte, ne laissant qu'une brûlure, comme une trace creusée dans le corps, sillon préparé pour le prochain passage de cette lave brûlante, qui parfois explose comme pour trouver une issue.

On ne meurt pas de cela, il le sait. Les urologues consultés l'ont confirmé. Et pourtant, c'est à la mort qu'il songe. Tant des siens ont disparu. Tant de proches se sont tus.

Il se souvient de cette dernière lettre reçue de Jean Cocteau, une ligne seulement : « Mon général, je vais mourir, je vous aime. » Et de cette phrase que Cocteau avait écrite dans son journal, en mars 1945 : « Difficulté d'agir pour un homme comme de Gaulle, dans un univers d'escroquerie. Il est propre. »

Mort de Cocteau, il y a quelques semaines déjà, mort le même jour qu'Édith Piaf. La vie est une marche vers la solitude. Et pourtant – il les écarte d'un mouvement de la main – voici des centaines de vœux qui lui sont adressés en ce début d'année

1964. Mais combien de sincères ? Certains le touchent. Il relit ceux d'André Malraux. Voilà un homme comme il les rêve. Si différent de lui cependant, mais sans aucune de ces mesquineries qui ternissent la vie. Il lui répond.

« C'est vraiment du fond du cœur que je vous adresse mes souhaits... Comme vous êtes mon ami, je vous remercie de faire si magnifiquement ce qu'il faut pour que je puisse vous admirer. Bien fidèlement à vous. »

Mais pour un Malraux à la fidélité exigeante et qui place l'ambition si haut qu'elle se sublime en destin, combien de Rastignac, qui attendent « l'accident », la maladie inéluctable, l'annonce de la démission, ou de la non-candidature à l'élection présidentielle de 1965 ?

Il faut que tous ceux-là ignorent sa maladie. Il faut que l'annonce d'une intervention chirurgicale – les médecins affirment qu'elle devient nécessaire – les surprenne et qu'elle ne vienne à leur connaissance qu'après qu'elle a eu lieu. Mais elle affolera les ambitieux, les opposants, ce Monsieur X que *Le Canard enchaîné* appelle « l'homme au masque Defferre », ce Mitterrand que Mauriac a qualifié précisément de Rastignac ! Et peut-être Georges Pompidou, « Raminagrobis » comme dit encore Mauriac !

Donc ne pas montrer la douleur, continuer comme si de rien n'était. Et laisser bavarder les clubs, celui des Jacobins de Charles Hernu, le Club Jean-Moulin, laisser les partis se préparer en se divisant ! Les socialistes veulent débattre avec les communistes, et le socialiste Defferre refuse toute alliance avec ces mêmes communistes, cependant que Lecanuet souhaite que le MRP donne naissance à une formation centriste. Qu'ils rédigent leurs programmes, organisent leurs colloques. Les clubs veulent tenir, annoncent-ils, des Assises de la démocratie, à Vichy. Vichy ! Ils ne pouvaient mieux choisir ! Et Me Tixier-Vignancour, défenseur de Vichy et des tueurs de l'OAS, annonce qu'il sera lui aussi candidat à l'élection présidentielle ! Et il est soutenu par les partisans de l'Algérie française, de Le Pen au colonel Thomazo !

De Gaulle reste immobile, recroquevillé sur sa douleur. Aura-t-il la force d'une nouvelle candidature ? Et vivra-t-il jusque-là ? On peut mourir d'une opération bénigne, à soixante-quatorze ans.

Mais, tant qu'il le pourra, il fera ce qu'il doit ! C'est-à-dire assumer tous les pouvoirs qui relèvent de sa charge. Être le chef de l'État, élu par la nation, implique une responsabilité majeure.

C'est lui qui, depuis le 19 janvier, par décret, dispose de la décision d'emploi de l'arme nucléaire.

« Monarchie nucléaire », a-t-il lu comme commentaire ! Faudrait-il que cette responsabilité soit « dissoute » ? Il faut qu'on accepte les conséquences de la Constitution.

Il faut que cela soit dit.

Le 31 janvier 1964, il entre dans la grande salle des fêtes de l'Élysée. C'est déjà la neuvième fois qu'il s'assoit derrière la table placée sur une estrade, dominant les centaines de journalistes. Les ministres sont rangés à la droite de l'estrade.

Il se sent, malgré la douleur lancinante, en pleine possession de ses moyens intellectuels.

« Mesdames, Messieurs, commence-t-il.

« La nation française est en paix... »

Il parle. Il dresse le tableau de cette France où les naissances se multiplient, où la croissance, malgré le plan de stabilisation, reste vive, où le gouvernement vient à la fois de créer un Fonds national de l'emploi et de dessiner les limites de vingt et une régions, dotées d'un superpréfet et ayant vocation à devenir des pôles de développement économique. Voilà les réformes, voilà l'essor du pays.

« Le Président, continue-t-il, est évidemment seul à détenir et à déléguer l'autorité de l'État. »

Il martèle : « On ne saurait accepter qu'une dyarchie existât au sommet... Mais s'il doit être entendu que l'autorité indivisible de l'État est confiée tout entière au Président par le peuple qui l'a élu, qu'il n'en existe aucune autre, ni ministérielle, ni civile, ni militaire, ni judiciaire qui ne soit conférée et maintenue par lui, enfin qu'il lui appartient d'ajuster le domaine suprême qui lui est propre avec ceux dont il attribue la gestion à d'autres, tout commande, dans les temps ordinaires, de maintenir la distinction entre la fonction et le champ d'action du Chef de l'État et ceux du Premier ministre. »

Et puis, la dissolution de l'Assemblée, le référendum, les élections permettent « qu'il y ait toujours une issue démocratique ».

Voilà l'essentiel de ce qu'il voulait dire.

Il commente encore la mise en œuvre du Marché commun agricole, la reconnaissance par la France – le 27 janvier – de la Chine populaire parce qu'il faut accepter « le poids de l'évidence et de la raison », mais c'est l'avenir des institutions qui le préoccupe.

Cette douleur qui le taraude, c'est comme si elle rappelait que la fin du premier septennat approche, qu'il a soixante-quatorze ans et qu'il faut qu'il fixe maintenant, avant d'apparaître comme menacé par la maladie, la conception de la présidence de la République.

« Une Constitution, c'est un esprit, des institutions, une pratique », dit-il encore.

C'est la fin de la conférence de presse. Il noue les mains, il hoche la tête, puis se tourne vers l'un des journalistes.

« Vous m'avez demandé, Monsieur, ce que je ferai dans deux ans. Je ne peux pas et je ne veux pas vous répondre. Alors comme ça, pour vous, Monsieur X, ce sera le général de Gaulle. »

Il se lève, au milieu des éclats de rire.

Il serre les dents. Il a mal, mais il a une fois de plus franchi l'obstacle sans difficulté.

Il écoute, il lit les commentaires. Si peu de surprise ! « Apologie du pouvoir personnel », déclare François Mitterrand. « Tour d'illusionniste professionnel », écrit *L'Humanité*, et le directeur du *Monde*, Hubert Beuve-Méry, assure sentencieusement que « rarement la théorie du pouvoir absolu a été exposée avec plus de complaisance ».

Ils n'ont pas admis cette Constitution.

Les uns voudraient le retour de la IVᵉ République. Les autres rêvent à un régime présidentiel à l'américaine ou à l'élection simultanée du président et des députés ! Il refuse cette idée « qui mêlerait la désignation du président de la République à la lutte directe des partis, altérerait le caractère et abrégerait la durée de sa fonction de chef de l'État ».

Or, c'est la responsabilité du chef de l'État, dans la durée, qui est la clé de voûte des institutions.

Il doit le réaffirmer à chaque occasion. Il vient de lire les procès-verbaux des Conseils des ministres.

Il dicte une note.

« Rappeler aux ministres et au secrétariat général du gouvernement qu'on ne doit pas dire "ceci... a été décidé *par* le Conseil des ministres",

« mais

« Ceci... a été décidé *en* Conseil des ministres » (sous-entendu : par le président de la République « qui décrète sur le rapport de tel ministre, le Conseil des ministres entendu »).

Il souffre. Les médecins prévoient une intervention chirurgicale pour le 17 avril à l'hôpital Cochin, par le professeur Aboulker. Mais d'ici là, il faut que le secret ne soit partagé que par trois ou quatre personnes. Peut-être pourra-t-on annuler le voyage prévu, début mars, en Picardie. Soit. Qu'on dise que l'emploi du temps est trop chargé et qu'on laisse entendre qu'en fait, on craint les manifestations paysannes dans ces départements ruraux de l'Aisne, de la Somme et de l'Oise, où l'on proteste contre le blocage des prix de vente des produits agricoles.

Mais pour le reste, il fera face.

Il reçoit, le visage un peu crispé, les traits creusés, Ludwig Erhard, le chancelier allemand. Il se penche vers Jacques Vendroux qui assiste au déjeuner des deux délégations. Il dit à voix basse : « Nous aurons moins de satisfaction avec lui qu'avec Adenauer. » Erhard pense d'abord au développement économique de l'Allemagne plutôt qu'à une grande politique européenne indépendante.

Il reçoit Antonio Segni, le président de la République italienne, mais les Italiens suivent en fait les directives américaines.

Il se sent las. La douleur est plus forte. Il est déçu de ne pouvoir convaincre ses partenaires européens d'échapper à la tutelle américaine.

Comment ne voient-ils pas que « fondre dans une politique multilatérale atlantique la politique de l'Europe, c'est faire en sorte qu'elle-même n'en ait aucune et dès lors on ne voit pas pourquoi elle en viendrait à se confédérer » !

Eh bien, s'il en est ainsi, plus que jamais la France doit avoir une politique aux dimensions du monde.

Pas question d'écouter les médecins qui s'inquiètent du long voyage prévu au Mexique, dans les Antilles et en Guyane. Ils évoquent la fatigue d'un déplacement de plus d'une semaine. Mexico est à deux mille mètres d'altitude. À Cayenne, la température est tropicale. Il faut sans doute prévoir la mise en place d'une sonde dans la vessie. Ce sera gênant et douloureux. Il paraît ne pas entendre. Le corps se pliera aux nécessités. Quant à la souffrance – il hausse les épaules – c'est son affaire.

La foule enthousiaste fait oublier la douleur. Elle se presse le long des avenues de Mexico. Il la salue, debout, dans une voiture décapotable. Du balcon du palais national, sur le Zocalo, il lance :

« *Traigo a Mexico el saludo de Francia... Francia saluda Mexico con respecto* [1]. »

Il parle plusieurs minutes en espagnol, sans que sa mémoire trébuche.

La vie, à chaque instant, est un défi qu'il faut relever.

« *Francia saluda Mexico con confianza*, reprend-il.

« *He aqui, pues, lo que el pueblo francès propone al pueblo mexicano : marchemos la mano en la mano* [2]. »

Il parle devant les députés mexicains, puis à l'université.

Oui, il a, enfoncées en lui, cette douleur, cette sonde, cette préoccupation qui, en arrière-plan, lancinante, ne le quitte pas. Mais « *no hay virtud que sea debil* [3] ».

Il arrive aux Antilles, puis en Guyane. Il parle, à Cayenne, à Pointe-à-Pitre, à Fort-de-France : « Mon Dieu, mon Dieu, comme vous êtes français », s'écrie-t-il place de la Savane, à Fort-de-France.

1. « J'apporte au Mexique le salut de la France... La France salue le Mexique avec respect... »
2. « La France salue le Mexique avec confiance... Voici donc ce que le peuple français propose au peuple mexicain : marchons la main dans la main. »
3. « Il n'y a pas de vertu dans la faiblesse. »

La foule reprend avec lui *La Marseillaise*.

Il lance au Champ-d'Arbaud, à Basse-Terre : « Quelquefois, on me dit, voilà le général de Gaulle qui parle encore de la grandeur ! Oui, c'est bien vrai ! La France a besoin de cela. Nos pères, de tout temps, n'ont pu faire quelque chose de valable, de fort, qu'à force de vouloir que ce soit grand. »

Il lève les bras.

« Eh bien, nous en sommes encore là aujourd'hui !... La politique la plus coûteuse, la plus ruineuse, c'est d'être petit, c'est de demander quelque chose à tout le monde pour ne jamais l'obtenir...

« Vive la Guadeloupe ! Vive la République française ! Et s'il vous plaît, *La Marseillaise* ! »

Long voyage de retour. La fatigue et la douleur sont là, resurgies plus vives dans le bourdonnement régulier des moteurs, dans le silence accompagnant la lecture des dépêches : grèves des services publics en France. Commentaires acerbes d'une partie de la presse sur la rencontre qu'il a eue, juste avant son départ pour le Mexique, avec Ben Bella, au château de Champs, et parce que les honneurs militaires ont été rendus au président de la République algérienne.

Voilà qui va accroître la détermination des tueurs qui rêvent encore de l'abattre ! S'il meurt au cours de cette opération, qui maintenant aura lieu dans moins d'un mois, que de soulagement chez certains ! Peut-être même de la joie ! Mais celui qui agit peut-il éviter la haine ?

« Comment n'aurais-je pas appris que ce qui est salutaire à la nation ne va pas sans blâme dans l'opinion, ni sans perte dans l'élection ? »

Et cependant il faut agir, envisager toutes les éventualités. Écrire à son fils, le 12 avril 1964.

« Mon cher Philippe,

« S'il devait arriver que je disparaisse prochainement, sans avoir directement fait connaître qui, dans les circonstances présentes, je souhaite que le peuple français élise pour mon successeur immédiat comme président de la République, je te confie le soin de publier aussitôt la déclaration ci-jointe.

« Je dis mon successeur immédiat, parce que j'espère qu'ensuite, c'est toi-même qui voudras et pourras assumer à ton tour la charge de conduire la France.

                    Ton père très affectionné »

Il écrit un texte de quelques lignes. Puis il le glisse, avec la lettre, dans une enveloppe et, après l'avoir fermée, écrit :

« À M. le capitaine de frégate de Gaulle,
« Ci-inclus : une lettre
                une déclaration
« S'il ne m'arrive rien d'ici au 15 mai, garder la lettre et me rendre la déclaration. »

Le 16 avril, il est prêt. Il sera hospitalisé ce soir, et opéré d'un adénome de la prostate, demain matin, vendredi 17 avril. Il veut approuver les termes du communiqué qui sera publié, après l'opération, si Dieu veut qu'elle se déroule sans surprise.

« Le général de Gaulle, président de la République, a été opéré ce matin d'une affection de la prostate. Cette intervention avait été décidée il y a plusieurs semaines.

« Le bulletin de santé suivant vient d'être publié :

« L'opération s'est passée normalement. L'état du général de Gaulle est très satisfaisant.

« Professeur Pierre Aboulker, Docteur Roger Parlier, Docteur Jean Lassner. »

Les choses sont en ordre.

Mais il a décidé que, jusqu'au seuil de la salle d'opération, il agira.

Il va s'adresser aux Français depuis l'Élysée, ce jeudi 16 avril. Leur surprise n'en sera que plus grande demain matin, lorsqu'ils apprendront qu'il vient d'être opéré.

C'est un nouveau défi, il le veut ainsi.

Tout au long de son allocution, il jongle avec les chiffres. « Depuis 1958 jusqu'à la fin de 1963, ce que la France gagne a augmenté de 30 %, je dis bien de 30 %... »

L'image que les Français garderont de lui, demain, quand ils prendront connaissance du communiqué des médecins, ne sera pas celle d'un vieil homme malade, mais celle d'un président combatif, assuré, à la mémoire fulgurante et qui, les poings serrés, dit aux Français : « Françaises, Français, vous le voyez ! Qu'il s'agisse de notre progrès intérieur ou de notre action au-dehors, le débat national se ramène, pour nous, à cette question : La France doit-elle être la France ?... »

Maintenant, il peut entrer dans la chambre de l'hôpital Cochin. Il peut abandonner son corps aux médecins. Il peut imaginer les rumeurs qui doivent déjà commencer à circuler, prétendant sans doute qu'il a été victime d'un attentat ou qu'il est hospitalisé au Val-de-Grâce pour des troubles oculaires... Peu importe ! Il a fait ce qu'il devait. Demain matin, si Dieu le veut, on aura retiré de son corps cette douleur obstinée.

Donc, il est vivant. Libéré de cette brûlure. Il serre la main du professeur Aboulker. Il se sent dispos. Il demande déjà qu'on lui apporte les dossiers du prochain Conseil des ministres. Il ne quittera l'hôpital que dans quelques jours, sans doute le 2 mai. Ainsi, il ne pourra pas présider le prochain Conseil des ministres. Il examine les questions en suspens et arrête l'ordre du jour du Conseil.

« Mon cher Premier ministre, écrit-il.

« Conformément à l'article 21 de la Constitution, je vous demande de présider à ma place, à titre exceptionnel, ce Conseil qui se tiendra à l'hôtel Matignon, le mercredi 22 avril... »

Il lit, chaque jour plus assuré que la machine du corps n'est plus grippée, qu'il maîtrise non seulement sa mémoire et sa pensée, mais aussi cet organisme depuis si longtemps douloureux et maintenant comme apaisé. Il répond aux vœux qu'on lui adresse de toutes parts, il remercie les auteurs qui lui ont adressé leurs ouvrages, qu'il trouve enfin le temps de lire.

Il écrit : « Rien, ni personne, ni de Gaulle, ne valent que par comparaison. Pour tout le monde, y compris moi-même, c'est au total assez rassurant. »

Et il observe ce paysage politique que son absence modifie déjà.

Le vendredi 24 avril, à l'Assemblée, les opposants, François Mitterrand et Coste-Floret, ont interpellé Georges Pompidou. Il n'éprouve aucune estime pour ce Rastignac de Mitterrand ! Les hommes ne changent pas et il l'a jugé, dès 1943. Mitterrand dénonce le « guide », la dérive de la Constitution, le « régime d'autorité et d'irresponsabilité » qu'il a mis en place. Coste-Floret plaide en faveur du régime présidentiel, à l'américaine.

Serait-ce possible que l'un ou l'autre de ces politiciens lui succède, que la campagne de 1965 se déroule sans lui, entre un Tixier-Vignancour, porte-parole de l'extrême droite, et un Mitterrand dont Pompidou dit qu'il n'est « ni un homme de gauche, ni un homme de droite, mais un aventurier » ?

Il lit avec attention la réponse de Pompidou. Forte, personnelle, habile.

« Je considère, dit Pompidou, comme un devoir élémentaire pour un Premier ministre de ne jamais révéler publiquement les divergences qui en telle ou telle circonstance pourraient surgir entre le chef de l'État et lui. L'unité de direction et de politique domine à mes yeux toute autre considération. Mais je puis affirmer qu'il n'y a pas de domaine réservé et que cela n'a aucun sens. »

Il relit.

Pompidou marque à la fois sa fidélité et son indépendance, se pose-t-il en successeur ? Sans doute y pense-t-il déjà ! Il a lancé à Mitterrand et aux autres opposants :

« Vous attendez impatiemment l'heure de rentrer dans l'État, n'ayant rien appris, ni rien oublié. Eh bien, je vous le dis, l'avenir n'est pas à vous, l'avenir n'est pas aux fantômes ! »

Bonne réplique, celle d'un homme qui commence, en effet, à s'imaginer dauphin.

Pourquoi pas ? Peut-être faut-il laisser Pompidou s'avancer, montrer ses ambitions. On pourra mesurer ainsi si sa fidélité résiste à son désir d'accéder au sommet.

Et puis, c'est une carte dans le jeu politique, face à tous les prétendants de l'opposition.

Il sort de l'hôpital, le 2 mai 1964. Tout va bien mais, parfois, le doute le gagne. « Pour le vieux bonhomme que je suis, la "reprise" sera forcément assez lente », dit-il.

Il se reprend, répond à ceux qui lui adressent leurs vœux, tel Roger Frey : « Merci de votre pensée. Me revoici sur la route et j'y retrouve votre sympathie. »

Il décide de demeurer une dizaine de jours à l'Élysée, car les affaires de la France continuent. Puis, il rejoindra la Boisserie.

Il dit à Malraux :

« Nous irons, mercredi prochain, passer deux semaines dans notre maison, celle où se trouve, par périodes, l'illusion de commencer une vie nouvelle ! »

Troisième partie

Mai 1964 – 4 novembre 1965

Aujourd'hui, je crois devoir me tenir prêt à poursuivre ma tâche, mesurant en connaissance de cause de quel effort il s'agit, mais convaincu qu'actuellement c'est le mieux pour servir la France.

Charles de Gaulle, 4 novembre 1965.

6

Souvent, en ces premiers jours de mai 1964, il éprouve une curieuse sensation, comme si la souffrance lui manquait. Il la guette. Il l'attend. Durant des mois elle l'a harcelé. Il a appris à vivre avec elle. Et voici qu'elle a disparu, tel un bruit aigu, irritant, douloureux, qui brusquement cesse. Et, face au silence de son corps, il se trouve étonné, joyeux avec parfois des moments d'abattement. Un bruit reviendra, surgissant quelque part en lui, grondant, emportant tout, et ce sera la fin. Ou bien, le lent naufrage.

Cette pensée le hante. Peut-être ces moments d'inquiétude et de doute sont-ils eux-mêmes le contrecoup du choc opératoire, un effet différé de la maladie. Il réagit, se plonge dans la lecture des dossiers, des rapports des ministres.

Mais cette interrogation sur lui-même l'a distrait. Il faut qu'il recommence à lire cette note du ministre de l'Intérieur, qui présente le projet de création des nouveaux départements de la Région parisienne. Le département de la Seine est remplacé par Paris, les Hauts-de-Seine, le Val-de-Marne et la Seine-Saint-Denis. La Seine-et-Oise est divisée en Val-d'Oise, Yvelines et Essonne.

Ce découpage, précise Roger Frey, sera à l'avantage électoral des socialistes et des communistes.

Un ministre de l'Intérieur de la IVe République aurait-il décidé de favoriser ainsi ses opposants ?

De Gaulle écrit en marge de la note de Roger Frey :

« Nous avons choisi la meilleure administration possible. C'est ce qui restera. Laissons passer la conjoncture électorale du moment... »

Il referme le dossier.

Naturellement, pas un seul opposant ne lui saura gré de cette décision, pas un qui reconnaîtra qu'il se place du point de vue de l'intérêt de la France. Tout au contraire.

Il feuillette la revue de presse.

Ils sont tous, des socialistes aux « démocrates », de Guy Mollet à Jean Lecanuet, des communistes à l'extrême droite, de Waldeck Rochet à Tixier-Vignancour, qu'ils soient journalistes – comme ceux de *L'Express* – ou hommes politiques, de Jean-Jacques Servan-Schreiber à Gaston Defferre et François Mitterrand, comme des chiens qui tirent sur leur laisse en aboyant rageusement, parce qu'ils imaginent que le cerf est blessé et qu'est venu le moment de l'hallali...

On répète qu'il n'est plus en état d'assurer ses fonctions, qu'il doit déléguer de plus en plus de pouvoir à Georges Pompidou et qu'à l'évidence il ne pourra assurer un second mandat. Lorsque l'on cesse de parler de sa santé défaillante, c'est pour l'accuser d'être une sorte de monarque disposant d'un pouvoir bien plus grand que celui d'un Louis XIV, d'un Franco, d'un Mussolini, d'un Hitler, d'un Staline – ils ne lésinent pas ! – puisqu'il n'aurait à rendre compte ni au Conseil du roi, ni à une armée ou un parti ! Et Mitterrand, le plus déterminé des opposants, depuis ce débat qui, le 24 avril, l'a opposé à Pompidou, martèle que le régime n'est qu'un « coup d'État permanent », que l'Élysée dispose d'un « cabinet noir », que « de

Gaulle mène de l'Élysée ses propres enquêtes, s'informe directement et, le cas échéant, ordonne certaines opérations ». Et tout ce que concède ce titulaire de la francisque, la plus haute décoration pétainiste, c'est une perfidie de plus : « Je ne pense pas que de Gaulle soit fondamentalement un tyran, mais objectivement, sur le plan historique, c'est lui qui porte la responsabilité principale de la naissance d'une dictature. »

Voilà ce qu'il faut supporter et, s'il est candidat en 1965, il faudra peut-être polémiquer avec ces gens-là, un Mitterrand, un Lecanuet, un Tixier-Vignancour et même avec cet Auguste Cornu, représentant de la Gauche démocratique, sénateur des Côtes-du-Nord, qui vient de déclarer qu'il sera lui aussi candidat à l'élection présidentielle !

Il comprend l'attitude d'Yvonne de Gaulle. Il sait qu'elle est hostile à toute idée d'un second septennat. Il mesure son inquiétude quand il la regarde. Il devine que parfois – et cela donne une idée de l'angoisse qu'elle cache – elle dit à ceux qu'elle estime les plus fidèles compagnons : « Les véritables amis du Général devraient lui conseiller de ne pas se représenter. »

Qui alors ?

Peut-il laisser la France à un Mitterrand ou à un Lecanuet ?

Parfois, comme dans la lettre écrite quelques jours avant son entrée à l'hôpital, il pense à Philippe de Gaulle. Il ne songe pas à fonder une dynastie, comme on l'en accuserait si cette hypothèse qu'il a formulée était ébruitée. Mais il connaît le désintéressement de Philippe, son patriotisme. Il sait que Philippe concevrait sa fonction comme un sacerdoce. Durant la guerre, il a montré son courage.

« Dans notre famille, on a fait, lors du drame de 1940-1945, ce que commandaient l'honneur et le service de la France », dit de Gaulle.

Mais, il le perçoit bien, il est trop tôt sans doute pour que l'opinion comprenne le sens d'une candidature de Philippe de Gaulle.

Alors, peut-être Georges Pompidou.

De Gaulle observe le Premier ministre. L'assurance de Pompidou est désormais sans faille. Les journalistes l'entourent comme s'il était, en effet, le dauphin désigné.

Pourquoi ne pas laisser s'accréditer cette hypothèse ?

Il reçoit Pompidou. Faites-vous connaître, lui dit-il.

C'est une carte dans le jeu. Et l'on pourra toujours en abattre une autre. Mais pour l'instant, elle est utile. Elle entretient l'incertitude. Et d'autant mieux que Georges Pompidou peut croire qu'en effet il sera le candidat si de Gaulle ne se présente pas.

Le voici reçu presque à l'égal d'un chef d'État, dans le Cantal, sa province. De Gaulle feuillette la presse qui rend compte du voyage, donne les résultats des sondages de popularité qui accordent 26 % d'opinions favorables au Premier ministre, et 42 % au président de la République.

Il ressent, à lire cela, un mélange de jubilation et d'irritation. Là, on écrit que Pompidou agit en successeur désigné. Et l'on assure à nouveau que de Gaulle, malade, est contraint de s'en remettre à lui. Et chaque soir, au journal télévisé, de Gaulle mesure l'autorité bonhomme du Premier ministre qui se donne une stature internationale, se rendant en voyage officiel en Suède, puis préparant la visite des installations nucléaires du Pacifique et un long voyage en Inde, au Pakistan et au Japon. On dit même qu'il reçoit régulièrement un journaliste qui s'apprête à écrire sa biographie.

Il est habile, veillant à ne jamais outrepasser ses pouvoirs. De Gaulle, quand il le reçoit, éprouve de la curiosité, mêlée à la conviction qu'il doit maintenir l'ambiguïté, l'incertitude sur sa propre décision de candidature.

S'il décidait de se présenter à l'élection présidentielle, il ne l'annoncerait qu'au dernier moment, parce que la surprise est une des clés de la stratégie. Et à ces instants-là, Pompidou, même s'il s'est avancé très loin, n'existera plus. Alors pourquoi ne pas le laisser jouer les successeurs ? Pourquoi ne pas l'inciter à le faire ?

Et puis, tant de choses peuvent se produire d'ici ce mois de novembre 1965, moment où s'ouvrira la campagne électorale présidentielle !

« Dans ce que nous pouvons valoir, quelle part immense a l'événement ! dit de Gaulle. N'est-ce pas là tout l'intérêt de l'Histoire ? »

Et tout à coup, à cette pensée, son humeur s'assombrit.

Pourquoi tous ces efforts ? Cette lutte toujours recommencée ? Il comprend les sentiments d'Yvonne de Gaulle. Il les porte aussi dans son âme. Et c'est pourquoi il ne sait pas encore s'il sera candidat à cette élection. Il laisse se développer en lui les deux hypothèses, et parfois c'est l'une, et parfois c'est l'autre qui prend le dessus, qui s'exprime.

À certains moments, la fatigue, écrasante brusquement, le fait pencher en faveur du retrait. Et au contraire, quelques instants plus tard, il sait qu'il doit rester aux commandes, parce qu'il y a une tâche à continuer, pour la France.

Mais peut-être n'est-il encore qu'un convalescent qui n'a pas assez – les médecins l'affirment – pris de repos !

Il soupire. Il dit :

« L'épreuve étant surmontée, il faut, en effet, quelque temps et quelque ardeur – ou illusion – pour la "reprise". »

Mais c'est l'action qui balaie les doutes.

Il se tient debout, à la poupe d'une péniche, en compagnie de la grande-duchesse Charlotte de Luxembourg et du président de la République fédérale d'Allemagne, Heinrich Lübke. Ils inaugurent le canal de la Moselle.

Il parle à Metz, à Trèves et, tout en prononçant son discours, il se souvient des mois passés ici, il y a si longtemps, lorsqu'il commandait le 19e bataillon de chasseurs. C'est ici, dans cette ville, que le 1er janvier 1928 est née la pauvre petite Anne. Morte. Et il est là, lui. Et sa voix vibre d'émotion quand il parle de « la si belle, si noble, si vivante ville de Trèves ».

Il regarde les rives du canal de la Moselle défiler lentement. Les guerres séculaires « qui, dans ces contrées mosellanes, ont opposé Français et Allemands depuis la fin de l'empire de Charlemagne » sont terminées. Mais il est déçu, morose.

Est-ce le souvenir d'Anne ou bien cette manière qu'a l'Allemagne de se dérober à une politique ambitieuse qui donnerait naissance à l'Europe européenne ?

Il doit se rendre à Bonn, au début du mois de juillet, en compagnie de plusieurs ministres, pour tenter une nouvelle fois de donner plus d'élan à la coopération franco-allemande. Mais, en dehors de la décision de fabriquer en commun un avion de transport militaire, le Transall, on piétine. Pas question, dès lors, de se dessaisir du moindre renseignement en ce qui concerne l'énergie nucléaire, cet atout que la France s'est donné.

De retour à Paris, il dicte une note pour Burin des Roziers, le secrétaire général de la présidence de la République :

« Tant que l'application du traité franco-allemand est aussi vaine qu'elle l'est, avant tout en matière politique et au sujet de la défense, dit-il, nous n'avons pas à ouvrir aux Allemands la moindre porte sur ce que nous faisons dans le domaine atomique.

« Puisqu'ils placent leur confiance dans les États-Unis, c'est à Washington qu'ils doivent s'adresser pour être informés de ce qu'ils souhaitent savoir. »

Il ressent de l'amertume, un sentiment de gâchis aussi, parce que la pusillanimité de la plupart des dirigeants européens, leur servilité à l'égard des États-Unis les empêchent de vouloir cette Europe dont ils vantent sans cesse les mérites et à laquelle ils refusent les moyens d'être, c'est-à-dire l'indépendance.

Et pourtant, quelle place elle pourrait occuper dans le jeu mondial !

Il écoute la messe pontificale, assis au premier rang, dans la nef de Notre-Dame dont on célèbre le huit centième anniversaire.

Voilà l'histoire dont la France et l'Europe sont les foyers. Une civilisation qui, si elle ne veut pas disparaître, doit s'affirmer. Et si la France doit le faire seule, eh bien, elle le fera !

Il reçoit l'ambassadeur de Chine, qui lui remet ses lettres de créance. Il accueille au palais de l'Élysée le prince Norodom Sihanouk, chef de l'État du Cambodge, qui tente de maintenir la souveraineté et l'indépendance de son pays, face aux communistes et aux pressions américaines.

Naturellement, la presse critique.

Il lit ces accusations qui viennent de tous côtés.

Les uns disent qu'il n'est qu'un don Quichotte sans moyens d'action.

« S'attaquer au gaullisme sur le plan de ses actes ne suffit pas car, plus qu'une politique, le gaullisme est une mythologie », écrit Mitterrand.

D'autres l'accusent de favoriser les intérêts de Moscou, de saper l'Alliance atlantique et naturellement d'empêcher la construction de l'Europe !

Pourquoi faut-il donc qu'à tous les moments de sa vie, il ait les mêmes adversaires ?

« Vous connaissez les champions éternels de la démission de la France, dit-il, les nostalgiques de Washington, les serviles de Moscou. L'esprit d'abandon les tenaille. Nous retrouvons là une constante de notre histoire. Depuis des siècles, se perpétue chez nous le parti de l'étranger. L'esprit de facilité le domine. Ce parti n'est pas composé de traîtres, mais, intellectuellement, il trahit. C'est ainsi. »

Il se sent un instant accablé, se voûte, se tasse, reste un moment silencieux puis, tout à coup, reprend d'une voix résolue :

« En face, se dresse le parti de l'indépendance, animé par la philosophie de la France. »

Il secoue la tête.

« Je ne serai jamais l'homme de la démission de la France. Je serai le dernier homme de la Renaissance, le dernier chef de l'État français. Après moi, je le sais, il n'y en aura plus. »

Après s'être tu longtemps, il ajoute :

« Je ne capitulerai jamais. »

Mais il en est ainsi depuis le début de sa vie. Il le dit à Louis Vallon, qui fut un temps son directeur de cabinet, puis devint député RPF et le leader de ce qu'on appelle les « gaullistes de gauche ».

« Mon cher ami,

« ... Aujourd'hui, comme chaque jour depuis vingt-cinq ans, nous voulons et faisons quelque chose. La querelle que nous cherche Méphisto ne cesse jamais d'être celle-ci : "C'est impossible !" »

Tout en lui se rebelle contre ce défaitisme. Il parcourt les départements de l'Aisne, de la Somme, de l'Oise. Ici, à Montcornet, à Huppy, à Abbeville, il se souvient de ce mois de mai 1940, des combats victorieux livrés dans cette région, au moment où tout s'effondrait.

Il ne peut pas admettre que tous ces sacrifices aient été vains. Il se représentera en 1965. Voilà ce qu'il sent surgir en lui, quand la foule l'acclame, qu'il retrouve ces champs de bataille, qu'il s'incline devant les monuments aux fusillés et déportés.

« L'État, la République, et notamment sa tête, doivent être la représentation continue et impartiale de l'intérêt national, martèle-t-il. Pour plus tard, je ferai en sorte pour ma part qu'il en soit ainsi encore... Nous avons voulu, il y a six ans, des pouvoirs publics fermes, continus et stables, nous les garderons, je vous en réponds. »

À Beauvais, le 13 juin, une voix, dans la foule, l'interpelle. Il aperçoit un homme, en béret basque, dont l'allure est celle d'un ancien combattant.

– Rempilez, mon général, crie-t-il.

– Oui... J'essaierai.

Toute la presse, le lendemain, commente sa réponse.

« "J'y suis, j'y reste", avait dit, en une autre occasion, un de ses prédécesseurs », voilà comment *L'Humanité*, le quotidien communiste, analyse ses déclarations. Et Mitterrand, ajoute : « Le pouvoir absolu a ses raisons que la République ne connaît pas. »

Les uns et les autres n'imaginent même pas qu'il puisse se déterminer pour de grandes raisons, en fonction de l'intérêt national.

Peu importe.

Il faut dominer ces médiocrités, aller à l'essentiel.

Il apprend, le 11 juillet, que Maurice Thorez – déjà remplacé à la tête du parti communiste par Waldeck Rochet – vient de mourir.

Il se souvient de cet homme qui fut son ministre d'État, de cet adversaire résolu qui, en 1939, pour obéir aux consignes de son parti et de l'URSS, avait déserté et gagné Moscou, sans doute avec l'accord des Allemands.

Mais pourquoi ne pas reconnaître aussi ce qui lui est dû ?

Il écrit à Jean Thorez, le fils de l'ancien président du parti communiste : « Pour ma part, je n'oublie pas qu'à une époque décisive pour la France, le président Maurice Thorez – quelle qu'ait pu être son action avant et après –, à mon appel et comme membre de mon gouvernement, a contribué à maintenir l'unité nationale. »

Et voilà ce qui importe.

Mais cette lettre suffira sans doute à certains pour l'accuser de complicité avec le communisme !

Dérisoire !

Il pose devant lui, sur son bureau, une feuille de papier. Il veut faire le point précisément sur cette question du communisme, qui obsède et aveugle tant de beaux esprits. Et il lui semble pourtant que tout est clair et simple, que le communisme, dont d'aucuns, en ce mois de juillet 1964, continuent de prétendre qu'il est « l'horizon du siècle », « l'avenir de l'humanité », est un échec patent.

Il écrit lentement.

« Pour la réussite du communisme quatre postulats :

« 1. L'effacement de la nation sous l'idéologie commune. Mais cela ne s'est pas produit...

« 2. La croissance de la victoire du communisme dans les pays industrialisés autres que la Russie... Nulle part, on n'a vu un pays moderne se livrer spontanément au communisme.

« 3. L'instauration du communisme dans les pays du tiers monde et leur ralliement à l'obédience unitaire... Il est vrai que la Chine a reçu le joug communiste, mais elle vient de rejeter celui de l'obédience... Et rien n'annonce que d'autres pays succombent ou se rallient à l'obédience...

« 4. La réussite économique et sociale du système... Le système n'a pas réussi.

« 5. Est-ce à dire que le capitalisme de naguère doive triompher ? Non ! La vérité pourrait être une combinaison du dirigisme et de la liberté... C'est à quoi la France s'applique à présent...

« 6. En définitive, la compréhension et la coopération des peuples.

« C'est un devoir humain, les hommes se doivent aux hommes. »

Ce sont ces idées-là qu'il voudrait faire passer dans la conférence de presse qu'il prépare pour le 23 juillet 1964. Il dresse le plan de son exposé. Il écrit, apprend, répète.

Il dira à ceux qui crient « faisons l'Europe » : « Mais quelle Europe ?... Une Europe européenne signifie qu'elle existe par elle-même... C'est-à-dire qu'elle soit capable d'agir.

« La politique est une action, c'est-à-dire un ensemble de décisions que l'on prend, de choses que l'on fait, de risques que l'on assume, le tout avec l'appui d'un peuple. Seuls peuvent en être capables et responsables les gouvernements des nations. Il n'est pas interdit d'imaginer qu'un jour, tous les peuples de notre continent n'en feront qu'un et qu'alors, il pourrait y avoir un gouvernement de l'Europe, mais il serait dérisoire de faire comme si ce jour était venu ! »

Ces phrases apprises, il les prononce dans cette grande salle des fêtes de l'Élysée, devant les mêmes centaines de journalistes, dans l'accablante touffeur de ce long jour de juillet. Mais il ne ressent aucune fatigue. Il dit ce qu'il pense. Et quand la voix porte ainsi les idées que l'on a forgées, c'est comme si le corps était soulevé, ne faisait plus qu'un avec la voix et la pensée. L'épuisement viendra après.

C'est lui qui parle, depuis près de deux heures, et ce sont eux, ces journalistes, qui paraissent exténués.

« Mesdames, Messieurs, conclut-il, je crains que vous n'ayez été assez incommodés par cette chaleur dans cette grande salle. Je vous remercie bien sincèrement de votre attention. »

Ce sont les derniers jours du mois de juillet 1964. Il se souvient, de cette cour de la caserne du 33ᵉ régiment d'infanterie, à Arras, de ces appels, de cette fièvre joyeuse, c'était, il y a cinquante ans, la guerre de la revanche qui commençait, et bientôt tout au long de ces journées d'août, les morts par dizaines de milliers déjà.

Il dit, le 2 août, face aux caméras de télévision, dans le salon Murat de l'Élysée : « Nous sommes partis quatre millions. Par la suite, quatre autres millions nous ont rejoints ou remplacés. Un million quatre cent mille allaient mourir, un million resteraient mutilés, la plupart étant, naturellement, des plus jeunes et des meilleurs. »

Il se souvient du pont de Dinant, sur la Meuse, et de ce miracle qui fit que, malgré la grêle des balles, il survécut.

Comment aurait-il pu ne pas être fidèle à ses camarades tombés près de lui, lui qu'on avait peut-être préservé pour qu'il pût, durant tout ce demi-siècle, accomplir son destin, et rappeler aux Français, ce 2 août 1964, la nécessité de l'unité ? « Elle est la leçon que nous tous et nos descendants devons tirer du plus encourageant souvenir de notre Histoire. »

Il passe quelques jours d'août à la Boisserie. Il prépare les discours qu'il doit prononcer à Toulon, puis à Paris, pour célébrer les anniversaires du débarquement en Provence et la libération de Paris.

Souvent, il quitte son bureau pour arpenter le parc. Une nouvelle fois, il se souvient. Vingt ans déjà ! Qu'il était jeune, en cette année 1944 ! Cinquante-quatre ans à peine. Que de temps perdu, douze années, dans la solitude, et ce sont ces années-là qui manquent aujourd'hui !

Mais c'est ainsi. Il aura bientôt soixante-quatorze ans.

« Parce que les choses ne tournent généralement pas, en effet, comme on l'estimerait juste, elles n'en sont pas moins la vie. Il n'est que de le savoir... »

Il a refusé de participer aux cérémonies célébrant le débarquement en Normandie, en juin. Il n'y a délégué que le ministre des Anciens Combattants.

« Le débarquement en Provence a été un fait d'armes français, dit-il. Le débarquement en Normandie se passait en dehors de la France. »

En 1944, on ne l'a prévenu qu'au dernier moment. On lui a interdit de débarquer avant le 14 juin. On a voulu l'exclure et exclure la France de cette bataille qui la concernait elle d'abord. « Ils auraient pu me mettre dans le coup, ajoute-t-il. Churchill m'a fait venir la veille et dans un wagon ! Cela, je ne l'ai jamais pardonné ! »

Dans la lumière brûlante de la mi-août, il parcourt les plages méditerranéennes, de Saint-Raphaël à Cavalaire. Il se rend, le 15 août, à la base aéronavale d'Hyères et de là au mémorial élevé en souvenir des morts de la guerre, au mont Faron qui domine Toulon.

La foule est dense dans le parc provençal qui entoure le mémorial. Il en gravit lentement les escaliers, dépose une gerbe, puis rejoint Toulon, où il s'adresse à la population, place de la Liberté.

Le vent fait claquer les drapeaux. « Le succès dans l'épreuve de la guerre, comme le bonheur dans la vie, dit-il, n'existe que par comparaison. »

Et c'est par rapport au « destin de la défaite » qu'il faut juger le redressement des armées françaises, le redressement de la nation.

Il le redit à Paris, place de l'Hôtel-de-Ville, le 26 août.

Vingt ans déjà, depuis ces journées de légende, dans ce Paris de l'été 44 où chaque visage était radieux.

Il commence à parler et c'est comme s'il retrouvait le ton de ces heures-là, à jamais gravées dans sa mémoire. « Ce fut, naguère, le service et ce sera pour toujours l'honneur de la Résistance d'avoir voulu faire d'un pays prostré, humilié et opprimé, tel que l'était la France, à la suite du désastre et de la capitulation, un peuple belligérant, fier et libre ! »

Il retrouve la Boisserie.

Le 29 août au matin, alors qu'il marche dans le parc, on apporte une note du ministre de l'Intérieur.

Une explosion s'est produite, la veille, dans l'une des jarres se trouvant au bas de l'escalier du mémorial du mont Faron. Il se souvient de ces deux jarres, remplies de plantes grasses, auprès desquelles il a bavardé quelques minutes avec Jean Sainteny, le ministre des Anciens Combattants. Tout autour, se trouvaient la foule et de nombreux enfants.

La machine infernale comportait trois pains de TNT et un système de mise à feu composé de piles électriques. Le tout devait être commandé par un récepteur radio transistorisé, recevant un ordre émis par un émetteur. Le dispositif n'a pas fonctionné et, sous l'effet des composants chimiques de la terre contenue dans la jarre, une explosion partielle s'est produite, hier.

Ils sont donc encore là, les tueurs, comme il le pensait. L'attentat a sans doute été conçu, précise la note, par Jean-Jacques Susini, l'ancien leader des étudiants d'Alger, réfugié à Rome.

Et, une fois encore, les tueurs ont délibérément pris le risque de provoquer la mort de plusieurs dizaines de personnes.

Il marche à pas lents. Une nouvelle fois, la mort l'a épargné. Dans quel but ? Il y a un mois, à la veille du 14 juillet, il a signé la grâce de plusieurs officiers qui avaient participé au putsch des généraux.

Et des voix s'élèvent ici et là pour demander qu'une loi d'amnistie soit promulguée pour tout ce qui concerne les événements d'Algérie. Mais les tueurs, eux, ne renoncent pas.

Il a envie de marcher dans la campagne. Il demande à Jacques Vendroux de le conduire en voiture jusqu'à mi-pente de cette « colline tumulaire » qui protège Colombey-les-Deux-Églises des vents du nord.

Il gravit le sentier qui serpente dans un petit bois. Il débouche enfin sur le sommet où ne pousse qu'une herbe rase. Les horizons sont immenses. Il aime cet océan de terre où s'alignent les creux des vallées et les crêtes des collines.

Ici, les hommes, depuis le commencement des temps, ont travaillé et combattu.

Là-bas – il lève sa canne –, c'est Clairvaux et le souvenir de saint Bernard. Ce pays-ci est celui où la foi austère éleva ses premiers monastères.

Il se tourne vers Jacques Vendroux :

« Si un jour, après moi, on veut marquer ce lieu, c'est ici qu'il faudrait le faire... Mais très simplement... Surtout pas de statue... Peut-être une croix de Lorraine. »

7

Il devine, à l'attitude d'Yvonne de Gaulle, aux regards qu'elle lui lance, qu'elle est inquiète pour lui. Il en est ému. Elle souhaite qu'il prenne du repos, qu'il se protège, se préserve, renonce à envisager un second septennat, et décide donc de ne pas se présenter à l'élection présidentielle de 1965.

Il connaît ses arguments. Il va avoir soixante-quatorze ans dans moins de trois mois. Il vient de subir cette intervention chirurgicale et, depuis sa sortie de l'hôpital, il semble éprouver le besoin de se donner de nouveaux défis, d'exiger plus encore de lui, de sa « machine » !

Est-il ainsi raisonnable de vouloir entreprendre, à compter du 20 septembre et pour près de deux semaines, un voyage en Amérique latine ? De visiter dix républiques, du Venezuela à la Colombie, de l'Équateur au Pérou, de la Bolivie au Chili, de l'Argentine au Paraguay, du Brésil à l'Uruguay ?

Il devra affronter la fatigue de longs déplacements, en avion et aussi à bord du croiseur *Colbert*, dans l'inconfort d'une cabine de navire de guerre.

Comme dans tous les voyages officiels, il sera soumis à un protocole accablant. Il prononcera des dizaines de discours, dont plusieurs en espagnol. Il subira les variations d'altitude – Quito est à 2 800 mètres ! – et de climat ! Et tout cela avec une sonde dans la vessie car les risques d'infection demeurent, même si l'opération subie il y a plusieurs mois déjà a été parfaitement réussie.

Est-ce raisonnable ?

Il comprend Yvonne de Gaulle. Mais il sait qu'elle admet ses raisons. Il n'a pas besoin d'argumenter, de lui dire qu'on doit accomplir son destin jusqu'au bout. C'est ainsi, il incarne la nation. Et, en effet, porter en soi une « certaine idée de la France », ce n'est pas sage !

Mais étaient-ils prudents, économes d'eux-mêmes, ceux qui se sont sacrifiés pour elle ?

Il vient d'assister aux obsèques de Thierry d'Argenlieu. Il se souvient de ce grand compagnon, blessé devant Dakar, en septembre 1940, de ce patriote intransigeant, homme de foi, prêtre, prenant le glaive – comme un croisé – pour la défense de sa patrie.

Il pense, en ces semaines de la fin de l'été 1964, aux morts d'il y a cinquante ans, à ceux des premiers mois de la guerre, en 1914, et aussi à ces milliers de combattants tombés, il y a vingt ans, pour la libération du pays.

Cinquante ans, vingt ans : 1914, 1944... Cette année 1964 est le temps des anniversaires.

Il vient de lire une biographie de Péguy, avec émotion. Péguy, l'un des meilleurs, tué d'une balle en plein front. « Sans nul doute s'il avait vécu, il aurait été avec nous ! Bien mieux, il l'était d'avance. »

Comment ne pas penser encore à lui, ce 6 septembre 1964, sur le parvis de la cathédrale de Reims, face à cette foule à laquelle il va parler, évoquer la bataille de la Marne, au cœur de laquelle Péguy est tombé. Il vient de parcourir les différents lieux de combat. Il s'est attardé. Il s'est souvenu. Les visages des camarades morts ont resurgi de la mémoire. Il était blessé, en convalescence à Lyon, alors que la bataille se déroulait. Il avait vécu l'annonce de cette victoire comme un

« miracle ». Il se souvient de chacune de ces pensées d'alors. Du récit – une nouvelle dans laquelle
le héros renonçait pour la France à son amour
pour une femme – qu'il avait écrit. Cela est si
court, cinquante ans !

Et si ramassée aussi toute l'histoire d'une
nation !

« Dans la même contrée du Nord-Est, où furent
jadis les champs Catalauniques, dit-il, où Villars,
dans l'extrémité, repoussa les Impériaux, où, à
Valmy, Brunswick recula devant l'élan militaire de
la Révolution, où l'Europe coalisée submergea
Napoléon, où, en 1870, passèrent les armées alle-
mandes... la guerre devait décider de ce que nous
allions être... »

La foule l'écoute, attentive, debout face à cette
cathédrale qui est aussi joyau et mémoire de
pierres. « Tant il est vrai que, dans la vie d'un
peuple, chaque action du passé entre en compte
pour l'avenir. Il n'y a qu'une histoire de France »,
conclut-il.

Et il faut s'en souvenir.

Rentré à l'Élysée, il écrit d'une plume qui court
vite sur le papier une note pour le vice-amiral Jean
Philippon, chef de son état-major particulier :

« Je désapprouve que les obsèques du général
Pujo aient lieu aux Invalides.

« Le général Pujo a été un ministre de Vichy. On
comprend que cela soit plus ou moins oublié,
mais... »

Il n'est pas question que lui oublie !

Il relit une nouvelle fois les discours qu'il doit
prononcer dans chaque république d'Amérique
latine. Il parlera à la foule ici et là. Il s'exprimera
devant les assemblées parlementaires, dans les universités. Et, naturellement, il devra répondre, lors
des cérémonies officielles, aux discours de bienve-
nue.

« Je vais en Amérique latine, dit-il à Michel Debré, peu avant son départ, sans programme diplomatique bien précis, mais en quelque sorte instinctivement. Peut-être, en effet, est-ce important. Peut-être est-ce le moment. »

Il veut exprimer l'idée qu'il y a une communauté de civilisation entre « vous les Latins d'Amérique et nous, les Latins d'Europe ». Et cette « latinité » doit créer des liens privilégiés qui devraient permettre à ces États de se dégager de l'hégémonie américaine. C'est elle qui est le péril majeur.

Ils ont tous peur du communisme, mais la Russie absorbera l'idéologie marxiste et restera avec ses problèmes et ses impuissances, alors que les États-Unis sont l'équivalent de l'impériale Maison d'Autriche qui, au temps de Charles Quint, ne voyait jamais le soleil se coucher sur ses possessions et aspirait à la domination du monde.

Il faut que la France soit le pays qui convie les peuples à rejeter cette domination, les hégémonies, les idéologies, et qui souhaite que les nations affirment leur indépendance et leur souveraineté. « La paix du monde ne doit pas dépendre de la lutte entre les deux grands géants. »

Voilà ce qu'il dit, dès qu'il descend de la Caravelle présidentielle qui vient de se poser sur l'aéroport de Maiquetia, au Venezuela.

La foule est là, à Caracas, chaleureuse. Et elle est enthousiaste à Bogota et à Quito. Ici, à 2 800 mètres d'altitude, il parle en espagnol.

« *Saludo al Ecuador en nombre de Francia... Asimismo el Ecuador y Francia tienen, hoy mas que nunca, todo lo que se requiere para un mutuo entendimiento, para avenirse y para cooperar* [1]. »

1. « Je salue l'Équateur au nom de la France... Ainsi, l'Équateur et la France ont, aujourd'hui plus que jamais, tout ce qu'il faut pour se comprendre, s'entendre et coopérer. »

Il est à Lima. Il parle au balcon du palais munici-pal : « *Peruanos...* »

Il est à Cochabamba, en Bolivie : « *Amigos mios de Bolivia...* »

Il est à Valparaiso, au Chili, à Santiago, puis à Buenos Aires, à Cordoue, à Asunción, à Montevi-deo. Il s'adresse partout à la foule : « *Amigos mios de Chile...* » « *Por mi voz, Francia saluda a la Argentina...* » « *Paraguayos...* » « *Uruguayos...* »

Il est au Brésil : « *O Brazil é uma terra que em se plantando tudo dá*[1]. »

Il sent à peine la fatigue. Il se demande s'il n'a pas dépassé un seuil, au-delà duquel la douleur et l'épuisement sont comme sublimés par l'action. Et il aime aller ainsi jusqu'à l'extrême limite de soi.

Il devine dans les regards de ceux qui l'entourent de l'angoisse mêlée à un étonnement respectueux et presque craintif. Il est le vieil homme indestructible, alors qu'ils sont épuisés, somnolents dans la Caravelle ou bien à bord du croiseur *Colbert*, pour ces deux jours de mer, entre Montevideo et Rio de Janeiro.

Dans sa cabine, il lit les dépêches en provenance de Paris. Il donne ses instructions à Pompidou :

« Mon cher ami,

« Tout à l'heure, départ de Montevideo, où le sentiment public s'est montré tout particulière-ment éclatant.

« Ayant vu ce qui pourrait être mis à l'ordre du jour d'un Conseil des ministres éventuel, avant mon retour, je ne pense pas qu'il y ait lieu d'en réunir un...

« Il m'apparaît d'après les dépêches que la "grève" du lait se traîne avant de se terminer. C'est ce qu'il faut obtenir. Il est maintenant essentiel de

1. « Le Brésil est une terre où pousse tout ce qu'on plante. »

ne rien faire et de ne rien dire qui puisse donner l'impression d'un compromis...

« Au revoir, mon cher Premier ministre, je vous demande de croire à ma bien amicale confiance et à mes sentiments dévoués. »

Maintenant, il feuillette les épreuves de ce *De Gaulle* que François Mauriac lui a fait parvenir. Il répond.

« Mon cher Maître,

« C'est au large, à bord du *Colbert*, commence-t-il à écrire, que j'ai lu les épreuves de votre livre. »

Il s'arrête, reprend les épreuves. C'est un miroir que lui tend Mauriac.

« Ainsi trempé, ainsi forgé, écrit Mauriac, cet homme paraît dur, ce qui ne signifie pas qu'il le soit : plutôt que dur, lointain. Il regarde ailleurs par-dessus nos têtes... Tel est de Gaulle que vous haïssez ou que vous jugez de haut. Shakespeare en quête de personnages n'aurait trouvé que celui-là en France, outre les comparses, il va sans dire. Autour de Coriolan, comme autour du cadavre de César, les Mitterrand et les Guy Mollet et les Tixier-Vignancour pullulent... Le général de Gaulle se tient sous le regard du général de Gaulle qui l'observe, qui le juge, qui l'admire d'être si différent de tous les autres hommes... »

Est-ce cela ? De Gaulle repose les épreuves du livre.

Peut-être, plus simplement que ne l'imagine Mauriac, l'impossibilité d'être autre chose que soi, le sentiment d'être habité, contraint d'obéir à un destin majeur, et ne pas pouvoir s'y soustraire, parce qu'il y a obligation dictée par on ne sait qui, mais si forte, si exigeante, qu'aucun compromis n'est possible.

On va, on fait ce qu'on doit et on ne peut se soustraire à ce devoir.

Il pense à ces hommes d'un autre temps, habités par une foi qui les poussait à accomplir l'impossible. Il pense à Bernard de Clairvaux, bâtisseur d'un ordre, croisé, qui arpenta les forêts qu'on aperçoit de la Boisserie.

Il se sent proche, frère même, de ces hommes-là.

Et c'est si naturel alors de vivre sa foi, et si douloureux aussi.

Il reprend sa lettre à François Mauriac.

« Ainsi, le personnage était-il seul avec son auteur, écrit-il.

« Ceux qui admirent celui-ci sans détester celui-là vous rendront grâce d'en avoir écrit comme vous l'avez fait. Ceux qui n'aiment pas l'un ou l'autre s'irriteront de votre jugement. Mais tous, tout haut ou tout bas, reconnaîtront votre magnifique talent.

« D'en avoir été le sujet, sur ce ton, à cette hauteur, c'est pour moi en tout cas un honneur d'un prix extrême.

« Je vous prie de croire, mon cher Maître, à mes sentiments fidèlement dévoués. »

Il rentre à Paris, le 16 octobre.

Finis les grands cieux ouverts sur des paysages sans limites, voici le quotidien de l'action.

« Il y aura lieu de tenir, ici, au début novembre, une réunion relative à la question des produits laitiers.

« Organisation des marchés en France.

« Position de la France lors de l'examen du problème à Bruxelles. »

Mais il n'y a pas de détail mineur, d'acte sans importance, quand on dirige, parce qu'un grain de sable oublié suffit à bloquer le mécanisme.

Il lui semble que même les ministres ne sont pas conscients de la rigueur nécessaire. Il dicte une note à Burin des Roziers.

« ... Les membres du gouvernement parlent trop, et beaucoup trop souvent en ce moment au sujet de la situation internationale...

« L'attitude à prendre dès lors que la position de la France est bien connue, c'est le silence et la sérénité.

« Ne pas se laisser aller au perpétuel "débat" qui était la marque désastreuse de la IVe ! »

Or la politique extérieure de la France est arrêtée.

Peu importent les critiques. Il y a les partisans de l'Europe supranationale – les Monnet et les Mollet – et ceux qui ont renoncé à une France indépendante et qui considèrent qu'en se rendant en Amérique latine, de Gaulle « a braconné dans une chasse gardée ». Il y a ceux qui considèrent qu'il est fou de vouloir quitter l'OTAN, de refuser la force « multilatérale » ou bien de ne plus participer au Marché commun si la politique agricole commune n'est pas appliquée.

Tous ceux-là s'inquiètent, s'indignent, approuvent les commentaires de la presse américaine qui écrit : « La deuxième visite du président de Gaulle en Amérique latine, alors qu'il refuse de venir à Washington, attire une fois de plus l'attention sur la détérioration constante des relations franco-américaines. » Et de répéter le mot d'un Américain : « Avoir un allié comme de Gaulle vous dispense parfaitement d'avoir des ennemis ! »

Ceux-là sont prêts à tous les abandons. Ils ne contestent pas les hégémonies, ils les souhaitent, pour s'y blottir et renoncer à leurs responsabilités nationales ! Peuvent-ils comprendre que le désir de souveraineté d'une nation est la condition même de son existence ? Et que cela n'implique aucune hostilité à l'égard des autres nations ?

Il se souvient, en ces jours de novembre 1964, au moment de l'élection à la présidence des États-Unis de Johnson, de John Fitzgerald Kennedy.

Il écrit à sa veuve parce qu'on doit se souvenir d'un homme, même s'il n'est plus un acteur de l'Histoire.

« Chère Madame,

« Voici venir le douloureux anniversaire !... Le temps passé depuis sa mort au service de son pays m'a fait voir chaque jour plus nettement tout ce qu'ont perdu les États-Unis et, en même temps, beaucoup d'autres nations, surtout peut-être leur amie, la France, en perdant cet homme éminent par l'esprit et par le cœur. »

Mais c'est ainsi, la vie est une scène changeante, les hommes s'y succèdent.

Il apprend, le 15 octobre, que Khrouchtchev vient d'être chassé du pouvoir, à Moscou, par une coalition de trois dirigeants du Parti, Brejnev, Kossyguine, Podgorny.

Il reste longtemps silencieux. Et, comme souvent, lui revient cette pensée de Nietzsche, qui est pour lui le moyen de garder la mesure de toute chose :

> *Rien ne vaut rien*
> *Il ne se passe rien*
> *Et cependant tout arrive*
> *Mais cela est indifférent.*

Puis il commence à parler, pensant à haute voix, semblant indifférent à ceux qui l'écoutent :

« Au fond, je crois que Khrouchtchev était surtout un propagandiste. Il vendait bien sa salade. Il lisait les papiers qu'on lui avait préparés... Mais je n'ai pas l'impression qu'il ait jamais conduit les affaires de son pays... C'était un visage assez sympathique. Ce n'était sans doute qu'un visage. Il n'en est pas moins désagréable d'avoir affaire à un régime dont le chef est présenté comme un demi-dieu et, du jour au lendemain, traité de tête de linotte ou de pantin lamentable... On l'a limogé salement. C'est moche. Un gouvernement ne se conduit pas ainsi à l'égard de son chef. »

Il ressent du dégoût pour ces régimes totalitaires, ces dictatures, qu'il a toujours abhorrés.

Et il éprouve du mépris quand il lit les accusations qu'on porte contre lui, quand un François Mitterrand déclare que le « président de la Ve République dispose, grâce au secteur réservé qu'il s'est à lui-même attribué en se plaçant hardiment hors la loi, du droit de vie et de mort sur l'avenir de son peuple » !

De telles exagérations, de telles calomnies le révulsent. Elles révèlent un homme. Dans sa vie publique, à quel moment a-t-il violé les institutions ? Mais peut-être M. Mitterrand pense-t-il qu'en s'opposant à Pétain et au gouvernement accepté par les parlementaires à Vichy, en juillet 1940, et dont Mitterrand sera le serviteur, il s'était déjà placé dans l'illégalité et avait accompli le premier acte de son « coup d'État permanent », puisque c'est là le titre de ce pamphlet que publie Mitterrand !

Mais ces accusations le laissent amer. Pourquoi affronter des adversaires aussi méprisables ? Politiciens retors, prêts à toutes les trahisons pour revenir au pouvoir ? Ils ne se soucient pas de la France, mais d'eux-mêmes, de leur carrière.

Il se sent déjà sali à l'idée d'avoir à se présenter contre eux à l'élection présidentielle ! Ce n'est ni vanité, ni orgueil. Mais souci de dignité. Mieux vaut se retirer au terme du septennat.

Il se convainc de la justesse de cette attitude et il le dit, le 4 novembre 1964, lorsqu'il reçoit Michel Debré :

« Il n'est pas raisonnable de vouloir exercer un second mandat.

« Ce n'est pas au prix de trois ou quatre ans de plus que le régime sera rendu plus solide. Et puis, il y a "la condition humaine", l'âge, la maladie. »

Mais plus il parle avec conviction et plus une voix intérieure conteste tous ses arguments. Il raccompagne Michel Debré jusqu'à la porte du bureau.

L'ancien Premier ministre insiste pour une nouvelle candidature.

Il ne répond pas.

Il a la tête pleine de ce débat lorsqu'il prend la parole, le 23 novembre 1964, place Kléber, à Strasbourg, afin de célébrer l'anniversaire de la libération de la ville des troupes nazies.

Il faut, et d'autant plus s'il doit quitter sa charge, que la nation mesure l'importance de ces moments-là, exemplaires : « Les motifs de fierté nationale que nous laissent ces actions d'éclat, dit-il, entreprises et réussies à partir du fond de l'abîme, nous entendons les cultiver. »

Mais il faut aller au-delà, parler de l'amitié avec l'Allemagne.

« Oui, la coopération des deux grands peuples réconciliés est désirée par notre pays pour cette raison qu'elle est la seule base sur laquelle puisse s'établir l'union des peuples de l'Europe occidentale. »

C'est cela qu'il faut bâtir.

Il sent que la foule qui l'écoute se recroqueville, comme si elle hésitait à accomplir ce saut qu'il préconise.

Il crie : « Vive l'Alsace ! Vive la République ! Vive la France ! » et la foule applaudit à tout rompre et, quand il entonne *La Marseillaise*, elle chante à tue-tête avec lui.

Si difficile, si précaire l'unité d'un peuple !

Une nouvelle fois, il s'interroge. Combien de temps encore va-t-il pouvoir incarner cette unité, alors qu'il entre dans sa soixante-quinzième année ?

Ce corps alourdi par les ans fera-t-il obstacle à sa volonté ? Et pourtant, il faudrait poursuivre la tâche. La France a encore besoin de sa détermination.

Pour être souveraine, il faut qu'elle quitte l'OTAN.

Et pour que, dans l'ordre intérieur, cessent ces luttes sociales d'un autre âge, il faut établir la « participation » des salariés à la vie des entreprises.

Voilà deux projets essentiels qu'il doit réaliser. Car le monde bouge. L'Allemagne se dérobe devant les objectifs du traité franco-allemand. Le Marché commun s'enlise. En Asie, les Américains interviennent de plus en plus ouvertement au Viêtnam, au moment même où la Chine, surprenant tous les observateurs, vient de réussir à faire exploser sa première bombe atomique.

« Maintenant, dit de Gaulle, ne nous faisons pas d'illusions... La Chine acquerra avant peu de temps cette immensité que confère l'arme atomique. Cela veut dire qu'elle sera inattaquable. Elle entrera dans le club de ces quelques nations auxquelles on ne peut rien faire du tout, ce club auquel nous avons la satisfaction d'appartenir. On verra quelle influence ce fait aura sur l'équilibre mondial, quels changements il entraînera... Un pays qui n'est pas peuplé de Blancs acquiert pour la première fois l'arme terrible. Nombreux sont les peuples de couleur qui en ressentiront fierté et honneur. »

Un instant, il se félicite d'avoir, contre tant d'opposants aveugles, doté la France d'une force de frappe et de l'avoir dégagée des bourbiers de la colonisation. Sur ce plan, la France est dans la bonne voie.

Reste la politique intérieure, ces manifestations paysannes, ces grèves des services publics qui, en cette mi-décembre 1964, paralysent les transports, plongent Paris dans l'obscurité.

Il faut à la fois de la fermeté pour que ne soient pas remis en cause le plan de stabilisation, la lutte contre l'inflation, et il faut aussi ouvrir des perspectives : la participation et la modernisation.

Il se sent confiant. Le Ve Plan, que l'Assemblée vient de voter par trois cent cinquante-trois voix contre cent vingt, fixe des objectifs à la nation. Ils doivent permettre de surmonter les difficultés.

Mais tout cela, il le sait, exige qu'il soit à la tête du pays.

Sinon, quoi ?

Les risques du renoncement, l'aggravation des divisions.

Tout va donc se jouer en 1965. Et cela dépend de sa décision. Sera-t-il candidat à l'élection présidentielle ? L'emportera-t-il ? Ou bien assistera-t-on au triomphe de ses adversaires qui sont aussi ceux de l'indépendance de la nation ?

Il pense à ce choix en se rendant, le 18 décembre, au columbarium du Père-Lachaise, où sont déposées les cendres de Jean Moulin. Il s'incline devant cette urne, devant cet homme, *Max, Rex*, qui fit le sacrifice de sa vie pour la grandeur et la liberté de la France.

Le lendemain, dans la grisaille et le froid de décembre, il écoute, sur le parvis du Panthéon, André Malraux inspiré célébrer la mémoire de Jean Moulin, dont on porte les cendres dans ce Panthéon, où reposent les « grands hommes » qui ont droit à la reconnaissance de la patrie.

La voix de Malraux, haletante, entre en lui, puissante et scandée. Elle le bouleverse. Voilà, comme lui, un homme de foi, un homme des hautes entreprises, un prédicateur comme Bernard de Clairvaux. Malraux parle :

« Écoute, aujourd'hui, jeunesse de France, ce qui fut pour nous le chant du malheur. C'est la marche funèbre des cendres que voici. À côté de celles de Carnot avec les soldats de l'an II, de celles de Victor Hugo avec les Misérables, de celles de Jaurès veillées par la Justice, qu'elles reposent avec leur long cortège d'ombres défigurées.

« Aujourd'hui, jeunesse, puisses-tu penser à cet homme comme tu aurais approché les mains de sa pauvre face informe du dernier jour, de ses lèvres qui n'avaient pas parlé; ce jour-là, elle était le visage de la France. »

Les tambours battent.

Comment pourrait-il douter, quand ses compagnons se nomment Jean Moulin et André Malraux ?

Il se souvient de cette phrase du message qu'il compte adresser aux Français pour la nouvelle année 1965 :

« La vie est la vie, autrement dit un combat, pour une nation comme pour un homme. »

Renoncer à cela, c'est mourir.

8

De Gaulle soupire. Il n'en a pas fini avec ces cérémonies rituelles de début d'année, qui le font aller d'un salon à l'autre du palais de l'Élysée et occupent près de deux journées.

Il vient, dans la grande salle des fêtes, de recevoir les vœux du personnel de la maison du président de la République. Il a tenu à serrer toutes les mains, celles des cuisiniers, des chauffeurs et des maîtres d'hôtel, comme celles de ses collaborateurs les plus proches, Burin des Roziers, Foccart ou l'amiral Philippon.

Et maintenant, en cette fin d'après-midi du jeudi 31 décembre 1964, il se tient debout au milieu du salon des Ambassadeurs, alors que, à l'appel de leur nom, lancé par un huissier, s'avancent les uns après les autres les journalistes accrédités à l'Élysée. En apercevant le journaliste du *Monde*, il a un mouvement d'irritation ; il n'apprécie pas ses articles et il avait souhaité qu'on ne l'invitât pas. Mais, naturellement, le service de presse de la Présidence a dû juger que c'était là un camouflet impossible à infliger. Et il faut donc serrer la main de cet homme qu'il juge arrogant, subir ses questions impertinentes devant le buffet, cependant qu'on se presse autour d'eux. Le journaliste l'interroge une nouvelle fois sur l'élection présidentielle : sa date sera-t-elle avancée ?

Il répond sèchement :

– Les élections sont fixées par la Constitution et vous pouvez vous y reporter.

Le journaliste insiste : le président de la République briguera-t-il un nouveau mandat ?

De Gaulle ne peut retenir un haussement d'épaules.

– Vous savez bien que je ne vous répondrai pas. Par conséquent je ne vois pas pourquoi vous me posez cette question.

Il fait quelques pas puis, se retournant, lance d'une voix gouailleuse :

– C'est au fond un dilemme pour vous car, en tant que bons Français, vous souhaitez certainement une année calme et paisible pour notre pays. Mais, en tant que journalistes, vous ne pouvez pas ne pas espérer quelque ragoût et par conséquent quelques difficultés, quelques drames qui vous permettent d'écrire des papiers.

Il s'éloigne. Il dit encore :

– On ne s'ennuiera pas, en 1965 !

Il traverse les salons. Demain, vendredi 1ᵉʳ janvier 1965, ce sera la cérémonie des vœux aux corps constitués, les discours de Pompidou, de Chaban. Mais pas question de recevoir le président du Sénat, Gaston Monnerville, qui, lors du référendum de 1962, avait accusé de Gaulle de forfaiture. On se contentera d'un vice-président de la Haute Assemblée. Puis viendra le corps diplomatique.

À chaque fois, il faudra répondre aux discours des uns et des autres. Il imagine les regards. Tous, amis, adversaires, diplomates, veulent savoir. Est-il en bonne santé ? Va-t-il trébucher sur un mot ? Son attitude laisse-t-elle penser qu'il se représentera ou bien au contraire qu'il s'apprête à laisser la place ?

Il faut qu'il soit impassible, visage minéral, impénétrable. Il faut que jusqu'au dernier moment, sans doute au mois de novembre, il maintienne l'incertitude, le secret sur sa décision.

Et d'ailleurs il oscille encore, passant d'une hypothèse à une autre, jouant de l'une et de l'autre, même si, au fond de lui-même, il sait qu'il acceptera la charge.

« La vie est la vie, autrement dit un combat, pour une nation comme pour un homme. » Mais aussitôt qu'il a répété cette phrase devant les caméras de télévision qui viennent d'enregistrer son message de vœux aux Français, il énumère en lui-même les raisons qu'il a de ne pas se présenter.

Voici qu'on annonce une nouvelle candidature, celle d'un sénateur non inscrit de la Charente, Pierre Marcilhacy, au nom de la Convention libérale. Et voilà qu'on laisse entendre que François Mitterrand, au nom de la Convention des institutions républicaines, qu'il vient de créer, préconise la formation d'une « Fédération des forces démocratiques à vocation socialiste », et peut-être pourrait-il envisager d'être candidat. Mais pour l'heure, c'est toujours Gaston Defferre qui est en course, refusant de discuter avec les communistes, cependant que les socialistes, ses camarades, signent, eux, des accords électoraux avec les mêmes communistes, en vue des élections municipales qui doivent se tenir au mois de mars.

De Gaulle ne veut pas entendre parler de toutes ces tractations en vue des élections, de la candidature de tel gaulliste, dans telle ville, de la pression qu'il devrait exercer sur celui-ci pour le forcer à se présenter. Ses proches l'interrogent sur l'opportunité qu'il y aurait à opposer le général Delfino, qui commandait l'escadrille Normandie-Niémen, à Jean Médecin, le maire de Nice...

Il a un mouvement de colère. On le force à patauger dans les marécages. Il lève les bras, lance à Foccart qui le harcèle :

– Mais je m'en fous ! Ce n'est pas à moi d'entrer dans ces choses-là. Foutez-moi la paix avec tous ces détails !

Et s'il se présentait à l'élection présidentielle, c'est dans ce cloaque-là qu'il devrait s'enfoncer !

Il se reproche de revenir sans cesse à cette interrogation. Mais alors qu'il pensait avoir décidé d'affronter un nouveau mandat, il est, maintenant, convaincu du contraire.

Et d'ailleurs, plus l'échéance approche et plus il sent monter l'inquiétude d'Yvonne de Gaulle.

Il sait qu'elle s'adresse, à certains de ses proches, Peyrefitte ou Foccart.

« Il faut savoir décrocher, dit-elle, et c'est vrai pour les chefs d'État comme pour les artistes. On devient trop vieux petit à petit, on ne s'en aperçoit pas et personne ne vous le dit... Si je vous dis cela, ce n'est pas pour moi, ce n'est pas pour lui, ce n'est pas pour notre vie, nous en avons fait le sacrifice, et peu nous importe, ce n'est pas le problème. Le problème est que vis-à-vis de la France, pour le visage que l'on donne au monde extérieur, il ne faut pas s'accrocher. Et puis, quand on vieillit, on subit plus ou moins l'influence de tel ou tel, ce n'est plus la même chose. Il faut savoir s'arrêter à temps, croyez-moi. »

Il ne craint pas que quelqu'un prenne de l'ascendant sur lui. Il ne doute pas de la vigueur de sa pensée, de l'efficacité inaltérée de sa mémoire.

Lorsqu'il reçoit le chancelier allemand Ludwig Erhard, il mesure à quel point il sait mener la conversation, dans ces grands salons du château de Rambouillet, démasquant les habiletés du chancelier.

« C'est un faux rond, dit-il, un homme déterminé qui veut rester proche des États-Unis, obtenir le droit de participer à l'élaboration de la stratégie nucléaire. »

Non, ses qualités intellectuelles ne sont pas émoussées, il y a tout simplement la mort qui s'approche, faucheuse méthodique dont les grands coups de lame résonnent de plus en plus fort.

Weygand meurt.

Tant de souvenirs qui défilent, amers. Voilà l'un des principaux responsables de l'armistice.

De Gaulle, d'un geste brusque, refuse le droit de célébrer les obsèques de Weygand dans la chapelle des Invalides et d'accorder qu'on accueille le cercueil sous le dôme.

Il n'est pas surpris par les cris d'indignation qui s'élèvent. Toute la France vichyste, celle des bien-pensants, se retrouve à chaque fois qu'il s'agit de célébrer l'un des siens ! On se lamente dans *Le Figaro*, on s'afflige, on dénonce l'esprit vindicatif du Général, etc. Il la connaît cette France-là ! Il l'a forcée à se taire, mais elle guette, toujours prête à donner de la voix, au nom de la Justice, ou du Pardon. Qui protestait quand Weygand ordonnait qu'il soit condamné à mort ?

Et la France souillée, en 1940, la France livrée, qui s'en soucie ?

Il revit, en ce mois de janvier 1965, ce temps maudit d'il y a un quart de siècle, puisque la mort sabre autour de lui ceux qui en furent les acteurs, et qu'à chaque fois c'est un flot d'images qui jaillit.

Churchill meurt le 25 janvier.

Et c'est une vraie peine.

« Pour moi, je vois disparaître en la personne de ce très grand homme mon compagnon de guerre et mon ami. »

Il se souvient de ce jour, le 6 novembre 1958, où il a décerné à Churchill la croix de la Libération, à Paris. « Je sais combien il aimait les médailles... Comme il a pleuré, mais quel artiste ! »

Il se rend aux obsèques, à Londres. Il dit à la reine Élisabeth : « Dans ce grand drame, il fut le plus grand. »

Toutes les scories de leurs relations, les duplici-tés et même les trahisons ne sont plus que vaine écume.

Ce qui reste dans sa mémoire, c'est la volonté farouche de cet homme, « grand artiste », de qui tout dépendit en juin 1940.

Un temps, celui des héros, s'éloigne.

Il marche dans le parc de l'Élysée, dans le froid d'une journée de la fin janvier 1965. Il parle à voix basse à Jacques Vendroux :

« Churchill était à la fois sentimental et colé-rique, dit-il, loyal et rusé. Certes, il a fait, comme tous les grands hommes, des erreurs politiques. Mais ce qui lui donne droit à une grande place dans l'Histoire, c'est l'amour passionné qu'il por-tait à son pays et le courage indomptable avec lequel il l'a soutenu et défendu envers et contre tout, dans les jours les plus noirs. »

Il s'arrête, reste un long moment silencieux.

« Je me suis heurté à lui bien souvent, reprend-il. Mais je suis sûr qu'il n'aurait pas compris si j'avais, en certaines occasions, accepté les compro-mis qu'il me proposait ! »

Churchill est mort. De Gaulle a tout à coup le sentiment d'être un survivant.

Faut-il alors, pour employer un mot d'Yvonne de Gaulle, « s'accrocher » ?

Peut-être le temps est-il venu, en effet, de s'effa-cer.

Mais est-ce possible ? Pour laisser la France aux mains de qui ? D'un Defferre, d'un Mitterrand ? Et cela au moment où le monde bouge. Les Améri-cains viennent de commencer à bombarder le Nord Viêt-nam et à débarquer des troupes au Sud.

Qui se rend compte de l'engrenage dans lequel le président Johnson engage le monde ? Plus que jamais il faut que la France soit indépendante, fasse entendre sa voix. Et pour cela, il faut, à la tête du pays, un homme dont le souci est en permanence celui de l'indépendance de la nation. Dans tous les domaines. Il faut desserrer l'étreinte de l'hégémonie américaine.

« La France préconise que le système monétaire soit changé », dit-il, le 4 février, lors d'une conférence de presse.

Plus de dix fois déjà qu'il s'adresse ainsi aux journalistes, dans la grande salle de l'Élysée.

Mais aujourd'hui, il a décidé d'aborder des sujets qui ne lui sont pas familiers.

Il a lu avec attention les notes des conseillers de l'Élysée en matière monétaire. Il a écouté Jacques Rueff et, peu à peu, il s'est forgé une conviction : il faut mettre sur pied un système monétaire dont l'étalon sera l'or.

« C'est l'obligation d'équilibrer d'une zone monétaire à l'autre, par rentrées et sorties effectives de métal précieux, la balance des paiements résultant de leurs échanges. Ainsi, on échappera à la domination du dollar. »

Et quant à l'organisation de l'économie française, elle doit éviter les excès du « laisser-faire ! laissez-passer ! » des libéraux et les contraintes du système communiste.

Les poings serrés, il martèle :

« Nous appliquons l'action publique à orienter notre économie pour l'avance de la nation dans tous les domaines et pour l'amélioration du sort des Français, à mesure que s'accroît la richesse de la France. Pour ce faire, notre cadre, c'est le plan... Nos moyens, ce sont les lois, les règlements, l'information, ainsi que le crédit, l'impôt, les tarifs, les subventions. »

Il sait bien que cette politique indispose. Trop dirigiste pour ces « milieux qu'absorbent complètement leurs affaires et leurs intérêts et qui se méfient par principe de l'intervention de la puissance publique dans la marche de l'économie ». Et trop « nationale » pour ceux qui ne pensent qu'à défendre les intérêts de telle ou telle catégorie.

Il faut avancer sur cette ligne de crête, exprimer les intérêts de toute la nation. Et dès lors être exposé aux attaques venant de tous côtés. Et donc perdre des voix lors des élections municipales !

Échec à Marseille où Defferre est réélu contre le candidat gaulliste, Comiti. Échec à Nice, où le général Delfino est battu par Jean Médecin. Échec à Paris.

« Bah, c'est bien ce que j'attendais ! dit-il à Foccart. Dès lors que je ne m'engage pas personnellement dans une bataille, les gens considèrent qu'ils ont liberté pour agir comme ils l'entendent et ils vont vers ceux qu'ils ont l'habitude de voir. On a vu Médecin pendant des années et des années à Nice, alors on va vers Médecin. On a vu Defferre à Marseille, et on va vers Defferre. Vous ne pouvez rien contre cela, ça s'est toujours passé de cette façon... »

Et puis, au fur et à mesure que les résultats arrivent, qu'il constate l'échec des membres du gouvernement, il s'emporte.

« Durant tout cela, j'ai été beaucoup trop engagé, s'exclame-t-il. Vous êtes arrivé, petit à petit, à me mettre dans cette histoire des élections, à m'y intéresser... J'aurais dû me tenir encore plus en dehors, et les membres du gouvernement aussi, au lieu d'aller se faire battre... Vous êtes tous là à vous occuper de questions électorales, à ne penser que partis politiques, formations politiques. Mais, ce n'est pas l'avenir ; l'avenir, c'est l'autorité du Président ! »

Il écoute quelques instants Foccart lui parler des positions de l'UNR.

Il l'interrompt :

« Je m'en moque, ça ne me regarde pas ! Je n'ai rien à faire avec l'UNR. Je ne veux pas être confondu avec l'UNR... Je me fous de ce que fait l'UNR, des décisions qu'elle prend, et je vous interdis de vous en occuper. Quand vous vous en mêlez, vous m'engagez, c'est absurde ! Fichez-moi la paix avec ces histoires, définitivement. Je ne veux plus en entendre parler ! »

Ces élections, ces marchandages, ces petites ambitions – celui-ci qui veut se maintenir au deuxième tour malgré les consignes, celui-là qui se croit important parce qu'il vient d'être élu maire –, ce n'est pas la politique telle qu'il la conçoit. Elle masque les grands enjeux nationaux.

Il retrouve sa sérénité lorsqu'il peut, comme à l'École navale, à Brest, ou bien à Coëtquidan, où est installée désormais l'École de Saint-Cyr, évoquer pour les élèves officiers cette « réalité nouvelle et colossale qu'est l'armement atomique ».

Il est heureux de rencontrer son beau-fils de Boissieu, commandant l'École de Saint-Cyr. Il se souvient qu'à Londres, en 1941, recevant de Boissieu qui venait de rejoindre la France libre, il lui avait prédit qu'il serait un jour à la tête de Saint-Cyr. Étrange intuition. Il n'imaginait pas que ce jeune officier épouserait Élisabeth de Gaulle, et pourtant il avait prévu cette part de son destin.

Il inspecte l'École alors que, sous un ciel bas, souffle un vent aigrelet.

« À la bonne heure, lance-t-il, vous êtes au grand air. »

Il regarde ces jeunes officiers qui entrent dans le métier des armes plus d'un demi-siècle après lui, dans un monde si différent de celui qui était le sien.

Deux guerres ont passé. La France n'a plus d'empire. L'Allemagne a cessé d'être l'ennemi. L'arme atomique a bouleversé toute la stratégie, cependant que deux hégémonies se disputent le monde, qu'il faut faire l'Europe, « mère de la civilisation moderne », et sauvegarder la nation.

Et pourtant, il est proche de ces jeunes hommes. Il éprouve pour eux un sentiment de fraternité.

« Je sais, et je sens, que l'âme de l'École est toujours la même dit-il, l'âme de Saint-Cyr, et que l'esprit qui domine ici, c'est l'esprit militaire. En somme, voyez-vous, il y a à la fois, ici, les grandes transformations modernes et en même temps l'esprit traditionnel. Cette combinaison-là me paraît exprimer très bien ce que devient et ce que doit devenir notre Armée. »

Il rentre à Paris et, dans son bureau de l'Élysée, tout en lisant les notes qu'on lui a préparées, en écrivant rapidement des directives pour le ministre – « Une fois de plus, il apparaît que le "rapatriement" de notre or actuellement localisé à Londres et à New York est beaucoup trop lent. Il est indispensable que le ministre des Finances prenne l'affaire en main » –, il pense à cette phrase qu'il a prononcée à Saint-Cyr.

Unir la tradition à la modernité, préserver l'esprit enraciné dans l'Histoire et s'adapter aux transformations du monde, ce n'est pas seulement un projet pour l'armée. Mais la politique qu'il veut pour la nation. Être fidèle au passé et être moderne. Maintenir l'indépendance de la France et construire l'Europe.

Il note quelques mots pour l'allocution qu'il veut adresser aux Français, le 27 avril : « En somme, si grand que soit le verre que l'on nous tend du dehors, nous préférons boire dans le nôtre, tout en trinquant aux alentours. »

Voilà le but : l'indépendance. Et tant pis si cela étonne ou scandalise « divers milieux pour lesquels l'inféodation de la France était l'habitude et la règle ».

Il connaît leurs réquisitoires. On l'accuse de nationalisme. On lui reproche d'isoler la France, de pratiquer une politique américaine.

Il va dire aux Français que la « conduite la plus claire » consiste à suivre sa propre route. Il faut une « nation aux mains libres ». « Il faut que la France soit la France. »

Sera-t-il compris ? Sera-t-il suivi s'il se présente à l'élection présidentielle ? Il écoute Jacques Vendroux qui, membre du groupe UNR, lui décrit les impatiences de ceux qui « n'ont pas encore été pourvus de postes de premier plan et qui espèrent profiter d'un changement d'équipe pour dorer leur blason avant les prochaines élections législatives » prévues pour 1967.

Ceux-là, sans oser le dire, trouveraient tout naturel son retrait. Ils mêlent l'ambition à l'ingratitude. Telle est la loi de la vie politique.

Ceux-là ne sont pas des gaullistes.

« Ce qui caractérise les gaullistes, dit-il, c'est qu'ils ne se résignent pas au mal. Ils refusent l'aplatissement, ils ne veulent pas être des esclaves. Ils sont résolus à tout faire pour changer ce qui est injuste, ainsi ils veulent modifier la condition ouvrière, non par la lutte des classes ou la révolte mais par l'association, puis la participation. Ils ont une haute conception de la dignité de la France. »

Mais peut-être est-ce là trop exiger de la plupart des hommes ?

9

De Gaulle se promène d'un pas lent dans le parc de la Boisserie, en compagnie de Flohic, son aide de camp.

Il éprouve, comme à chaque printemps, un sentiment fait d'émotion et presque de tendresse en voyant surgir cette vie joyeuse et légère. C'est comme si l'espérance se matérialisait en chaque bourgeon, dans chaque bouton de fleur. « Quoi qu'il ait pu jadis arriver, je suis au commencement », a-t-il écrit autrefois de cette saison de renaissance.

Il s'arrête, regarde au loin vers la forêt des Dhuys. Il est mécontent d'avoir renoncé à s'y rendre. Habituellement, lorsqu'il passe la fin de la semaine à Colombey-les-Deux-Églises, il s'en va marcher sur la route de la Malochère, qui s'enfonce dans la futaie.

Pourquoi a-t-il choisi de rester à la Boisserie ? Lassitude, fatigue ?

Hier, il était à Bourges, pour l'inauguration de la maison de la culture et Malraux, une nouvelle fois, avec sa force et son talent de visionnaire, a évoqué ces « cathédrales du XXe siècle ». La foule était là, chaleureuse. Est-ce une indication de l'état de l'opinion ? Peut-être pourra-t-il mieux répondre à la question puisque, dans une semaine, il doit parcourir les départements de Vendée, du Maine-et-Loire, de la Mayenne et de la Sarthe.

Il se tourne vers Flohic.

Il est clair que l'opposition, dit-il, ne peut guère s'entendre sur un candidat à l'élection présidentielle. Defferre veut fonder une Fédération démocrate socialiste, dans laquelle il compte faire entrer les chrétiens-démocrates du MRP et les socialistes. Mais ni Jean Lecanuet, ni Guy Mollet, quoi qu'ils prétendent, ne veulent cette fusion. La laïcité servira de prétexte au « torpillage » de la Fédération. Qui restera en lice ? Le sénateur Marcilhacy ? Tixier-Vignancour ? Et peut-être François Mitterrand essaiera-t-il de rassembler les socialistes et les communistes, et peut-être aussi Antoine Pinay rêvera-t-il à une candidature ?

Il recommence à marcher. Parmi les gaullistes, dit-il, il y aurait deux candidats possibles : Pompidou et Couve de Murville.

Quant à lui... Il hausse les épaules. La presse lui est toujours hostile.

– Vous comprenez, ce que ne me pardonne pas Beuve-Méry, c'est de lui avoir donné *Le Monde* à la Libération.

Heureusement, il n'y a pas que les journalistes, il a le soutien de « Malraux et Mauriac, les deux plus grands écrivains de l'époque. Malraux, s'il n'était pas français, aurait eu le Nobel depuis longtemps. Ce qu'il n'aura jamais ! ». Il fait quelques pas silencieusement, en balançant sa canne.

– Pendant les sept années qui viennent de s'écouler, reprend-il, la France qui a toujours eu les mêmes moyens les a appliqués de façon méthodique, avec le succès que l'on sait. Il n'en ira peut-être pas de même à l'avenir, et pour quel but d'ailleurs ?

Il pense à ces sept années écoulées, depuis ce mois de mai 1958, et à ce quart de siècle passé depuis les combats de mai 40, qui se déroulaient précisément par des journées semblables à celles-ci. Et il faudra bientôt célébrer le vingt-cinquième anniversaire du 18 juin 1940.

– Les anniversaires, vous savez, j'en ai assez célébré, soupire-t-il, j'en célèbre sans arrêt.

Vingt-cinq ans. Il revoit ses premiers compagnons, peut-être parce qu'il vient d'apprendre que Jacques Soustelle, si longtemps l'un des plus proches avant de devenir un ennemi déclaré, a communiqué quelques renseignements à la police, pour lui permettre de déjouer un nouvel attentat à la bombe, du type de celui qui a échoué au mont Faron. Grâce à ces informations, on a arrêté les comploteurs qui s'apprêtaient à agir lors du prochain voyage officiel en Vendée, du 19 au 23 mai.

Soustelle a jugé, semble-t-il, qu'il ne servait plus à rien de tuer le général de Gaulle, les jeux étant faits.

Mais peut-être y a-t-il encore quelques assassins qui traînent ici ou là, aveuglés par la haine.

Il n'a jamais connu la peur de mourir. Depuis cette mort arrêtée par miracle sur le pont de Dinant, en août 1914, il a la certitude qu'il doit aller jusqu'au bout de sa tâche, et ce n'est qu'au terme de ce destin que la mort le prendra.

Jusque-là, agir, pour être fidèle à soi-même et à l'œuvre entreprise.

Il écoute Flohic lui dire qu'il est le seul capable de « tenir les rênes du pouvoir ». Il écoute les foules qui, dans la cinquantaine de villes et de villages traversés, des Sables-d'Olonne à La Roche-sur-Yon, de Fontenay à Cholet, des Ponts-de-Cé à Angers et Château-Gontier, l'accueillent, l'acclament.

Il faut comme toujours qu'il soit pour ces Français le professeur qui explique ce qui est nécessaire à la nation. Car presque toutes les voix qui s'expriment sont hostiles à sa politique, la caricaturent, dénoncent sa « mégalomanie », son « antiaméricanisme », sa « dictature », son nationalisme.

Ainsi, tous ces notables contestent la position qu'il vient de prendre, condamnant les États-Unis pour leur intervention militaire en République dominicaine, leurs bombardements du Nord Viêtnam. Ils dénoncent sa politique de la « chaise vide » à Bruxelles, son refus de participer au Conseil des ministres de la Communauté européenne, puisque la Commission européenne refuse d'appliquer la politique agricole commune.

Alors il doit lui-même éclairer les Français.

Leur dire : « La France a su échapper à la tentation qui lui était offerte de disparaître dans on ne sait quel aréopage technocratique et irresponsable qui, en fait, l'aurait effacée pour laisser la place à l'une ou l'autre hégémonie ! »

Il faut que les Français comprennent « qu'il ne s'agit plus, comme au long des siècles, de vivre aussi tranquilles que possible dans des conditions immuables. Il s'agit de prendre aussi part aux grands courants qui emportent notre époque et notre pays ».

Il faut qu'ils saisissent pourquoi il peut lui arriver – comme au cours d'une garden-party organisée par les parlementaires à l'Élysée – de « traiter » de « jean-foutre » les partisans de l'Europe supranationale !

Il faut qu'ils sachent qu'il va pourtant dire au chancelier allemand Erhard que : « Nous, Européens, sommes des bâtisseurs de cathédrales. Nous y avons mis du temps. Nous y avons consacré beaucoup d'efforts, mais nous y avons réussi. Nous commençons à construire l'Union de l'Europe occidentale. Ah ! Quelle cathédrale !... De toute façon, il y a une fondation, c'est la réconciliation de l'Allemagne et de la France. Il y a les piliers que constitue la Communauté économique des Six. Il y aura un faîte, formé des arceaux et du toit et qui

sera la coopération politique... Quand notre cathédrale sera faite, nous la tiendrons ouverte aux
autres. Qui sait même si, avec eux, nous n'en
construirons pas une plus grande et plus belle
encore, l'Union de l'Europe tout entière ? »

Il doit dire tout cela, expliquer qu'on peut être
patriote et européen, bousculer ces notables enli-
sés dans leurs médiocres ambitions personnelles.

Qui d'autre que lui pourra guider le pays dans
cette navigation périlleuse qui exige avant tout du
caractère, la capacité de résister à toutes les pressions ?

Il observe Georges Pompidou, qui l'a rejoint à
Château-Gontier, l'une des étapes du voyage officiel dans l'Ouest.

Le Premier ministre est un peu chez lui, ici,
puisque la famille de sa femme est originaire de la
Mayenne.

Pompidou a acquis de l'autorité. C'est, à l'évidence, l'un des meilleurs candidats possibles à la
présidence. Il faut donc le pousser en avant, lui
rendre un hommage public appuyé. C'est un atout
dans le jeu. Les opposants vont croire que
de Gaulle a décidé de ne pas se présenter. Et ce
peut être le cas. Il n'a pas encore tranché, toujours
ces deux hypothèses qui cohabitent en lui ! Et s'il
choisit de faire acte de candidature, il sera toujours
temps d'en avertir Pompidou. Mais le plus tard
possible.

Les subordonnés, fussent-ils Premier ministre,
n'ont à connaître des plans du général en chef que
ce qui est nécessaire à la mise en œuvre de la stratégie conçue par leur supérieur. Ils n'en tiennent
que mieux leur rôle. L'ennemi alors s'y laisse
prendre.

Le secret et la surprise sont deux moyens de
commandement.

Il rentre à l'Élysée.

Et c'est le quotidien des audiences, des réceptions, des dîners d'apparat, pour le président de la République du Chili, puis le président libanais, le chancelier d'Autriche, les souverains d'Afghanistan. Ce sont les entrevues accordées aux représentants syndicaux, ceux de la CFDT, puis de la CGT. Il écoute. Il prend des notes. Le prochain septennat, s'il l'exerce, devra être celui de la « participation ».

Et à nouveau les villes et les campagnes, celles du Val-d'Oise, de la Seine-et-Marne, de l'Eure-et-Loir, d'autres foules, attentives, enthousiastes.

Il a le sentiment que le paysage politique se simplifie.

Gaston Defferre vient de renoncer à être candidat et François Mitterrand s'avance, encore discret, à la tête de sa Convention des institutions républicaines. Et Antoine Pinay fait savoir qu'il serait candidat si l'élection prenait des allures de plébiscite.

Il hausse les épaules. Pinay ne rassemblera jamais les voix communistes. Reste Tixier-Vignancour qui annonce qu'il fera durant le mois d'août une « tournée des plages » transportant d'un lieu de vacances à l'autre son « grand cirque » – une tente, des tréteaux – pour répandre ses idées. Qu'imagine-t-il, le défenseur de l'OAS ? Que les Français vont voter pour un candidat partisan de l'Algérie française ?

C'est la tombée de la nuit. Le parc de l'Élysée, en cette fin juin 1965, commence à être envahi par la pénombre.

Il se penche au-dessus d'un massif de roses. S'il n'y avait la rumeur sourde de la circulation automobile sur les Champs-Élysées, on pourrait se croire à la campagne. Il aperçoit, non loin du bassin de la grille du Coq, Yvonne de Gaulle et sa belle-sœur qui bavardent.

Il regarde Jacques Vendroux.

– Et alors, demande-t-il, il paraît qu'on voudrait bien savoir si je me représenterai en décembre ?

Il voit bien que Vendroux hésite à se confier puis, enfin, il se décide, évoquant une nouvelle fois l'état d'esprit des députés gaullistes :

– Sous prétexte qu'ils ne veulent que votre bien, commence Jacques Vendroux, ils se répandent en phrases de ce genre : « Quels regrets nous éprouverions si le Général ne se représentait pas... Ce serait un grand malheur pour la France... Mais il a soixante-quinze ans, est au sommet de sa gloire. Il a bien gagné de pouvoir se reposer et finir tranquillement ses jours à Colombey... On sait d'ailleurs que la Générale et ses enfants le souhaitent. »

Vendroux hoche la tête.

– Je ne suis pas sûr, reprend-il, que derrière cette sollicitude ne se cachent d'équivoques arrière-pensées...

De Gaulle ne répond pas. À quoi bon ? Rien d'étonnant dans ce comportement. La banalité des choses humaines.

Mais parfois, il a le sentiment d'être harcelé, entouré de petits rapaces qui guettent et réclament. Il ne se passe pas de jour qu'on ne lui présente une supplique, une demande.

Il s'exclame, interrompant Foccart qui lui soumet le cas d'un Français libre qui voudrait obtenir un poste diplomatique :

– Tous ces gaullistes qui n'arrivent pas à trouver de situation, qui se raccrochent à nous sans arrêt pour tout et toujours, sont incapables de se débrouiller tout seuls. C'est quand même inouï !

Il écoute les arguments de Foccart et, à la fin, comment ne pas comprendre ces hommes qui ont risqué leur vie, qui veulent continuer de servir, même si certains d'entre eux pensent aussi à « se servir » ?

– Oui, bon ! dit-il. De toute façon, je donne des instructions à Couve de Murville et X... aura une affectation.

Et puis, il faut bien penser à l'éventuelle campagne électorale, à ces compagnons qui vont servir de relais dans l'opinion, alors que pas un seul grand organe de presse n'est réellement favorable au « gaullisme ».

Il interroge Foccart.

– Mais quels sont ces gens qui peignent des graffitis sur les routes et qui mettent des affiches lorsque je fais des voyages ?

Il a noté ces inscriptions sur les routes qui conduisent à Chartres, où il s'est rendu le 19 juin. Il se souvient de cette messe célébrée, le lendemain, dans la cathédrale, l'un des moments les plus émouvants de ces derniers mois. *L'Hymne aux morts* d'Olivier Messiaen, résonnant dans la nef illuminée par la lumière filtrée à travers les immenses vitraux. La foule était là, se pressant autour de lui au moment où il est sorti de la cathédrale. Et il avait eu, comme jamais, le sentiment d'être au cœur de l'histoire de France, dans la lignée de Péguy, dont les vers souvent montent à ses lèvres.

Mais ces Français, il fallait bien que quelqu'un les invite à se rassembler par des affiches, des appels. Qui sont-ils, ces militants ?

– Ce sont des anciens du service d'ordre du Rassemblement, dit Foccart, maintenant regroupés dans le Service d'action civique – le SAC.

De Gaulle fixe Foccart.

– Oui, mais enfin, qui les commande ? Qui décide et dit ce qu'il faut faire ?

– C'est la rue de Solferino, répond Foccart.

Là est l'ancien siège du RPF, qui maintenant abrite l'Association pour le soutien de l'action du général de Gaulle... C'est donc Foccart qui dirige le SAC. Soit. Il devine, en regardant Foccart, que celui-ci en déduit après ces questions que de Gaulle envisage de se représenter.

Le temps approche, en effet, où il faudra trancher en lui-même.

Mais quelle que soit la décision prise, il décide déjà de ne pas la faire connaître au pays avant le début de l'ouverture officielle de la campagne électorale. Mais il veut avant de choisir rassembler le maximum d'éléments et d'avis.

Le mardi 29 juin, il invite Malraux, Palewski, Pompidou et Debré à s'installer dans un coin du salon des appartements privés de l'Élysée. Le dîner vient de s'achever. On a servi le café et Yvonne de Gaulle, Mme Pompidou et Mme Debré sont assises à l'écart.

Il regarde ces quatre hommes rassemblés autour de lui. Gaston Palewski qui lui fit rencontrer, dans les années 30, Paul Reynaud et qui est donc un fidèle de la première heure. André Malraux, « l'ami génial, fervent des hautes destinées, me donne l'impression que par là je suis couvert du terre à terre ». Michel Debré, un homme d'État rigoureux, qui sait associer la franchise et la conviction à la fidélité. Pompidou, habile, celui des quatre dont l'avenir est tout entier ouvert et qui peut aspirer à la plus haute des fonctions. Il en a les capacités.

De Gaulle se penche, les coudes sur les genoux, les mains croisées.

– Alors, à votre avis, dois-je me représenter ?

Debré parle le premier, avec fougue : « Il faut continuer », répète-t-il. Le Général doit être le seul maître du calendrier. Ce qui doit déterminer le choix, ce sont les besoins de la nation, les impératifs de sa mission.

– Tant de choses restent à faire, dit Palewski.

De Gaulle se redresse, écarte les mains.

– Il y a toujours des choses à faire, dit-il.

Il se tourne vers Pompidou.

Le Premier ministre attend quelques minutes avant de commencer à parler, puis il dit qu'il est opposé à l'idée d'une retraite. De Gaulle lui jette un coup d'œil. Il y a moins de chaleur dans la voix de Pompidou que dans celle de Debré qui a martelé : « Il faut continuer. Si vous ne vous présentez pas, après vous, il n'y aura plus de gaullisme. » Pompidou ne dit pas non plus, comme Palewski, que le Général doit poursuivre parce qu'il est en possession de tous ses moyens. Au contraire, Pompidou passe en revue les arguments favorables à un départ, puis ceux qui militent en faveur d'une candidature. Il conclut cependant comme il a commencé, en faveur de ces derniers.

Malraux, enfin, qui s'interroge sur le dialogue entre l'Histoire et le destin des grands hommes qui la font : « Il a eu lieu à un niveau le plus élevé entre elle et Vous, dit-il. Convient-il d'y ajouter un nouveau chapitre, de retoucher l'œuvre d'art ? » Puis, de sa voix hachée, il examine ce que le refus de candidature pourrait apporter à la France. Peu de chose, peut-être la possibilité en cas de crise d'un recours ultime. Mais cela ne pèse pas par rapport aux avantages pour la nation d'une nouvelle présidence.

De Gaulle se lève.

– Je verrai, je réfléchirai, dit-il.

Le lendemain 30 juin, c'est la crise avec les partenaires européens, la mise en œuvre de la politique de la « chaise vide ». Et des bruits venus de la capitale belge annoncent que Maurice Faure, le radical, peut-être le plus européen des politiciens français, serait candidat à l'élection présidentielle.

Il dit à Alain Peyrefitte qui rapporte ces rumeurs :

– Naturellement, Maurice Faure et ses copains ont cogité ça ensemble. L'opposition est à Bruxelles, elle y fait son travail de sape.

130

Comment ne pas se présenter pour faire front à cette offensive qui vise à remettre en cause la souveraineté de la France ? Et alors qu'il y a tant de décisions capitales qu'il doit prendre pour la nation (à propos de la crise européenne donc, dans les rapports avec l'OTAN, dans la stratégie atomique parce qu'il faut que la France se dote de l'arme thermonucléaire, sans compter les élections législatives de 1967), pourrait-il passer le relais à un Maurice Faure ?

Il sent qu'il maîtrise désormais tous les éléments d'une décision raisonnée. Mais il ne veut pas en faire état à qui que ce soit.

Il a pourtant l'impression que Peyrefitte, comme Foccart, l'a percé à jour.

– Inutile de parler de tout *ça* à Matignon, lui dit-il.

Il ne veut pas que le Premier ministre soit averti. Pompidou doit sans doute s'interroger, après le dîner de mardi, mais il est bon qu'il reste dans l'incertitude. Elle sera pour les journalistes, les opposants, les entourages, un utile rideau de fumée.

C'est le plein été 1965. La chaleur est lourde, de Gaulle s'assoit dans la Citroën que conduit Jacques Vendroux. Il déploie la carte routière. Il veut visiter la vieille ville fortifiée de La Mothe. Il se retourne. La voiture dans laquelle ont pris place Yvonne de Gaulle et sa belle-sœur suit à quelques dizaines de mètres. Vendroux conduit lentement. Le paysage défile, profondes forêts sombres qui cachent en elles des pans ignorés de l'Histoire. Les arbres sont là, droits, fiers, mais les hommes sont passés et leur trace a disparu.

– Si je suis encore aux affaires dans un an, dit de Gaulle, il faudra que...

Il s'interrompt. Il sent sur lui le regard de Jacques Vendroux. Celui-ci a sans doute compris que la décision de se représenter est prise.

De retour à la Boisserie, en fin d'après-midi, il regagne son bureau. Les portes-fenêtres sont ouvertes sur le parc. Il feuillette ce livre du révérend père Carré, qu'il a reçu il y a quelques jours. *Le Pater sur le monde* rassemble les textes de six conférences du révérend père.

Il veut le remercier, lui dire :

« Oui ! pour le monde des hommes, c'est-à-dire celui des combats, il y a le *Pater* du salut et de la paix et, aujourd'hui, comme toujours, rien d'autre. »

Il ne doit pas l'oublier dans les combats qui viennent.

10

Ils sont tous là, les centaines de journalistes français et étrangers, dans la grande salle des fêtes de l'Élysée, ce jeudi 9 septembre 1965.

Et de Gaulle sait bien qu'une seule question les passionne vraiment : sera-t-il candidat, le 5 décembre, à l'élection présidentielle ?

Mais il veut leur parler de l'Europe, de cette « hypothèque d'une technocratie en majeure partie étrangère, destinée à empiéter sur la démocratie française ».

Il veut leur dire qu'il refuse « une fédération européenne dans laquelle... les pays perdraient leur personnalité nationale et où, faute d'un fédérateur... ils seraient régis par quelque aréopage technocratique, apatride et irresponsable ».

Il a, ces jours derniers, à l'Élysée, puis à Colombey, écrit et réécrit tout ce texte de plusieurs dizaines de pages. Puis il l'a appris par cœur, récité en marchant dans les parcs de l'Élysée et de la Boisserie. Il s'est efforcé de retenir la dizaine de chiffres qui lui permettront de dresser un tableau de sa manière de gouverner. Sait-on qu'il a reçu plus de quinze cents fois les principaux fonctionnaires, experts, syndicalistes, etc. ? Il pourra une nouvelle fois savoir si la machine intellectuelle tourne sans raté. Une angoisse, un moment, le saisit, qu'il étouffe. Il est sûr de lui.

Il va dire : « Je ne crois pas, vous vous en doutez, que cette sorte d'abdication nationale serait justifiée... et qu'il s'agit, avant tout, de nous tenir en dehors de toute inféodation. »

Il va enfin balayer les accusations de « pouvoir personnel ».

« Si l'on entend par là que le président de la République a pris personnellement les décisions qu'il lui incombait de prendre, cela est tout à fait exact. Dans quel poste, grand ou petit, celui qui est responsable a-t-il le droit de se dérober ? »

Et il prépare un « bon mot », qui sera repris, il le sait. Il les connaît ces journalistes qui s'accrochent à tout ce qui leur paraît inattendu.

Il dira : « D'ailleurs qui a jamais cru que le général de Gaulle, étant appelé à la barre, devrait se contenter d'inaugurer les chrysanthèmes ? »

Et il expliquera – il en a fait faire le total – qu'il a « visité deux mille cinq cents communes... parlé depuis des estrades dans plus de six cents localités à la population assemblée, dialogué avec tant de personnes qu'on ne pourrait les compter, et serré d'innombrables mains »...

Qui peut l'accuser d'être isolé du peuple ?

Mais ce n'est pas cela qu'ils attendent, ces journalistes qui, maintenant, font silence, cependant que l'un d'entre eux se lève, pose la première question :

– Monsieur le Président, pouvez-vous nous dire si vous comptez vous présenter à l'élection du 5 décembre ?

Il sourit, il a minutieusement choisi les mots qu'il va prononcer parce qu'ils seront repris dans tous les journaux qui, sans doute, ne retiendront de la conférence de presse que les « inaugurations de chrysanthèmes » et cette phrase qu'il dit d'une voix ironique, un peu éraillée :

– Je vous réponds tout de suite que vous le saurez, je vous le promets, avant deux mois d'ici.

Un immense éclat de rire résonne dans la salle.

Tout est en ordre : ils ont de quoi gloser à l'infini durant quelques semaines encore.

Il ne s'est pas trompé. Les journaux ne parlent que de la future élection présidentielle. Et, autour de lui, il devine les questions rentrées, les impatiences, les irritations dissimulées.

Pompidou se doute-t-il que sa décision est prise depuis le début juillet ? Peyrefitte et Foccart, eux, ont compris qu'il sera candidat. Mais les autres ? Les ministres sont aux aguets, inquiets. Et les opposants commencent déjà leur campagne.

Étrange. Il retrouve en face de lui ses adversaires de toujours. Un pétainiste Algérie française, Tixier-Vignancour, qui fanfaronne, propose un débat à la télévision : « Si de Gaulle accepte, c'est un démocrate, s'il refuse, c'est qu'il a peur. » Puis Jean Lecanuet, venu du MRP, soutenu bien sûr par Jean Monnet qui organise, dans son appartement, des conciliabules et qui affirme que ce candidat « démocrate, libéral, européen »... « s'identifie dès aujourd'hui avec la volonté de construire les États-Unis de l'Europe ». Monnet, le vieil adversaire des années 40, le giraudiste de 43 !

Et puis voici cette vieille connaissance, le « Rastignac de la Nièvre », Mitterrand, qui se déclare candidat au nom des socialistes, des radicaux, de sa Convention des institutions républicaines, des communistes et de la CGT, et qui crée la Fédération de la gauche démocrate et socialiste.

Il se souvient de Mitterrand, arrivé à Alger, en 1943, choisissant Giraud lui aussi, refusant de partir au combat dans les Forces françaises libres, réclamant la direction d'un réseau de résistance et dissimulant sa décoration, la francisque, qui le faisait entrer parmi les fidèles de Pétain ! Puis, à Paris, en 1944, animant contre son propre ministre, Henri Frenay, des manifestations de prisonniers de guerre. De Gaulle l'avait reçu, sommé de condamner ces manifestations, de les faire cesser, sous peine d'être incarcéré ! Et Mitterrand s'était incliné. Maintenant, il se dresse au nom de la gauche, des républicains, alors qu'il fut un élu de droite, en 1946, dans la Nièvre !

Il paraît déterminé. Il proclame : « La meilleure preuve de l'échec du gaullisme, c'est l'éventuelle candidature du général de Gaulle. S'il se présente, c'est qu'il a compris que son régime n'a pas de lois, n'a pas d'usages, et qu'il ne repose que sur lui. S'il se représente, c'est une bonne nouvelle, cela prouve que le régime est frappé à mort. Moi, je peux attendre. »

Et ce politicien sans conviction, qui fut onze fois ministre sous la IVe République, répète : « De Gaulle est trop vieux. Il ne gouvernera pas sept ans. Donc voter pour lui, ce serait donner un blanc-seing à des équipes dont on ne sait rien... »

Et que serait celle de Mitterrand ? Avec un Guy Mollet et des socialistes qui tentent, malgré leur ralliement à sa candidature, de pousser une nouvelle fois Antoine Pinay à se présenter ? Et, surtout, quelle politique mènerait Mitterrand, écartelé entre des communistes et des partisans déterminés de l'Europe fédérale ? La France serait condamnée à ne plus avoir d'ambition nationale.

Mais sans doute Mitterrand n'a-t-il en vue que le pouvoir pour le pouvoir. Il est bien l'un de ces politiciens qui font carrière et changent de camp et d'idée en fonction de leurs intérêts personnels !

Il reçoit Foccart qui expose les conditions dans lesquelles va être organisée la collecte de fonds nécessaires à la campagne présidentielle, et lui soumet quelques textes dont l'impression doit être décidée si l'on veut être prêt pour l'ouverture de la campagne, le 5 novembre.

Il écoute. Il corrige certaines pages. Mais il ne veut rien révéler de sa décision. À chacun de conclure ce qu'elle va être. Il se souvient de ce qu'il a écrit dans *Le Fil de l'épée* : « Le prestige ne peut aller sans mystère car on révère peu ce que l'on connaît trop bien. »

Il imagine l'impatience du Premier ministre, son anxiété même. Lorsqu'il le reçoit, il est un instant tenté de le mettre dans la confidence. Mais il se reprend. Un secret partagé est éventé et devient vite une rumeur.

Déjà certains journaux prétendent connaître de « source bien informée » le choix du général de Gaulle : il sera candidat. Heureusement, il y a l'assurance de Guy Mollet qui se dit persuadé du contraire.

Cette incertitude est utile. Il ne pourrait pas déjà être en campagne. Il devrait répondre à Mitterrand qui parcourt la France, multiplie les réunions, assure qu'il est « le président des temps nouveaux », « un président jeune pour une France moderne ».

Homme habile, ce Mitterrand, qui frappe là où est la douleur, là où est l'inquiétude, là où est encore parfois le doute, là où demeure tapie, mais toujours présente, la pensée du temps qui passe et de la mort.

Voilà la seule faiblesse. Il est vieux, il le sait. La mort frappe autour de lui, le blesse. Il écrit quelques lignes à une mère qui vient de perdre son fils.

« Chère Madame,

« C'est du fond du cœur que je suis auprès de vous dans l'immense chagrin qui vient de vous frapper. Est-ce possible qu'ait disparu votre fils Jean que j'ai connu tout petit garçon et dont je sais combien vous l'aimiez et à quel point vous lui aviez consacré votre vie !... »

Oui, le petit garçon était devenu un homme et il est mort.

Alors, il faut s'efforcer d'oublier les attaques de Mitterrand, dont le seul vrai argument est l'âge. Il faut se répéter : « Je ne suis pas sur le même plan qu'eux. »

Il est le chef de l'État, en charge de la nation, continuant de prendre les décisions qui s'imposent : donner les instructions à Couve de Murville pour qu'à l'ONU la France propose l'admission de la Chine, invite à un cessez-le-feu au Viêt-nam.

Il ne faut consacrer à l'élection que le temps strictement nécessaire, un mois à compter du 5 novembre. Pas un jour de plus, quelles que soient les pressions anxieuses de son entourage qui voudrait savoir, pour commencer la bataille.

Mais il s'en tient au silence, n'évoquant que les affaires en cours, l'invitation des cinq pays du Marché commun qui sollicitent le retour de la France à la table communautaire. La politique de la « chaise vide » a été payante ! Que serait l'Europe sans la France ?

Comment ce Mitterrand ou ce Lecanuet, ce Marcilhacy, et même ce Tixier-Vignancour, ces candidats qui s'élèvent tous contre « l'isolement » de la nation, auquel conduirait la politique du général de Gaulle, ne comprennent-ils pas la force du refus ?

Ils soutiennent au contraire un René Pleven qui, au Parlement européen de Strasbourg, s'est écrié : « Le gouvernement de la France n'est pas la France ! »

C'est Pleven qui dit cela, lui qui fut l'un des plus proches, comme Soustelle ! Mais lui aussi « dévoré » par le système politicien, soumis aux idées dominantes, incapable de ne pas être candidat. Comment ne pas vouloir l'emporter quand on assiste à cela ?

Ce sont les derniers jours d'octobre ; dans une semaine, il annoncera sa candidature.

Il dit, sur un ton indifférent, à la fin du Conseil des ministres du mercredi 27 octobre 1965 : « Je parlerai au pays, la semaine prochaine, sur la question de l'élection présidentielle. »

Puis il se lève et devine, en jetant un coup d'œil rapide sur le visage des ministres, l'émotion qui les saisit.

Ils ne savent toujours pas. Et il a l'intention de ne révéler sa décision à Georges Pompidou que le jeudi 4 novembre, à midi, c'est-à-dire six heures à peine avant l'enregistrement de l'émission télévisée, au cours de laquelle il annoncera sa décision, et qui sera diffusée à 20 heures, le même soir.

C'est sans doute difficile à vivre pour Pompidou. Mais c'est une expérience qui lui sera utile. Qu'il se pénètre aussi des règles de la discipline, telles qu'elles sont exposées dans *Vers l'armée de métier.* « Sans doute est-ce pour l'exécutant une épreuve cruelle que d'être tenu jusqu'au dernier moment dans l'erreur quant à son destin. Il faut, pour la supporter, tout le ressort des vertus militaires. »

De Gaulle traverse, au premier étage de l'Élysée, ce salon doré, aux murs recouverts de boiseries Louis XV, où souvent, après le Conseil des ministres, il reçoit Alain Peyrefitte pour préciser les termes du communiqué que le ministre de l'Information devra commenter devant la presse.

Il regagne son bureau, reçoit Peyrefitte et Pompidou. Le ministre de l'Information lui fait remarquer que le jeudi 4 novembre est la Saint-Charles ! Mais il n'y a pas d'autre date possible.

« Il faut, continue de Gaulle, veiller à ce que, après l'enregistrement, à 18 heures, les personnes – ministre de l'Information, membres de la maison présidentielle, techniciens de la télévision – demeurent sur place à l'Élysée, afin de ne rien pouvoir révéler à l'extérieur du contenu de l'allocution. »

Il regarde Pompidou. Peut-être celui-ci imagine-t-il encore que de Gaulle va, le 4 novembre, annoncer sa retraite.

« Épreuve cruelle ! »

Il veut tout prévoir; ce sera peut-être aussi le moyen d'entretenir jusqu'à la dernière minute l'incertitude.

Il écrit, le 3 novembre 1965, une note pour Georges Galichon, « Au directeur de mon cabinet ».

« Dans le cas où, pour une raison quelconque, je serais sur le point de ne plus exercer mes fonctions de président de la République, les fonds spéciaux dont je dispose devraient être remis par vous, immédiatement et en totalité, à M. Pompidou, Premier ministre, qui les joindra aux fonds de même sorte qui lui sont attribués. »

Et ce même mercredi 3 novembre, à la fin du Conseil des ministres, il a dit seulement : « Je parlerai demain à la radio-télévision. Je m'excuse de ne pas vous dire ce que je vais dire à la nation, dans la mesure du moins où vous ne vous en douteriez pas... C'est une question de conscience. Je garde ma décision pour moi-même jusqu'au moment où j'en parlerai à la nation tout entière. »

Jeudi 4 novembre 1965. C'est le jour où la décision devient mots et donc se transforme en acte.

Il est grave.

Il perçoit, en annonçant sa décision, à 12 heures, à Georges Pompidou, que sa voix est sourde, comme si, en dépit de sa maîtrise de lui-même, l'émotion l'empoignait.

Il a soixante-quinze ans. Il s'engage pour la dernière étape de son destin. Et quoi qu'en pensent – il le sait – certains de ses proches, il n'envisage pas d'interrompre, sauf si la maladie, la mort ou des circonstances imprévues l'imposent, son nouveau septennat.

Car il l'emportera. Il le veut. Il le doit.

Il entre, deux ou trois minutes avant 18 heures, dans la salle des fêtes de l'Élysée. Tout est en place. Il aperçoit Peyrefitte, Foccart, Burin des Roziers, les dirigeants de l'ORTF et, derrière leurs caméras, les techniciens.

Le décor est le même qu'à l'habitude. Un faux bureau Louis XV et une bibliothèque peinte, le tout violemment éclairé par les projecteurs.

Il s'assoit, prononce deux mots – « Françaises, Français... » – pour les ingénieurs du son.

C'est maintenant un nouveau tournant de sa vie. Il parle.

« Il y a vingt-cinq ans, lorsque la France roulait à l'abîme, j'ai cru devoir assumer la charge de la conduire jusqu'à ce qu'elle fût libérée, victorieuse et maîtresse d'elle-même. Il y a sept ans, j'ai cru devoir revenir à sa tête... Aujourd'hui, je crois devoir me tenir prêt à poursuivre ma tâche, mesurant en connaissance de cause de quel effort il s'agit, mais convaincu qu'actuellement, c'est le mieux pour servir la France. »

Il met dans les mots qu'il prononce d'une voix émue et sourde, mais résolue, tout son destin.

« Que l'adhésion franche et massive des citoyens m'engage à rester en fonction, l'avenir de la République nouvelle sera décidément assuré. Sinon, personne ne peut douter qu'elle s'écroulera aussitôt et que la France devra subir – mais cette fois sans recours possible – une confusion de l'État plus désastreuse encore que celle qu'elle connut autrefois... Une grande responsabilité incombera donc, dans un mois, à vous toutes et à vous tous... À moi-même, que vous connaissez bien, après tout ce que nous avons fait ensemble dans la guerre et dans la paix, chacun de vous, chacune de vous, aura l'occasion de prouver son estime et sa confiance... Le scrutin historique du 5 décembre 1965 marquera le succès ou le renoncement de la France vis-à-vis d'elle-même. Françaises, Français ! J'espère, je crois, je sais qu'elle va triompher grâce à vous !

« Vive la République !

« Vive la France ! »

Il se lève.

Peut-être, certains penseront-ils qu'il a été impitoyable pour Georges Pompidou, puisque dire que, s'il n'avait pas décidé de se présenter, personne n'aurait pu sauver la République à sa place, c'est effacer d'une phrase le recours qu'aurait pu représenter le Premier ministre.

Il se dirige vers les techniciens, leur serre la main.

– Messieurs, vous êtes bouclés ici jusqu'à 20 heures. Excusez-m'en, mais on va vous donner de quoi vous ravitailler.

Il s'approche de Foccart.

– Alors, qu'est-ce que vous en pensez ?

– C'est très bien, répond Foccart.

– Ah, bon !

Il fait quelques pas.

Peut-être a-t-il été trop long, et le texte était-il trop en forme de plaidoirie ! Mais il se sent détendu. Il a franchi cette nouvelle épreuve. La mémoire a été fidèle malgré l'émotion qu'il sentait monter en lui.

Maintenant, durant un mois, on va vouloir qu'il participe à cette bataille électorale, où s'agitent déjà Mitterrand, Lecanuet, Marcilhacy, Tixier-Vignancour et, même, un dernier candidat, l'animateur un peu farfelu d'un mouvement communautaire, Marcel Barbu.

« Il n'est pas sur le même plan qu'eux », répète-t-il. Il se tiendra à l'écart.

Il retourne vers Foccart.

« Vous savez, pour la campagne, ne faites pas trop de publicité au sujet de la souscription et des collectes de fonds. Vous avez fait un communiqué avec mon accord, maintenant, cela suffit. Je n'aime pas ce genre de communiqués. »

Il bavarde avec les techniciens de la télévision, une dizaine de minutes, les interroge sur leur situation et leurs difficultés. Puis il va vers Peyrefitte.

Il ne veut pas, dit-il, utiliser le temps qui est réservé à la télévision dans le cadre de la campagne. Il se contentera d'une intervention de cinq minutes, à la veille du scrutin.

Les Français le connaissent, n'est-ce pas ? Laissons les autres les ennuyer.

Il devine les réticences et les inquiétudes de Peyrefitte. Mais il est confiant.

Il se retire. Il pense aux siens, en ces premiers jours de novembre qui sont dédiés aux morts.

Il écrit à sa sœur Marie-Agnès :

« En ce début novembre, j'ai, comme toi, porté ma pensée et mes prières vers le souvenir de ceux des nôtres qui nous ont quittés.

« Pour ce qui est de l'élection du 5 décembre, j'ai fait ce qui, en conscience, me paraissait nécessaire. L'issue dépend des Français.

« Au revoir, ma chère Marie-Agnès. Yvonne se joint à moi pour t'adresser nos meilleures salutations.

« Ton frère qui t'aime.

Charles »

Quatrième partie

5 novembre 1965 – 31 décembre 1965

Quand aucun drame ne menace, que peuvent être les « résultats » ?

Charles de Gaulle à François Mauriac,
22 décembre 1965.

11

Ce vendredi 5 novembre 1965, il regarde par les fenêtres de son bureau le parc de l'Élysée, enseveli sous un ciel couleur de plomb.

Il n'aime pas le mois de novembre. Est-ce parce que ce mois-là scande pour lui le battement irrépressible du temps ? Ce 22 novembre 1965, il aura soixante-quinze ans. Ou bien est-ce parce que novembre est le mois des morts ? Celui où, depuis toujours, il s'interroge sur le sens de la vie, où il se sent attiré par cette fosse que chacun porte en soi.

Mois de novembre, mois de l'ensevelissement.

Il se souvient de ce poème d'Émile Verhaeren, si souvent récité et qui revient.

Voici novembre assis auprès de l'âtre
Avec ses maigres doigts chauffés au feu
Oh ! tous ces morts là-bas, sans feu, ni lieu,
Oh ! tous ces morts cognant les murs opiniâtres
Et repoussés et rejetés
Vers l'inconnu de tous côtés...

Il se tourne vers Foccart, debout devant le bureau. Il l'écoute distraitement parler des détails de la campagne électorale : l'affiche, les délégués départementaux du candidat, la profession de foi, les tracts, les signatures qu'il faut recueillir et déposer en même temps que la candidature.

Oui, cela va durer un mois jour pour jour.

Il se penche, retrouve sur le bureau la note qui analyse les sondages, ce 5 novembre : 4,5 % en faveur de Lecanuet, 23 % pour Mitterrand et 66 % pour de Gaulle.

Bon. Il se détend. Il n'aura pas besoin de faire campagne. Une seule intervention télévisée, le 3 décembre, à la veille du scrutin, suffira. Il laissera les autres candidats apparaître, chaque jour, lasser les Français.

Il ressent, en se souvenant des déclarations de ses rivaux, de l'irritation et une sorte de dégoût.

Mme Mitterrand vient de déclarer au *Figaro* : « De Gaulle arrive sur la ligne de départ, essoufflé. Mon mari s'y trouve prêt pour une course de fond. »

C'est leur seul argument : l'âge.

Et il est vrai que la France a rajeuni. Les enfants si nombreux de l'après-guerre – le « baby-boom », dit-on – ont une vingtaine d'années. Qui est-il, pour eux, sinon un homme vieux, d'un autre temps, un homme qui avance sur le versant de la mort ?

Encore ces vers de Verhaeren.

En novembre, près de l'âtre qui flambe
Allume avec des mains d'espoir la lampe
Qui brûlera, combien de soirs l'hiver...

S'il est élu en décembre, il aura quatre-vingt-deux ans au terme de ce second septennat.

Il pense à Adenauer qui, à quatre-vingt-sept ans, était encore chancelier, et vient de lui adresser pour son soixante-quinzième anniversaire une soupière et son plateau en argent ciselé. « Un somptueux présent. »

Il se tourne vers Foccart qui est en train d'expliquer qu'il souhaite placer une photographie en haut et à gauche de l'affiche officielle.

– C'est une bonne idée, dit de Gaulle, mais surtout une photo sans képi. Et pour la signature, mettez bien « Charles de Gaulle », ne mettez ni « de Gaulle », ni « le général de Gaulle » !

Maintenant, il faut choisir les trois signes distinctifs pour les bulletins de vote dans les territoires d'outre-mer. La croix de Lorraine sera le premier, et puis...

Il discute les propositions de Foccart.

– Les deux étoiles, non, c'est mauvais. Il faut prendre *La Marseillaise* de Rude, que Malraux mettait sur ses documents du Rassemblement. Pour la lettre G, je veux bien...

Il se sent tout à coup irrité et las, humilié même d'avoir à s'occuper de tels détails. Cette campagne électorale, il doit s'en tenir à distance. Il ne faut pas qu'on le confonde avec les autres candidats.

– Je ne veux en aucun cas, dit-il, que les gens de chez nous aillent s'expliquer dans des tables rondes parce qu'ils vont se trouver seuls contre trois ou quatre adversaires et qu'ils donneront l'impression d'être mêlés aux autres. Nous serons confondus avec eux. Il faut laisser nos concurrents raconter ce qu'ils veulent, cela n'a aucune espèce d'importance.

Il mesure combien, autour de lui, on voudrait qu'il intervienne, qu'il incite les ministres et les députés à s'engager dans la campagne électorale.

Il parcourt les journaux. L'opposition multiplie les attaques, répète le commentaire de Defferre sur son intervention du 4 novembre ; elle se résumerait, selon le maire de Marseille, à un « Moi ou le chaos ». La formule est partout reprise. Il serait le vieux monarque que les caricaturistes du *Canard enchaîné* représentent en souverain de plus en plus ridicule, autoritaire, vaniteux, égocentrique, qui s'en va, répétant à la Cour : « L'État, c'est moi ! » Autre manière de dire « Moi ou le chaos ».

Il repousse les journaux, il ferme le dossier contenant la revue de presse.

Est-il possible qu'il y ait un tel décalage entre ce qu'il est, ce qu'il pense, ses mobiles et cette façon dont on le représente ?

Il éprouve encore plus de lassitude, de dégoût, de mépris.

Se tenir à l'écart, voilà la règle.

« En fin de compte, dit-il, les Français feront ce qu'ils voudront. Ils voteront pour moi ou contre moi. En tout cas il faudra qu'ils se décident, car on ne peut rester indéfiniment assis entre deux chaises. Ils diront si ce qui se fait leur convient ou s'ils préfèrent retourner à leurs histoires. S'ils le veulent, nous pourrons bâtir quelque chose de solide. S'ils ne le veulent pas, eh bien, qu'ils aillent au diable ! J'aurai fait tout ce que j'aurai pu et je ne pourrai rien faire de plus. Ce sera à eux de choisir une nouvelle ligne d'action. »

Il commence pourtant à sentir sourdre en lui une inquiétude diffuse. La colère et l'amertume le gagnent. Il lui semble que la situation lui échappe. Il apprend que, le 29 octobre, des policiers français, des agents associés à des truands, ont participé à l'enlèvement, en plein cœur de Paris, à Saint-Germain-des-Prés, tout près de la brasserie Lipp, d'un opposant marocain, Mehdi Ben Barka, qui est aussi le secrétaire général de la Tricontinentale, une organisation des mouvements révolutionnaires du tiers monde, liée aux Cubains et notamment à Che Guevara.

Il lit les rapports du ministre de l'Intérieur, Roger Frey, qui indique que le général Oufkir, un proche du sultan Hassan II et son ministre de l'Intérieur, a dirigé l'opération. Ben Barka lui a été livré par des policiers français, dans une villa de Fontenay-le-Vicomte appartenant à un truand, Boucheseiche. Là, Ben Barka a disparu. Il aurait été torturé par Oufkir, puis transporté mort ou vivant au Maroc.

Inacceptable. Il est emporté par la fureur. Le territoire français a été souillé. Des fonctionnaires français – les policiers Souchon et Voitot, certains de leurs supérieurs, un agent du SDECE, Lopez – ont agi pour le compte d'une puissance étrangère ou ont été manipulés par elle. On ne peut l'admettre. La souveraineté française a été violée, les services français ont flotté. Tout cela est intolérable.

Il répète en Conseil des ministres, le 10 novembre : « Il faut que tout soit tiré au clair et qu'on en tire toutes les conséquences. »

Les arrestations des fonctionnaires français, complices d'Oufkir, puis d'un journaliste, qui a peut-être attiré Ben Barka dans le piège, se succèdent en novembre.

Il faut poursuivre Oufkir, dit-il, quelles qu'en soient les conséquences pour nos rapports avec le Maroc. D'ailleurs, Hassan II est soit directement responsable, soit « tenu » par son ministre de l'Intérieur. Mais il est inacceptable qu'un pays étranger pratique ses règlements de comptes sur le sol national.

Il écrit, le 5 novembre, à la mère de Mehdi Ben Barka :

« Je puis vous assurer que la justice exercera son action avec la plus grande rigueur et la plus grande diligence. »

Il veut que cette lettre soit publiée. Peu importe si cette affaire est exploitée pendant la campagne électorale.

Mais seul François Mitterrand la mentionne, dans sa conférence de presse du 17 novembre, évoquant les « polices politiques qui exécutent les basses œuvres du gouvernement quand elles n'agissent pas pour leur propre compte ».

Il est partagé entre la rage et le mépris, et parfois des accès de lassitude et le désir de renoncer le submergent.

Il écoute Foccart qui évoque le tirage au sort pour définir l'ordre de passage des candidats à la télévision, car la campagne officielle commence le 19 novembre et chaque candidat aura droit à deux heures d'antenne par semaine.

Ce peut être une secousse considérable, lui explique-t-il, l'opinion va découvrir de nouveaux visages.

Des hommes jeunes, complète-t-il. Lecanuet va jouer de son sourire, montrer sa dentition éclatante et se présenter comme le Kennedy français. Il va être le candidat « libéral, social, européen » et disposer de fait de moyens considérables.

« L'essentiel des fonds, ne vous y trompez pas, dit de Gaulle, vient de la Commission de Bruxelles. »

Mitterrand, lui, sera le « républicain », l'homme de gauche. Les autres ne comptent pas.

C'est lui le plus redoutable concurrent. Il est habile et roué.

De Gaulle s'installe devant le téléviseur. Il veut voir et entendre tous les candidats. Marcilhacy, qui se présente comme un sénateur qui veut obtenir sa réélection. Marcel Barbu, qui s'adresse aux « Français, Françaises, mes frères et mes copains » et parle de ses douze enfants. Tixier-Vignancour, qui dit, patelin, « Cela n'a pas été simple de venir jusqu'à vous », et dont les tracts affirment : « Si tu es un gaulliste intelligent, tu n'es pas sincère. Si tu es un gaulliste sincère, tu n'es pas intelligent. Si tu es intelligent, tu n'es pas gaulliste. »

De Gaulle sourit. Brève détente.

Il écoute Mitterrand présenter ses vingt-huit propositions de gauche, offrir ce qu'elles demandent à toutes les catégories de la population, ouvriers ou médecins, paysans ou artisans, et répéter : « Je suis contre la bombe atomique et l'armement nucléaire. » Élu, il l'interdira.

Voilà l'adversaire.

De Gaulle observe cet homme dont les pensées, les ambitions, le choix de vie lui sont totalement étrangers.

« Mitterrand est une arsouille, murmure-t-il. Il dit qu'il est de gauche, mais quand il s'agit du Plan et de la diplomatie, la gauche, c'est moi. »

Voilà l'homme qui est prêt à tout pour parvenir au pouvoir, qui jettera bas l'œuvre commencée, qui dit « la diplomatie gaulliste est une diplomatie d'humeurs. Elle poursuit la chimère d'une grandeur inspirée par les ombres d'un passé révolu et qui nous condamne à l'isolement ».

Et si ces paroles portaient ?

De Gaulle reçoit les nouveaux sondages. Tous marquent une chute. On est au-dessous des 50 %. Le ballottage est devenu une possibilité.

Il sent monter autour de lui, dans son entourage proche, l'anxiété. On veut qu'il intervienne deux fois à la télévision, non seulement le vendredi 3 décembre, comme prévu, mais aussi le 30 novembre. On veut qu'il autorise les ministres à participer à la campagne.

Il maugrée. Il laisse sa colère fuser. Il lance : « Ça m'est égal, je m'en fous ! »

« Je ne parlerai pas deux fois à la télévision, je parlerai comme prévu le vendredi 3, c'est tout. Et qu'on me fiche la paix ! »

Il écoute Foccart évoquer les moyens considérables dont disposent les adversaires. Il hausse les épaules.

Tixier-Vignancour et son lieutenant Le Pen, « c'est l'OAS et les pieds-noirs, les vichystes qui ont certainement fait un gros effort ». Quant à Mitterrand, c'est l'argent communiste, donc de Moscou. Lecanuet, celui de Bruxelles et de la CIA. Il sent monter le pessimisme en lui, comme au cours des pires périodes de sa vie, en ces mois de novembre où son humeur bascule, où il s'ensevelit dans le désespoir. Il pense à démissionner s'il est mis en ballottage.

« Je m'en irai et je ne reviendrai pas ici. »

Et puis, il va et vient dans son bureau. Il marche à grandes enjambées dans le parc de l'Élysée.

Les Français sont ainsi : « Sitôt rassurés, ils se moquent des intérêts généraux. Ils ont été avec moi, au fond, quand ils ont eu peur... Maintenant que les choses vont bien, maintenant qu'ils sont rassurés, ils se disent encore une fois "Pourquoi de Gaulle ?". C'est cela qui est terrible, ils ne marchent que quand ils ont peur. Le reste du temps, quand leurs intérêts les amènent à penser qu'ils pourraient avoir plus d'avantages personnels en faisant tel ou tel choix, ils changent aussitôt. »

Il est sûr, maintenant, du ballottage. Les sondages lui donnent à peine 40 %. Il va se battre parce que « l'action est engagée, qu'il ne peut pas l'abandonner ».

Il retrouve Foccart qui l'attend dans le bureau. Il accepte que les ministres entrent dans la campagne, que Michel Debré débatte sur Europe n° 1 avec Mendès France. Et il est prêt – oui, il a changé d'avis – à intervenir également à la télévision, le 30 novembre.

« Je me battrai, j'irai jusqu'au bout. Si Mitterrand arrive en deuxième position, il n'y aura aucun problème. Si c'est Lecanuet, j'essaierai. De toute façon, je me battrai et on verra bien. »

« S'il faut mordre, précise-t-il au Conseil des ministres, le 24 novembre, je mordrai. »

Il regagne son bureau en compagnie de Roger Frey qui a demandé à lui parler. Peyrefitte assiste à l'entretien.

Le ministre de l'Intérieur montre une photo de Mitterrand serrant la main du maréchal Pétain. Frey assure que la campagne de Mitterrand est soutenue par René Bousquet, l'ancien secrétaire général de la police de Vichy, qui dispose à *La Dépêche du Midi* d'une influence certaine et l'a engagée à fond dans la campagne de Mitterrand.

Pourquoi ne pas exploiter cela dans la campagne, comme d'autres aspects de la carrière de Mitterrand ? La levée de son immunité parlementaire de sénateur, au moment de l'attentat simulé de l'Observatoire ?

– Tout est public, dit Frey, mais tout est oublié ou occulté.

De Gaulle se tait d'abord.

– Mitterrand et Bousquet, ce sont les fantômes qui reviennent : le fantôme de l'antigaullisme issu du profond de la collaboration, dit-il enfin, après un long silence.

Il secoue la tête.

– Non, je ne ferai pas la politique des boules puantes, murmure-t-il.

Il sait ce que Peyrefitte rappelle. Dans *Le Coup d'État permanent*, Mitterrand l'a comparé à Mussolini, Hitler, Franco. Faut-il accepter de se laisser injurier ?

– Non, n'insistez pas, conclut de Gaulle.

Il ne faut pas porter atteinte à la fonction, pour le cas où il viendrait à l'occuper.

Il est excédé, fatigué. Il a le sentiment qu'il est enlisé dans un marécage, avec des adversaires pour lesquels il n'éprouve que du mépris, qui le contraignent à livrer bataille sur un terrain qui n'est pas le sien.

Il parle de la France et, autour de lui, on lui demande de parler de la vie quotidienne. Les

Français ont raison de s'en soucier, mais que devient la vie quotidienne quand la nation s'effondre ? N'ont-ils pas déjà vécu cela, en 1940 ? N'ont-ils pas éprouvé ce que sont les conséquences des abandons, des lâchetés ? Sont-ils une nouvelle fois prêts à acclamer ceux qui, hier, auraient refusé la modernisation de l'armée, capitulé devant Hitler et signé les accords de Munich ?

Il veut parler de l'indépendance et de la souveraineté, de la grandeur de la nation, mais peut-il être entendu ?

Le mardi 30, à 11 h 30, il commence à enregistrer sa première émission de télévision de la campagne électorale. Il se sent mal à l'aise. Il sait qu'il succédera sur les écrans à Jean Lecanuet, jeune homme souriant, dont l'essentiel du programme tient dans le visage lisse et le sourire.

Alors, il parle avec hargne.

« Le président de la République ne saurait être confondu avec aucune faction... Cinq oppositions vous présentent leurs candidats... Leurs voix dénigrantes sur tous les sujets, leurs promesses distribuées à toutes les catégories, leurs appels à l'effacement international de la France, ce sont les voix, les promesses, les appels des anciens partis... Le seul point sur lequel s'accordent leurs passions, c'est mon départ... Le retour à l'odieuse confusion où se traînait naguère l'État pour le malheur de la France... Mais le 5 décembre, si vous le voulez, la République nouvelle sera définitivement établie... Il s'agit que pendant le temps où je resterai à sa tête, elle redouble son effort, national et mondial, qu'après moi, elle demeure... Françaises, Français, continuons la France ! »

Il sait que l'émission est ratée.

Il se voit, le teint blafard, les traits tirés. Le mauvais éclairage, le mauvais angle de prise de vue l'ont vieilli. Il a le regard chargé d'inquiétude. Le contraste est accablant avec le dynamisme conquérant et souriant de Lecanuet.

Ce dernier – il le lit le lendemain, à la une de tous les journaux – a organisé, au moment de la diffusion des émissions électorales, un grand meeting au palais des Sports, devant huit mille personnes. Son visage a été projeté sur un immense écran. Et quand de Gaulle est apparu sur les téléviseurs, la salle a éclaté de rire, puis entonné *Le Chant du départ*. Et Lecanuet s'est écrié : « Je ne choisirai pas mon Premier ministre dans le coffre d'une banque ! »

Voilà donc que par cette allusion à Pompidou, Lecanuet l'accuse d'être l'homme du capital ! On pourrait rire, mais il reçoit les derniers sondages : il n'obtiendrait que 43 % des suffrages. Mitterrand, 27 % et Lecanuet, 20 %. Le ballottage est sûr.

Il est ému par le « Bloc-Notes » de François Mauriac qui, chaque semaine, commente l'actualité. Mauriac écrit : « Un Lecanuet, un Mitterrand pensent à leur carrière. À qui croyez-vous que pense de Gaulle ? À son personnage ? Qu'y pourrait-il ajouter ? Il existe tel qu'il sera à jamais. Si votre ingratitude l'obligeait à quitter la scène, il en partirait plus grand. »

Il ira jusqu'au bout.

Il est prêt, ce jeudi 2 décembre, pour l'enregistrement de la nouvelle et dernière émission de la campagne. Huit minutes, diffusées demain, vendredi, dans un ordre qui a été tiré au sort. Elle sera projetée l'avant-dernière, Lecanuet clôturera la série. Soit.

Il se sent pugnace. Il ne parle pas des concurrents, mais des « problèmes essentiels » qui se posent à la France. Voilà son terrain. « Je vous offre le moyen décisif de confirmer la République nouvelle... Françaises, Français, une fois de plus, devant vous toutes et devant vous tous, j'ai pris ma responsabilité. Dimanche, vous prendrez la vôtre. »

Il faut laisser passer les heures jusqu'au 5 décembre. Il va partir pour la Boisserie, le samedi 4 décembre.

– Écoutez, dit-il à Foccart. Lundi, de toute façon, je resterai à Colombey, quel que soit le résultat. S'il est favorable, je reviendrai mardi, sinon, je ne reviendrai pas...

Il laisse Foccart multiplier les protestations.

– Enfin, reprend-il, si je reviens, malgré le ballottage, ce sera pour me battre. Si c'est Mitterrand qui est en face de moi, je gagnerai. Si c'est Lecanuet, ce n'est pas sûr du tout...

Mais s'il gagne, pourquoi ne pas partir au terme du premier mandat, en janvier 1966 ? N'y aurait-il pas dans cette démission après une victoire un acte symbolique, permettant peut-être l'élection facile de Pompidou ?

– Mon général, dit Foccart, on ne peut pas recommencer l'élection trois semaines plus tard.

– Mais si, croyez-moi, c'est la meilleure formule, surtout pour Pompidou...

Il hausse les épaules.

– Enfin, c'est ce que je pense. Comme il faut maintenant envisager l'avenir, je vous demande de veiller à ce que toutes les archives, tout ce qui concerne notre action, soient mises à l'abri...

Il perçoit le désarroi de Foccart, son abattement.

– Je vous répète ce que je crois profondément, le pays ne se tourne vers moi que lorsqu'il a peur.

Heureusement, il y a le vent, il y a la pluie, et ces horizons qu'on dirait parcourus par de grandes vagues noirâtres, nuages qui roulent, poussés par la tempête, ce samedi 4 et ce dimanche 5 décembre.

Et il peut enfin marcher dans la bourrasque, le corps penché pour tenir tête aux rafales qui secouent les arbres nus du parc de la Boisserie.

Il avance, indifférent à l'averse, son grand manteau noir alourdi bientôt par la pluie. À chaque pas, il lui semble qu'il retrouve de l'énergie comme s'il avait eu besoin de cette terre recrue d'histoire, de sa terre, pour reprendre pied, échapper au marécage.

Il sent qu'il est comme un marin en train de doubler le cap des tempêtes et qui, après avoir désespéré, sait qu'il va une fois de plus dominer l'épreuve.

La pluie et le vent redoublent le dimanche 5 décembre 1965.

Il va voter et il reste impassible.

Il faut affronter les photographes qui se tiennent à l'affût, autour de l'urne. Il ne cille même pas quand les flashes crépitent. Tout est joué maintenant. Il y aura ballottage.

Et quand, à 20 heures, la télévision donne les premières estimations qui confirment qu'il n'atteint qu'un peu plus de 40 % des suffrages exprimés, il reste impassible. Les commentaires dévalent sur lui, les chiffres roulent, sans qu'il bouge, sans qu'il parle.

Le téléphone sonne. C'est Burin des Roziers. Il annonce le ballottage. Il ne répond pas. Puis, vers 21 h 30, Georges Pompidou appelle. Le Premier ministre précise et commente les résultats. Le général de Gaulle rassemble près de 45 % des suffrages, soit 10 821 521 voix. Mitterrand approche les 32 % et un total de 7 694 005 voix. Lecanuet obtient 3 777 120 voix, c'est-à-dire 15,57 % des suffrages exprimés. Tixier-Vignancour totalise 1 260 208 suffrages et 5,19 % des voix. Marcilhacy, 1,71 % soit 415 017 voix, et Marcel Barbu, 1,15 % et 279 885 voix.

Chaque mot de Pompidou est comme une rafale de pluie qui frappe en plein visage.

Il écoute. Il se tait. Il sait bien que Pompidou a raison d'affirmer que jamais Mitterrand, au second tour, seul candidat d'opposition en lice, ne pourra rassembler les 17 à 18 % de voix qui lui permettraient d'atteindre les 50 %. Il sait aussi que contre Mitterrand, comme il l'a prévu, il a toutes les chances de réussir à être élu.

Et peut-il en se retirant laisser la France à Mitterrand ?

Mais il ne peut répondre à Pompidou.

Il doit d'abord gravir silencieusement ce calvaire, découvrir que près de 56 % des Français qui se sont rendus aux urnes n'ont pas voté pour lui.

Il laisse Pompidou parler, dire :

– Je vous passe Joxe qui est à mes côtés, avec Peyrefitte.

Il écoute Joxe, puis Peyrefitte.

Leurs arguments sont rationnels. S'il se retire, Mitterrand et Lecanuet seront opposés l'un à l'autre. Est-ce une perspective pour la France ? Il est vrai aussi que les gaullistes n'ont pas fait campagne alors que le général de Gaulle a été attaqué par tous les candidats. Cible unique. Et sans doute, comme le dit Peyrefitte, les Français ont-ils pensé qu'il n'y avait aucun risque, que l'élection était jouée en sa faveur.

Tout cela est exact.

Mais il a d'abord besoin de se fustiger avec cette réalité : 56 % des Français ont voté contre lui. Il a besoin de se mortifier, de ne pas encore accepter ces analyses rassurantes, ces pronostics favorables.

D'abord le silence.

– Bonsoir, dit-il, je vous remercie bien.

Et il raccroche.

D'abord se flageller, d'abord souffrir, d'abord mesurer la vanité des choses. Rien n'est acquis jamais. Il ne faut pas espérer la gratitude des hommes ou leur compréhension.

À chaque fois, il faut tout recommencer. À chaque fois, on peut tout perdre. Et il a péché par suffisance, par orgueil.

Il est juste qu'il soit châtié. Conforme à son destin, à ce qu'il a vécu depuis toujours, qu'il ne lui soit rien donné facilement, même ce qu'il croit avoir mérité. On doit à chaque fois tout reconquérir. À chaque fois, c'est comme lors d'une première bataille.

Et il a cru qu'il pourrait l'emporter sans se battre, qu'on le jugerait sur ses actions passées.

Il est juste qu'il soit puni pour cette illusion.

Mais on ne peut pas laisser la France à ces gens-là, s'il y a une chance de vaincre.

Pompidou téléphone, lit le communiqué qu'il compte diffuser et dans lequel il explique que la « division a *empêché* l'élan national ».

De Gaulle l'interrompt d'une voix tranchante :
– Pas empêché, *différé*.

Comment accepter de renoncer à se battre alors qu'on n'a perdu qu'une bataille ? Et qu'on s'appelle de Gaulle ?

12

Il fait froid, ce lundi 6 décembre 1965, malgré le feu qui brûle dans la cheminée du salon de la Boisserie. De Gaulle regarde les flammes d'où parfois jaillissent des gerbes d'étincelles, dans le crépitement de l'écorce du bois qui éclate.

Il serait si simple de renoncer, de demeurer ici, avec les siens, d'écrire et puis, de temps à autre, de faire un long voyage. La Chine, comme Malraux, cet été.

De Gaulle se laisse aller ainsi à rêver quelques minutes, les yeux fixés sur le feu, puis il tourne la tête vers ce ciel bas, lourd d'une neige qui ne tombe pas.

« Les grandes choses finissent toujours mal », dit-il.

Il se lève, il hausse les épaules, reprend à mi-voix :

« Puisque les Français m'ont mis en ballottage avec une marque de dentifrice, un politicien intelligent mais douteux et un hurluberlu, il faut que je m'en aille. »

Et aussitôt cela lui paraît impossible. Avoir pour successeur Lecanuet ou Mitterrand ? Peut-on laisser la France en de telles mains ?

Il secoue la tête. Une « marque de dentifrice » ! Un politicien roué !

Il appelle le secrétaire général de l'Élysée, Burin des Roziers, afin de lui indiquer qu'il n'est pas sûr de regagner Paris demain, mardi, et donc pas sûr de se présenter au deuxième tour de l'élection. Il imagine l'angoisse des proches, profonde et sincère chez ceux qui pensent au pays, aux institutions, égoïste chez les autres députés – sans doute les plus nombreux – qui craignent pour leur place, puisque Mitterrand ou Lecanuet élu dissoudrait l'Assemblée. Et puis, il y a tous ceux qui doivent lui en vouloir de ne pas avoir fait campagne, d'avoir confondu une élection présidentielle et un référendum, de ne pas s'être effacé au profit de Pompidou.

Il écoute Burin des Roziers parler des premières réactions de la presse, de François Mitterrand selon qui « le choix fondamental est entre le pouvoir personnel et la République des citoyens ».

Il a une moue de mépris.

« Avez-vous déjà vu un dictateur en ballottage ? » demande-t-il à Burin des Roziers. Puis avant de raccrocher, il lui annonce qu'il ne répondra à aucun coup de téléphone et ne recevra personne.

On apporte les journaux. Les commentaires sont identiques à ceux qu'il entend à la radio, puis à la télévision. « De Gaulle est atteint », dit-on, « le gaullisme chancelle », « succès de l'opposition ».

Mitterrand clame qu'il est désormais le candidat de tous les républicains. Et déjà ces bons républicains que sont Tixier-Vignancour et son lieutenant Jean-Marie Le Pen appellent à voter pour lui. L'on annonce que Bidault, Soustelle, le capitaine Sergent – recherché par la police – se rallient eux aussi, avec d'autres chefs de l'OAS, à Mitterrand, tout comme les associations de rapatriés d'Algérie, les partisans de l'Algérie française. Mais cela ne choque pas la « gauche », communiste ou socialiste, ni surtout Jean Monnet qui s'emploie à rabattre sur Mitterrand tous les leaders favorables à l'Europe.

Quant à Lecanuet, il se contente de déclarer qu'il appelle à voter pour l'Europe et pour l'Alliance atlantique mais, prudent, incarnation parfaite du « marais centriste », il ne nomme pas Mitterrand, même si son choix est transparent. Marcilhacy, pour sa part, accepte de présider une commission électorale que vient de créer Mitterrand.

Les choses sont donc claires : tous, de l'extrême droite à l'extrême gauche, contre de Gaulle ! Et Mitterrand, en bon politicien, précise : « Je n'ai pas à trier les bulletins de vote qui se porteront sur moi. »

De Gaulle sursaute en entendant le bruit d'une voiture. Il a pourtant dit : « Pas de visiteurs ! »

Il aperçoit le groupe de journalistes qui se tient devant la grille de la Boisserie. Ils s'écartent pour laisser passer Jacques Vendroux.

De Gaulle est heureux de pouvoir échanger quelques mots avec son beau-frère. Tout à coup, il le regarde d'un air soupçonneux : est-il délégué par « les gens de l'UNR » ?

Vendroux se récrie. Il est venu de Calais partager la déception du Général.

C'est vrai, concède de Gaulle, qu'il est blessé, agacé par les résultats.

– Les Français seront toujours les mêmes, dit-il. Quand les choses sont arrangées et que tout est à peu près en ordre, ils ne pensent plus qu'à leurs congés payés ou à leur billard du samedi soir. On ne peut tout de même pas souhaiter que tout aille mal pour qu'ils aient la trouille et tendent les bras vers le sauveur !

Il sourit.

– Alors, Jacques, et maintenant, que feriez-vous à ma place ?

Que peut dire Jacques Vendroux qu'il ne sache déjà ? Qu'il faut choisir entre la paix familiale, qui protège de toutes les turpitudes du milieu politique, et l'abandon de l'œuvre inachevée à un Mitterrand ?

Et d'ailleurs, quand il s'agit d'une décision d'une telle importance, il sait bien que la source de son choix est en lui seul, et que rien, ni personne, ne peut intervenir dans la réflexion.

Il raccompagne Vendroux.

« À l'heure où nous sommes, dit-il, je penche plutôt vers le maintien de ma candidature. Ce n'est d'ailleurs pas l'avis d'Yvonne qui voudrait bien que je me dégage de tout cela ! »

Il se tait longuement. Il comprend Yvonne de Gaulle. Elle n'exerce aucune pression sur lui, elle est prête à partager à nouveau toutes les contraintes d'un second septennat. Mais elle veut le mettre en garde, le protéger contre les déceptions, les fatigues. Elle craint que ce ballottage, même si une victoire au second tour l'efface, ne soit un avertissement qui annonce des difficultés majeures.

Il soupire.

– Mais, je le répète, reprend-il, ce n'est que demain que je ferai connaître ma décision. Vous rentrez à Paris ? Ne dites rien de notre conversation. Les journalistes qui sont à la grille vous ont sans doute déjà repéré. On saura que vous êtes venu me voir. Alors, si on vous interroge, dites que vous ne savez rien, mais que vous croyez plutôt que je vais m'en aller !

Quelle que soit sa décision, il est bon que l'incertitude soit maintenue.

Il sort marcher dans le parc de la Boisserie. La nuit commence à tomber. Il avance à grandes enjambées.

Il n'est pas possible de quitter la scène ainsi. Il a des devoirs, vis-à-vis de la nation, mais il doit aussi demeurer fidèle à lui-même.

« Il faut que je reste un exemple irréprochable. Il le faut pour l'Histoire. Il faut que je me retire intact. »

Serait-ce le cas s'il renonçait ?

Il rentre.

Il lit avec attention une note qu'un motard vient d'apporter de l'Élysée. Elle a été rédigée, à l'initiative d'Alain Peyrefitte, par le politologue François Goguel. Elle démontre que le ballottage, dans une élection présidentielle, est inéluctable, qu'il correspond aux « primaires » dans les élections américaines. Les 45 % d'électeurs rassemblés, explique Goguel, sont une base large qui permettra au Général de représenter toute la nation, une fois élu au second tour.

Sa décision est prise. Et elle ne surprend pas Yvonne de Gaulle. Elle a toujours su, et lui aussi au fond de lui-même, qu'il continuerait jusqu'au bout.

Il est à Paris, ce mardi 7 décembre, irrité déjà par le harcèlement de ses proches. On lui soumet un projet d'affiche, une photo.

– Vous n'avez qu'à reprendre celles du premier tour.

On veut qu'il utilise tout le temps de parole prévu dans le cadre de la campagne officielle à la télévision.

– Je parlerai le dernier jour et c'est tout !

Mais ils sont tous là, Foccart, Peyrefitte, Burin des Roziers, les membres du cabinet, pour obtenir qu'il accepte de se laisser interviewer à la télévision par un journaliste qui pourrait être Michel Droit, écrivain, gaulliste, rédacteur en chef du *Figaro littéraire*, homme de télévision.

Il sent la colère monter en lui.

– Cessez de me persécuter, s'exclame-t-il. Vous me persécutez ! Vous me harcelez ! Laissez-moi ! Si vous continuez, je ne parlerai pas du tout et si les Français préfèrent Mitterrand, qu'ils prennent Mitterrand !

Il va et vient dans le bureau, se rassoit. Foccart est devant lui, s'obstine, parlant des gens qui écrivent...

– Ceux qui écrivent pour me donner des conseils, vous leur direz...

Il met ses lunettes, pointe le doigt vers Foccart.

– Vous leur direz de ma part que je les emmerde, et de me foutre la paix ! Laissez-moi tranquille !

Il reste seul. L'exaspération retombe. Puisqu'il a décidé de mener campagne, il doit choisir les meilleures armes. Car il faut vaincre. Et après tout, peut-être n'ont-ils pas tort ceux qui lui conseillent de modifier le style de ses interventions, d'accepter de dialoguer avec un journaliste.

Il faut emporter cette élection. Il relit le télégramme que lui a adressé Adenauer, le pressant de rester dans la course : « Pour la France mais aussi pour notre pays et pour l'Europe ! »

Et il y a toutes ces lettres qui lui demandent de ne pas abandonner le pays. On va donc se battre.

Naturellement, pas de concessions : laissons Mitterrand parler de la pilule contraceptive ou de la vignette automobile. Pas question de flatter telle ou telle catégorie. Et ne pas commettre l'erreur à laquelle tant et tant le poussent, tel Pompidou, de se présenter comme le candidat « anti-Front populaire », en laissant les paravents de la gauche masquer le rassemblement de tous les antigaullistes et d'abord ceux de l'extrême droite, derrière François Mitterrand.

« Je ne veux pas être l'expression d'une fraction, dit-il... Je ne suis pas là pour vaincre la gauche et la droite, mais pour les rassembler... »

Il se sent calme, déterminé. Il regarde les ministres qui, assis autour de la table du Conseil, ce mercredi 8 décembre, le guettent avec anxiété.

– Je me suis trompé, commence-t-il, et je mentirais si je disais que je n'ai pas été atteint...

Il jette un coup d'œil à la note de François Goguel placée devant lui.

– On a vu les résultats. Je pensais qu'ils seraient meilleurs, j'avais tort. Ils ne pouvaient pas être meilleurs. Les comparaisons avec les référendums ne pouvaient pas valoir...

Il y a eu aussi une conjoncture défavorable. Le plan de stabilisation a multiplié les mécontents. La politique de la « chaise vide » à l'égard du Marché commun a inquiété, les agriculteurs craignent pour leur avenir.

Mais il faut l'emporter.

Il observe Pompidou, sans doute déçu de ne pas avoir pu déjà être le dauphin, le successeur.

– Je ne serai pas élu pour longtemps, dit-il au Premier ministre. J'ai l'intention de me retirer. Vous serez candidat. Préparez-vous.

Sous les sourcils épais de Georges Pompidou, il voit un instant l'éclat des yeux avant qu'ils ne se détournent.

Cet homme-là veut occuper le premier rôle. Mais ce n'est pas encore à lui de jouer. Qu'il apprenne la brûlure de la tentation et de l'impatience !

De Gaulle accepte de recevoir Michel Droit, qui doit l'interviewer. Mais ces trois émissions d'une demi-heure, l'une consacrée à la situation des Français, l'autre à la politique extérieure et la dernière aux institutions, doivent rester dignes.

Il l'a dit à Peyrefitte : « Vous ne voudriez pas que je parle aux Français en pyjama ! »

Il s'y refuse.

Il bavarde quelques instants avec Michel Droit. On enregistrera un essai, le samedi 11 décembre, après qu'il a prononcé l'allocution qui ouvrira la campagne électorale. Puis, si le résultat est concluant, on tournera les trois émissions, le lundi 13 décembre.

Il soupire. C'est comme si tout à coup la vague de tristesse qui l'a recouvert le 5 décembre revenait.

– Les Français n'ont plus l'ambition nationale, dit-il. Au fond d'eux-mêmes, ils voudraient peut-être bien que la France soit grande. Mais ils ne se sentent plus capables et n'ont plus guère envie d'accomplir l'effort nécessaire pour cela, donc de donner à la France les moyens de sa grandeur.

Il fixe Michel Droit, reste longuement silencieux.

– Oh, je sais, poursuit-il, il y en a qui disent que je me prends pour Jeanne d'Arc, pour Louis XIV, pour Napoléon... Et allez donc ! Je le sais mieux que personne que je ne suis ni Jeanne d'Arc, ni Louis XIV, ni Napoléon...

Il s'interrompt à nouveau.

– Mais enfin, quoi ! J'aurai tout de même été, avec mes qualités et mes défauts, un grand moment historique de la France...

Il se lève. On descend au salon des Ambassadeurs. On enregistre un essai de quelques minutes. Puis, on le visionne. Il est bon. Michel Droit pose des questions claires. On pourra donc faire les trois émissions avec lui.

De Gaulle se sent ragaillardi. C'est un défi, ce dialogue en direct ! Il ne veut pas connaître à l'avance les questions. Il improvisera les réponses, au fil de l'entretien.

Il bavarde encore quelques minutes avec Michel Droit. Le pessimisme de cet homme encore jeune le choque. On peut être sombre quand on est au seuil de la mort. Et même à ce moment-là, il faut se battre.

– Vous avez tort, dit-il à Droit, il faut croire à la France. Dans trente ans, trente-cinq ans, elle ressuscitera peut-être. C'est justement alors qu'on aura besoin de de Gaulle. C'est alors que les Français redeviendront, ou deviendront, vraiment gaullistes. Enfin, c'est comme cela que je vois les choses.

– Nous aurons d'ici là connu de grands malheurs, dit Droit.

– Bien sûr, mais ce que de Gaulle a pu et peut apporter à la France n'a jamais été et ne sera jamais destiné à des ciels sans orages.

L'obscurité a déjà envahi le bureau. On prend date. On enregistrera les trois entretiens le lundi 13 décembre. De Gaulle se lève, raccompagne Michel Droit.

– Dans trente ou trente-cinq ans, on aura besoin de de Gaulle, répète-t-il. C'est bien pour cela qu'il me faut aujourd'hui ne rien entreprendre qui puisse ternir l'image que les Français, un jour, se feront de moi et dont ils risquent d'avoir besoin.

Ce lundi 13 décembre 1965, il est assis en face de Michel Droit, dans le salon des Ambassadeurs, à l'Élysée. Les deux fauteuils Louis XV sont placés face aux caméras. De Gaulle se tourne ; derrière lui, un grand cadran qui permettra à Michel Droit de connaître le temps qui reste. L'émission doit durer une demi-heure.

De Gaulle se souvient de ce qu'il a dit dans son intervention du 11 décembre, qui ouvrait la campagne électorale du second tour. « Tandis que coule le flot bourbeux de la démagogie en tous sens, des promesses à toutes les clientèles, des invectives de tous les bords... C'est de l'avenir de la France que je vous parlerai, ce soir. »

Il a articulé son propos autour du « progrès, de l'indépendance, de la paix ».

Mais il doit changer de ton, il le sait. Il regarde Michel Droit. Et il se sent à l'aise.

Il a, comme chaque fois qu'il est engagé dans l'action, oublié tous les doutes et les hésitations.

Il faut avancer. Il faut tenir compte des circonstances, sans jamais perdre la direction de l'attaque. Affaire de tactique et de stratégie.

Il écoute la première question de Michel Droit qui l'interroge sur cette « certaine idée de la France ».

« Je dirai que c'est ma raison d'être », répond-il.

Les mots viennent. Comme tout cela est finalement simple, naturel ! Il suffit de dire ce que l'on ressent clairement.

« Je n'ai jamais pensé, l'intendance suit, répond-il à une autre question. Ce sont des blagues pour les journaux. »

Il parle de l'agriculture, des difficultés que doivent affronter les paysans, de la vie quotidienne, de l'enseignement, « un problème fondamental, capital pour la France de notre temps ».

Il lit dans les regards, au terme de cette émission, que les quelques personnes présentes sont fascinées, séduites.

Qu'on passe à la seconde !

On évoque le Marché commun. Il secoue la tête, il sourit.

« Alors, vous en avez – les enfants de chœur qui ont bu le vin des burettes – qui crient "mais l'Europe supranationale, il n'y a qu'à mettre tout cela ensemble, les Français avec les Allemands, les Italiens avec les Anglais..." »

Plus il parle, et plus il se sent libre, dénoué.

« Bien entendu, on peut sauter sur sa chaise comme un cabri en disant : "L'Europe ! L'Europe ! L'Europe !" »

Et il se soulève de son fauteuil tout en parlant.

Il est 13 heures. C'est fini. Il est prêt à enregistrer, à 15 heures, la troisième et dernière émission. Allons, en route.

Il parle des institutions.

« Une Constitution, c'est une enveloppe. La question est de savoir ce qu'il y a dedans... On a fait des confessionnaux, c'est pour tâcher de repousser le diable ! Mais si le diable est dans le confessionnal, cela change tout ! »

Il parle de la gauche et de la droite.

« Je suis pour la France... La France, c'est tout à la fois, c'est tous les Français. Ce n'est pas la gauche, la France ! Ce n'est pas la droite, la France !... Prétendre faire la France avec une fraction, c'est une erreur grave, et prétendre représenter la France au nom d'une fraction, cela c'est une erreur nationale impardonnable. »

Il a fini. Il revoit les émissions, accepte de couper deux phrases dont une sur les « burettes » ! Il faut bien rassembler les voix des catholiques qui ont voté pour le MRP !

On lui rapporte que Mitterrand a mis plus de cinq heures pour enregistrer une seule émission, s'interrompant à chaque phrase.

Il hausse les épaules. Il a pourtant vingt-six ans de plus que Mitterrand ! Et celui-ci multiplie les propos chargés de fiel : « Est-ce que l'avenir, c'est de Gaulle et moi, le passé, est-ce que j'en ai l'air ? » a-t-il déclaré.

Mais le vieil homme peut encore en remontrer à l'ambitieux qui piaffe, qui évoque une fois de plus l'affaire Ben Barka, pour mettre en cause le président de la République, accusé de complicité par incompétence !

« Le général de Gaulle ne peut pas tout savoir, tout dire, tout contrôler. »

Mitterrand se présente comme l'opposant au pouvoir personnel, l'homme de la République des citoyens : « Je veux vous restituer votre fonction de citoyen responsable et faire une politique nouvelle ! »

De Gaulle hausse à nouveau les épaules. Il répondra, le vendredi 17 décembre, lors de la dernière allocution, mais il a la certitude que la partie lui est favorable. Les sondages lui donnent 55 % des voix.

Il se penche vers Michel Droit. Le journaliste est étonné d'avoir pu, en une seule journée, réaliser les trois émissions de la campagne.

« Vous voyez, chuchote de Gaulle, une fois lancé, je continuerais bien à jaspiner comme ça pendant plusieurs heures. »

Il est détendu. Le meeting que Malraux a tenu, le mercredi 15 décembre, au palais des Sports, en compagnie de François Mauriac et de Maurice Schumann, a été un succès. Malraux a invoqué les mânes de tous les héros du passé français pour fustiger « Mitterrand, candidat unique des quatre gauches, dont l'extrême droite... ».

Alors Mitterrand peut bien tenir des meetings à Nantes – avec André Morice, le partisan de l'Algérie française –, à Nice avec un ancien adhérent du parti collaborationniste de Doriot, cependant que la foule acclame Salan en présence des communistes, à Toulouse, il sera battu.

Le 17 décembre, de Gaulle intervient au terme de la campagne. Il peut difficilement maîtriser son émotion.

Jamais plus il ne connaîtra cela, il le sait.

« C'est moi ! Me voici tel que je suis. Je ne dis pas que je suis parfait et que je n'ai pas mon âge. Je ne prétends nullement tout savoir, ni tout pouvoir. Je sais, mieux que qui que ce soit, qu'il faudra que j'aie des successeurs et que la nation les choisisse pour qu'ils suivent la même ligne. Mais, avec le peuple français... je suis actuellement à l'œuvre pour nous assurer le progrès, l'indépendance et la paix... Voilà pourquoi je suis prêt à assumer de nouveau la charge la plus élevée, c'est-à-dire le plus grand devoir... »

Maintenant, il faut attendre. Il est à nouveau saisi par la lassitude. Il peut être réélu, mais en lui se creuse la certitude que c'est la « dernière fois », qu'il commence l'étape ultime de son destin.

Il n'a pas apprécié cette phrase – peut-être habile dans le contexte de la campagne – que Georges Pompidou a prononcée lors d'une conférence de presse, le mercredi 15 décembre : « Il va de soi que le général de Gaulle sera amené à repenser son action ! », a dit le Premier ministre. Est-ce pour cela qu'il a fait campagne ?

Le doute s'insinue. Il va partir à Colombey, voter là-bas, le dimanche 19 décembre.

« Si je suis battu, dit-il à Foccart, je ne remettrai pas les pieds ici. Je conserverai le pouvoir jusqu'au 7 janvier, ce qui est prévu par la loi et ce qui est normal... Je ferai un assez long voyage pour me dégager, m'aérer... Il faudra que vous repreniez le combat... Dans cette période où il faudra se battre, je crois que c'est Pompidou qui réussira le mieux... Entre nous, je crois qu'il a pris goût au pouvoir, et c'est bien normal... »

Il ne répond pas quand Foccart fait état des derniers sondages favorables, de sa certitude de la victoire.

Il reste ainsi un long moment, silencieux, puis il lance :

– De toute façon, je ne rentrerai pas lundi. Je rentrerai mardi, si je suis élu, et je ne rentrerai jamais ici, si je suis battu...

Il pleut. C'est le dimanche 19 décembre 1965. Il vote en compagnie d'Yvonne de Gaulle.

Il attend. Il est calme et morose. Il marche dans le parc de la Boisserie. Il est sûr de l'emporter, mais il a la conviction que les années à venir seront difficiles.

Tous les hommes politiques, ceux de l'UNR, comme les adversaires, auront en tête le « troisième tour », les élections législatives de 1967, qu'il faudra gagner. Et ce sera la bataille des partis politiques. Mitterrand à la tête de la Fédération de la gauche démocrate et socialiste, Giscard d'Estaing conduisant son groupe de « giscardiens », et Pompidou pensant plus que jamais à la prochaine élection présidentielle !

Travail de Sisyphe.

Il lit *Le Fond et la Forme* de Jean Dutourd et le *Portrait de l'aventurier Lawrence*, de Roger Stéphane. « Mais c'est un abîme et l'on éprouve quelque vertige à se pencher au-dessus avec vous. »

Enfin, voici les « résultats ». Il regarde sans anxiété les chiffres s'inscrire sur l'écran du téléviseur : De Gaulle élu avec 54,5 % des suffrages et 12 643 527 voix ; Mitterrand : 45,4 % des suffrages exprimés, soit 10 559 985 voix. On dénombre 15,4 % d'abstentions.

Les campagnes, les hommes, les jeunes et vingt-quatre départements au sud de la Loire ont donné la majorité à Mitterrand. La France est ainsi coupée en deux. Et de Gaulle ressent cette victoire indiscutable, remportée contre tous les partis et toute la presse, comme un demi-échec. Il reste assis, immobile, songeur. Le pire a été évité. Et peut-être ne pouvait-on faire mieux.

Il écrit à Michel Debré.

« Faute qu'aucun drame menace, le résultat a été peu brillant. Pouvait-il l'être ? »

Il dit à François Mauriac : « Quand aucun drame ne menace, que peuvent être les résultats ? »

Mais c'est avec ces résultats-là qu'il faut agir.

Il retrouve le palais de l'Élysée, le Conseil des ministres, le mercredi 22 décembre. Il approuve l'analyse des résultats que fait Roger Frey.

« La conjoncture était pour moi difficile, ajoute-t-il, à cause de l'âge que j'ai ; si j'avais eu quinze ans de moins, cela aurait été sensible dans mon comportement. À cause du plan de stabilisation, à cause de notre décision de suspendre le Marché commun. »

Une seule certitude : la consécration définitive du mode d'élection du président de la République au suffrage universel direct.

Voilà qui est capital.

Mais Mitterrand n'a même pas eu l'élégance et l'esprit de responsabilité qui l'auraient conduit à féliciter le président de la République élu, comme c'est la coutume. Sa déclaration est révélatrice du politicien qui joue d'abord sa carte, sans se soucier de l'intérêt national :

« J'aurais aimé, a-t-il déclaré, pouvoir transmettre au président de la République, élu en ce 19 décembre, mes vœux de réussite. Hélas, la conviction que j'ai que cette élection est contraire aux intérêts du pays et à l'avenir de la démocratie me l'interdit. »

Donc Mitterrand souhaite l'échec du président élu et d'une certaine manière récuse la majorité, pourtant indiscutable, nette, issue des urnes.

Mitterrand pense, évidemment, aux élections de 1967 !

Oubliant pour quelques heures cet avenir politique qui s'annonce déjà, de Gaulle passe les fêtes de Noël à la Boisserie. Moments de paix, au milieu des siens.

Mais c'est déjà la fin de l'année, ce vendredi 31 décembre 1965, les vœux au pays qu'il faut enregistrer : « Pour la France la nouvelle année peut et doit être l'année de la sérénité, de la confiance et de l'ardeur. »

Puis il faut se plier aux rituelles cérémonies des vœux de l'Élysée.

Les journalistes accrédités se pressent autour de lui. Mais il n'éprouve aucune envie de bavarder avec eux. Il se détourne même pour ne pas serrer la main du journaliste du *Monde*. Il dit sèchement, quand on l'interroge sur les cérémonies qui doivent marquer l'inauguration du nouveau septennat :

« Eh bien, Messieurs, je n'en sais rien, puisque c'est la première fois qu'un président de la Répu-

blique est élu au suffrage universel et qu'il se succède à lui-même. »

Il s'éloigne.

La tâche sera rude. Il est entré dans sa soixante-
seizième année. « Et les Français, ne redoutant
actuellement plus rien, sont pour beaucoup d'entre
eux portés de nouveau à la dispersion et à la facilité, ce que couvre aisément la démagogie des politiciens. »

Il s'interroge.

Combien de temps pourra-t-il encore assumer
son destin dans « notre pauvre monde d'aujour-
d'hui » ?

Cinquième partie

1er janvier 1966 – mars 1967

Croit-il que je suis le général de Gaulle pour les « gaullistes » ?... Non, je tâche de l'être pour la France. À cet égard, je prétends savoir mieux que personne... ce que je dois faire et comment je dois le faire pour la servir à mesure. Et le reste m'est, non toujours indifférent, mais toujours sans poids et sans effet !

Charles de Gaulle, 21 janvier 1966,
à propos d'un article de Maurice Clavel.

13

De Gaulle entre d'un pas lourd dans la chambre mortuaire. Il s'immobilise et s'efforce de distinguer dans la pénombre les traits de Vincent Auriol qui repose, veillé par les siens.

Peu à peu, ses yeux s'habituent à la demi-obscurité. Auriol a le visage paisible qu'on donne aux morts.

Voilà le terme de toutes choses.

De Gaulle demeure quelques minutes recueilli, la tête baissée.

Auriol avait pris parti, il y a quelques semaines, lors de la campagne présidentielle, en faveur de François Mitterrand. De Gaulle se souvient de cette voix rocailleuse. Il l'entend, pleine de vigueur, dénoncer le « pouvoir personnel ».

Mais la mort, ce 1er janvier 1966, bâillonne Vincent Auriol, à quatre-vingt-deux ans.

De Gaulle sort lentement de la pièce.

Il aura, si Dieu lui prête vie, quatre-vingt-deux ans, à la fin de ce septennat qui commence. Et que la mort d'un ancien président de la République inaugure tristement.

Il est plus peiné, plus ému qu'il n'imaginait.

Est-ce l'âge qui le rend ainsi vulnérable, ou bien le symbole que représente cette disparition, en ce premier jour de l'année ?

Il veut qu'on prenne toutes les dispositions nécessaires pour que les problèmes matériels qui assaillent la veuve de Vincent Auriol soient réglés rapidement. Vincent Auriol a servi la République au sommet de l'État, avec détermination et sens du devoir. Même s'il fut un adversaire résolu, jusqu'à son dernier souffle.

Il dit à Mme Vincent Auriol :

« Comment oublierais-je celui qui fut mon compagnon lors de la plus grande épreuve de la France, et mon ministre au lendemain de la Libération ? Jamais ne fut altérée la haute estime que je lui portais et au nom de laquelle je salue aujourd'hui sa mémoire. »

Il regagne l'Élysée. Il traverse les salons, le regard perdu, envahi par cette phrase de Staline, qui si souvent revient comme une eau noire, recouvrant toute autre pensée : « À la fin – avait dit le dictateur sombre, dans les lueurs des cristaux et des ors du Kremlin – à la fin, c'est toujours la mort qui gagne. »

Il entre dans son bureau, sans saluer l'aide de camp. Il faut à chaque fois se dégager de cette gangue poisseuse, qui lui semble chaque jour plus dense, alourdissant le corps, chaque jour plus empêtré, comme si ces couches de chair qui de plus en plus épaisses enrobent la taille étaient une vase qu'on ne peut plus repousser. Elle colle et elle durcit. Elle rend les gestes les plus simples difficiles. Il doit faire un effort pour se baisser, monter et descendre de la voiture, se hisser dans l'hélicoptère. Et même la marche exige une résolution à chaque pas, comme si le sol était toujours en pente et qu'il faille sans fin le gravir, et jamais le descendre.

Il est vieux.

Il le sait. Et il lui suffit de saisir les regards pour deviner que tous pensent à cela, avec angoisse, compassion, admiration, respect ou impatience.

Ira-t-il jusqu'au bout de son septennat ? se demandent-ils tous.

Il s'assied. Il faut sortir de ce marécage des eaux noires, de cette complaisance à soi qu'est aussi la contemplation de sa propre vieillesse.

L'âge est là. Ne jamais oublier qu'on peut y naufrager. Mais tant qu'on ne heurte pas les récifs, allons, hissons les voiles, souquons ferme.

Il met ses lunettes. Il veut répondre à André Malraux, qui vient de lui adresser ses vœux.

« Mon cher ami,

« Que le vent souffle plus ou moins fort, que les vagues soient plus ou moins hautes, je vous vois comme un compagnon à la fois merveilleux et fidèle, à bord du navire où le destin nous a embarqués tous les deux. C'est vous dire de quel cœur je forme des vœux de nouvel an à votre intention. »

Il soupire. Il va recevoir Georges Pompidou.

Le Premier ministre s'est conduit en successeur durant cette campagne présidentielle, mais il l'a fait respectueusement, sans qu'on puisse lui adresser un seul reproche.

Faut-il le remplacer ? Et par qui ? Michel Debré ? Jean-Marcel Jeanneney ? Maurice Couve de Murville ? Et pourquoi pas Edgar Faure ? Tous ces hommes sont brillants, expérimentés. Peut-être pourraient-ils, mieux que Pompidou, incarner une nouvelle politique économique et sociale ?

Il a hésité plusieurs jours. Ces « problèmes de personne » l'irritent. Il ne veut pas leur accorder trop d'importance. Il est à la barre, pour donner le cap. Et il ne déviera pas. Il veut que la France échappe à la subordination qu'elle a acceptée dans le cadre de l'OTAN. Il faut aussi en finir avec la querelle européenne, parvenir à une décision, réoccuper la chaise laissée vide à Bruxelles. Et puis, en politique intérieure, sortir du pacte de stabilisation, tenter de donner de l'espoir au monde ouvrier, faire qu'il « participe » à la vie de l'entreprise, l'arracher ainsi à l'illusion du communisme et à l'exploitation par le capitalisme. Et naturellement préparer les élections législatives de mars 1967, et régler ces *affaires* qui ternissent l'autorité de l'État, telle l'affaire Ben Barka.

Lourdes tâches.

Il écoute Pompidou tout en l'observant. L'homme a l'autorité, l'obstination d'un Auvergnat prudent, retors et solide. Un paysan qui sait le latin et le grec, et compte comme un banquier qui serait resté maquignon.

C'est le meilleur et, naturellement, de ce fait, celui qui pense à la succession. Le seul qui pourrait lui faire ombrage est ce jeune homme aux allures aristocratiques et désinvoltes, au regard d'aigle et à la mécanique intellectuelle si efficace qu'elle fascine par sa rapidité : Giscard d'Estaing dont, comme il se doit, Pompidou ne veut plus comme ministre de l'Économie et des Finances. Ministre de l'Équipement alors, afin que Giscard soit présent dans le nouveau ministère ?

De Gaulle insiste. Pourquoi se séparer d'un tel talent ?

Pompidou louvoie et Giscard refuse. À l'évidence, il préfère renforcer sa position politique personnelle, constituer à l'Assemblée son groupe de Républicains indépendants, créer dans toute la France des clubs Perspectives et réalités.

Et tout aussi inéluctablement, Pompidou tente de le maintenir au sein d'un Comité d'action pour la Ve République, et veut imposer des candidatures uniques aux élections législatives de mars 1967. Pour affronter la Fédération de la gauche démocrate et socialiste. François Mitterrand, à la tête de cette FGDS, veut la conduire à la bataille unie, entre ces deux rivaux que sont, à sa gauche, le parti communiste qui réclame un « programme commun », et, à sa droite, Jean Lecanuet, qui veut animer un Centre démocrate.

Politique, politique ! Ambition, ambition !

On ne peut pas échapper à ce marigot.

Pompidou sera donc Premier ministre, Debré, ministre de l'Économie et des Finances, en remplacement de Giscard, Jeanneney aux Affaires sociales, Couve de Murville au ministère des Affaires étrangères, et Peyrefitte, ministre de la Recherche et des Questions atomiques et spatiales. Edgard Pisani sera à l'Équipement et Edgar Faure à l'Agriculture, Malraux demeurant ministre d'État chargé des Affaires culturelles. De Gaulle regrette l'absence de Giscard d'Estaing.

« Mon cher ministre, écrit-il.

« Au moment où vous quittez vos fonctions, je tiens à vous dire quelle estime je vous porte et quel prix j'attache à l'œuvre que vous avez accomplie depuis sept ans, d'abord comme secrétaire d'État au Budget, puis en qualité de ministre de l'Économie et des Finances... Aussi, ai-je d'autant plus regretté que vous n'ayez pas cru devoir continuer à y participer au poste très important qui vous y eût été confié... »

Il en est sûr, il faudra compter avec Giscard d'Estaing, qui a commencé à tracer sa route, et dont il suffit de croiser le regard pour savoir qu'il veut aller jusqu'au sommet. Et dont il suffit d'entendre fonctionner l'intelligence pour comprendre qu'il a tous les moyens de ses ambitions.

De Gaulle se tasse sur lui-même. Il éprouve un sentiment étrange, où se mêlent désespoir, amertume aussi et une sorte de fatalisme.

C'est comme s'il voyait se mettre en place, en dehors de lui qui vient pourtant d'être réélu, les acteurs de la future pièce.

Il est encore là, au centre de la scène, tenant le premier rôle, commençant à interpréter, en ce début du mois de janvier 1966, un nouvel acte, et voilà que déjà ceux qui jouent avec lui apprennent les nouvelles tirades, se préparent, alors même que le rideau vient à peine de se lever, pour le futur spectacle.

Dont il ne sera plus. Il le sait. L'acte qu'il joue est le dernier. Les actes suivants auront pour protagonistes Pompidou, Giscard d'Estaing, Mitterrand, Lecanuet sans doute aussi, qui d'autre ? Ceux-là ont déjà pris leur place. Et ils attendent tous, piétinant d'impatience, qu'il soit sorti de scène.

C'est ainsi.

Il ne veut pas laisser percer en lui l'irritation qu'il ressent, et il ne veut pas qu'on la devine.

Il dit au Conseil des ministres : « Le régime a subi l'épreuve du feu. Il en sort trempé. »

Puis, le samedi 8 janvier 1966, il se rend dans la salle des fêtes de l'Élysée.

Il est en jaquette. Derrière Gaston Palewski, président du Conseil constitutionnel, qui va lire le procès-verbal annonçant les résultats de l'élection présidentielle, se tiennent les représentants des corps constitués, les autorités militaires.

Il aperçoit Chaban-Delmas, Malraux, Debré, Pompidou.

En écoutant Palewski, il se souvient de leur première rencontre, de ce jeune homme qu'était alors, le 5 décembre 1934, Palewski qui l'accueillait dans le bureau de Paul Reynaud, rue Brémontier.

Trente-deux ans ont passé. Si vite, années si denses, l'Histoire et ma vie.

Et rien ne le surprend pourtant dans ce destin inimaginable qui lui a toujours semblé incroyable et naturel.

Il répond à Gaston Palewski :

« Les résultats de l'élection présidentielle... m'amènent à assumer aujourd'hui et de nouveau les fonctions de président de la République... En ma qualité de garant de la Constitution... Je constate que celle-ci a été et continue d'être appliquée dans son esprit et dans sa lettre. Il en sera de même au cours de ce septennat, afin que soient assurés la continuité de la République et le service de la France. »

On se presse autour de lui, devant le buffet. Il dit quelques mots aux uns et aux autres.

L'Histoire, c'est cela, cette foule d'hommes aux ambitions rivales, qui se retrouvent pourtant rassemblés, si l'un d'entre eux réussit à imposer sa marque, à donner un but unique à ce groupe, à fédérer les ambitions pour qu'elles se mettent au service de la nation.

Mais, il le dit à Léon Noël, membre du Conseil constitutionnel : « L'élection ne fut pas brillante. Tout ne dure pas toujours et, en outre, les circonstances très paisibles et plates d'aujourd'hui n'appellent guère les gens vers les sommets. Pourtant, il faut poursuivre. »

Il se retire. Il est morose.

Malgré les jours qui sont passés depuis l'élection, malgré la constitution du nouveau gouvernement, et cette cérémonie qui vient de se dérouler et qui marque l'ouverture officielle du nouveau septennat, il ne réussit pas à oublier cette blessure – une humiliation – qu'a été le ballottage, puis ce résultat, 54,49 % des voix.

Il dit à celle que tout le monde appelle Cada – Marie, l'épouse de Jacques Vendroux : « L'élection n'a pas été brillante. Au fond, c'était sans doute inévitable dans les circonstances d'aujourd'hui. »

Il répond aux lettres de félicitations qu'il reçoit. Et à chaque fois, il ne peut s'empêcher d'écrire, parce qu'il le ressent ainsi, et qu'il veut regarder la réalité en face : « L'élection a été médiocre. »

Il le répète, un goût âcre d'amertume dans la bouche. « Il est bien difficile de réunir les Français quand ils n'éprouvent plus d'alarmes. » Il a un mouvement de mauvaise humeur : « L'élection aurait pu et dû être meilleure, même dans la conjoncture difficile où elle a eu lieu et face à la coalition de toutes les haines et ambitions imaginables. »

Il se reprend.

« En tout cas, l'essentiel a pu être assuré... Jusqu'au nouvel assaut. »

Car ils sont là autour de lui. Il les entend, il les lit, il les devine, ces opposants que la campagne présidentielle a excités, comblés et déçus. Alors, ils attaquent à nouveau. Ils ont rêvé un instant, à la veille du second tour, à l'hallali. Ils ont été frustrés. Ils deviennent enragés.

Le leader marocain Ben Barka, affirment-ils, a été victime des réseaux gaullistes, des « polices parallèles » du régime, des « barbouzes », des hommes de main utilisés au temps de la lutte contre l'OAS.

Les attaques montent de toutes parts. Et il y a même des gaullistes qui donnent des conseils, comme cet écrivain sympathique, enthousiaste, Maurice Clavel. Il clame son indignation dans *Combat*, parce que le principal suspect, Georges Figon, qui semble avoir monté le traquenard dans lequel est tombé Ben Barka, est retrouvé mort par les inspecteurs venus l'arrêter. Suicide ? Assassinat ?

Les policiers Souchon et Voitot, l'agent du SDECE, Lopez, qui ont livré Ben Barka au général Oufkir, mettent en cause leurs supérieurs. Ceux-ci auraient été avertis par eux de l'opération en cours. Ils accusent Jacques Foccart d'être au centre de cette toile. Peu importe que les responsables du SDECE soient limogés, que les coupables soient emprisonnés, qu'un mandat d'arrêt international soit lancé contre le général Oufkir, le « régime » demeure, aux yeux de la presse – toujours hostile – et des opposants, compromis, complice.

Gaston Defferre écrit, dans *Le Provençal* : « C'est du président de la République qu'émanent tous les pouvoirs, civil, militaire et même judiciaire. » De Gaulle a voulu étouffer ce dossier pendant la campagne électorale, preuve qu'il n'avait pas la « conscience tranquille ».

De Gaulle se sent insulté par cette accusation venant d'un homme pour lequel il a toujours eu de l'estime, qui a exercé le pouvoir, et qui en connaît donc les limites, mais que la passion politicienne emporte, et qui ne se soucie pas de ternir l'image de l'État français.

Mais c'est la revanche des battus de l'élection présidentielle.

De Gaulle lit le compte rendu de la réunion qui s'est tenue à la Mutualité sur l'affaire Ben Barka et où se sont retrouvés tous les opposants. Grandes envolées, accusations, évocation de l'affaire Dreyfus ! De Gaulle éprouve un sentiment immense d'amertume. Et de colère.

Il reçoit Jacques Foccart, qui n'a été en rien mêlé à l'affaire, qui est scandalisé par les accusations portées contre lui dans les journaux, qui envisage de leur intenter un procès.

De Gaulle hausse les épaules.

– Il ne faut pas attaquer les journaux, cela ne servirait à rien. Cela ferait des procès à n'en plus finir, au terme desquels on démontrerait que vous avez eu tort d'attaquer. N'en faites rien.

Puis il se met à marcher dans le bureau.

– Dans cette affaire, le SDECE n'a pas été commandé... Il est inadmissible que ces types ne soient pas bouclés et tenus. Il est inadmissible que tel ou tel policier s'en aille faire des opérations pour son compte... S'ils avaient su que, dans la police, on ne peut pas se permettre de faire telle ou telle chose dans le dos de ses supérieurs, sans être à coup sûr épinglé, ils ne l'auraient pas fait.

Il se rassied, martèle son bureau du poing.

– Dites-vous bien que commander, c'est très difficile. Commander, c'est « foutre dedans », commander, c'est prendre sur soi et se battre tous les jours, commander, c'est même donner l'impression qu'on est toujours mécontent pour obtenir davantage.

Il se lève à nouveau.

– Vous, les gaullistes, vous êtes tous comme cela, vous êtes de bons gars, vous arrangez les choses, vous êtes gentils, mais vous ne commandez pas, vous ne savez pas tenir vos affaires... Les gaullistes ne savent pas commander !

Il prend le journal *Combat*, montre l'article de Maurice Clavel consacré à l'affaire.

– J'ai lu l'article de Maurice Clavel, dit-il. Il bat complètement la campagne. Croit-il que je suis le général de Gaulle pour les « gaullistes » ? Croit-il que je le suis pour Maurice Clavel et à son gré ?

Il va jusqu'à la fenêtre.

– Non, je tâche de l'être pour la France. À cet égard, je prétends savoir mieux que personne, gaullistes et Maurice Clavel compris, ce que je dois faire et comment je dois le faire pour la servir à mesure. Et le reste m'est, non toujours indifférent, mais toujours sans poids et sans effet !

Il retourne à son bureau. Il ne peut s'empêcher de reprendre *Le Provençal*, de parcourir à nouveau l'éditorial de Defferre. Il a une moue méprisante.

– Defferre n'est pas autre chose qu'un politicien, peut-être un peu moins mauvais, un peu moins moche que les autres, dit-il.

Il replie le journal. Il se souvient d'avoir vu Defferre changer d'attitude avec les pieds-noirs, hos-

tile d'abord – « il faut les fusiller, mon général » –
puis, dans la dernière campagne électorale, les flat-
tant. Et maintenant, cet article.

Il se retourne vers Foccart.

– C'est quelqu'un qui a été aux affaires, qui a
été au gouvernement, qui sait ce que c'est, qui
vous connaît, qui me connaît, qui sait que ce n'est
pas moi qui ferais de pareilles choses. Maintenant,
je l'ai définitivement jugé...

Mais que pouvait-il attendre de ces politiciens ?
Et il y a parmi eux des hommes qui se proclament
gaullistes, bien sûr ! Pas un de ces messieurs, de ces
commentateurs qui ait mis en relation l'enlèvement de Ben Barka et les liens qui unissent le
général Oufkir et les services américains de la
CIA. Ou le fait que Ben Barka était la clé de voûte
de l'organisation des pays du tiers monde, qui tient
sa « Conférence des trois continents » à La
Havane, en ce début janvier. Et aucun de ces brillants journalistes qui ait remarqué que, grâce à
cette affaire, on frappe et on compromet de
Gaulle, qui veut retirer les forces françaises de
l'OTAN et qui, pire encore, dénonce l'intervention
américaine au Viêt-nam. Mais la question « à qui
profite le crime ? » ne sera pas posée par la presse,
tout indignée contre le « régime ».

Personne ne comprend donc cela ?

Il lit le « Bloc-Notes » que François Mauriac
donne au *Figaro littéraire*, ce samedi 29 janvier.

« Pas plus que vous n'êtes parvenus à l'abattre
au coin d'une route, vous ne réussirez à le salir au
tournant d'une affaire policière boueuse et sanglante, écrit l'académicien... Oui, un guet-apens...
Un ami, marocain qui connaît bien le dessous des
cartes, me parlait de l'étroite liaison du général
Oufkir et des services secrets américains... Pour
une fois, ces services viennent de réussir un magnifique coup double contre le tiers monde, en se
débarrassant de Ben Barka, et contre de Gaulle. Si

les services américains sont innocents dans cette affaire, c'est le diable qui aura joué pour eux... L'affaire finie, il faudra que ses ennemis [de de Gaulle] trouvent quelque chose d'autre. N'en doutons pas, la haine est féconde et quelque chose d'autre surgira. Ce qui déconcerte l'adversaire de droite et de gauche, c'est que ce régime exécré lui ait résisté si aisément alors qu'il demeure lié à l'existence d'un seul homme, et qu'il n'y aurait pourtant qu'une tête à abattre. Mais le grand chêne druidique ne sent même pas les haches. »

Mauriac se trompe. De Gaulle entend résonner les coups qu'on lui porte. Mais il est vrai qu'il veut rester debout, ne s'abattant que lorsqu'il l'aura lui-même décidé.

Et d'ici là, faire face, choisir comme première question, lors de la conférence de presse du 21 février, celle qui porte sur l'affaire Ben Barka. Et dire les choses comme elles sont, brutalement.

« Le ministre de l'Intérieur marocain a fait disparaître sur notre sol un des principaux chefs de l'opposition... Avec la complicité obtenue d'agents ou de membres des services officiels français et la participation de truands recrutés ici. »

Qui peut faire plus clair ?

Mais il faut ajouter : « Du côté français, ce qui s'est passé n'a rien eu que de vulgaire et de subalterne... »

Le reste ?

Il hausse les épaules, les rides de son visage, autour de la bouche, se creusent. « Il y a eu l'assaut des partisans... Pour cuirassé que l'on soit vis-à-vis de pareils procédés, comment ne pas éprouver quelque tristesse à constater jusqu'à quel degré d'injustice la passion politicienne et la fureur des ambitions déçues ont pu faire descendre à cette occasion des hommes qui, en d'autres circonstances et parfois même au pouvoir, avaient montré quelque valeur ? »

Gaston Defferre se reconnaîtra-t-il ?

Il faut aller plus loin.

« Il y a eu également la ruée vers la revanche des milieux qui, au temps de Vichy, puis à l'époque de l'OAS, eurent à pâtir des réseaux. »

« Et puis, il y a la presse, le public, fascinés par cette atmosphère à la Belphégor... Des histoires qui rappelleraient celles du Gorille, de James Bond, de l'inspecteur Leclerc... »

Il laisse monter les rires. Il savait qu'à choisir de parler de ces émissions de télévision, de ces films, les journalistes s'esclafferaient.

Mais il reprend d'une voix rude, cassant les rires.

« Moi, je crois et je dis qu'en attribuant artificiellement à cette affaire restreinte, et médiocre pour ce qui est des Français, une dimension et une portée sans aucune proportion avec ce qu'elle fut réellement, trop de journaux ont, au-dedans et au-dehors, desservi l'honneur du navire. L'honneur du navire, c'est l'État qui en répond et qui le défend. Et il le fait. »

Il a le sentiment que le peuple, ou une partie de ce peuple, le sait.

Il marche dans les rues de Calais, de Lille, de Bully-les-Mines ou de Mazingarbe. Là est le peuple.

Il va vers ces ouvriers, ces mineurs, ces ménagères qui forcent les barrages, tendent leurs bras, crient : « Venez par ici, mon général ! On veut vous serrer la main ! » D'un geste, il écarte les gardes du corps, il veut prendre ces mains. Il veut être parmi le peuple, le sien.

Il voit ces gens humbles, aux vêtements simples, aux mains rugueuses. Ce sont ceux-là aussi qui se mettent en grève, qui réclament des hausses de salaire.

Il a reçu Debré, le 28 janvier. Il veut que le nouveau ministre de l'Économie et des Finances, avec l'aide de Jean-Marcel Jeanneney, le ministre des

Affaires sociales, prenne en considération un amendement voté en juillet 1965, sur proposition de Louis Vallon, un député gaulliste de gauche, proche de René Capitant. Il prévoit l'accroissement des droits des salariés sur la *participation* aux bénéfices des entreprises. *Participation*, voilà le mot qu'il répète.

Il a la conviction que résoudre les problèmes sociaux doit être l'un des grands axes de ce second septennat.

D'ailleurs, d'où l'opposition tirerait-elle sa force si ce n'est du mécontentement des salariés et des paysans ? Et ces catégories manifestent : grèves à la SNCF, à l'EDF, dans des entreprises privées, manifestations paysannes. Et pourtant, la France vient de parvenir, au sommet européen de Luxembourg, à un « compromis » qui, dans le cas où les intérêts nationaux sont en cause, permet au pays de récuser la règle de la majorité.

Voilà qui, avec la mise en œuvre de la politique agricole commune, devrait rassurer les paysans français.

Quant aux ouvriers, depuis des années, de Gaulle s'interroge sur leur condition et ce système capitaliste dont ils sont les rouages.

Il le dit, l'écrit : « Le problème de notre temps consiste à faire en sorte que l'ouvrier voie sa condition de prolétaire se changer en celle d'associé, sans que soit pour autant altérée – bien au contraire – la direction bénéficiaire de l'entreprise. »

« Depuis toujours, je cherche un peu à tâtons la façon de déterminer le changement, non point du niveau de vie, mais bien [il le répète] de la condition de l'ouvrier. Dans notre société industrielle, ce doit être le recommencement de tout, comme l'accès à la propriété le fut dans notre société agricole. »

Mais qui sera capable de soutenir une telle révolution, aussi importante que celle qui mit fin au servage ?

Qui dans le gouvernement ? Le Premier ministre ? Pompidou est trop conservateur. Debré, Jeanneney, Pisani ? Ce sont des réformateurs, mais que peut-on si on ne dispose pas de l'appui de la société ? Et comment l'obtenir quand les politiciens sont aveuglés par leurs petites ambitions, la presse hostile par principe et les syndicats dominés par les partis ? Et le plus important d'entre eux, le parti communiste, contrôle le plus puissant des syndicats, la CGT, enfermant ainsi le monde ouvrier dans le ghetto des illusions, des impasses et des mensonges !

Bien sûr, on doit agir. Il approuve le programme économique et social que présente Michel Debré, la création d'un salaire minimum et d'une retraite pour les paysans.

Mais il a la sensation que la réalité sociale lui échappe, qu'il est infiniment plus difficile d'intervenir dans ce domaine, essentiel, qu'il ne l'a été de sortir de la « boîte à scorpions » algérienne.

Quant aux « gaullistes de gauche », les Louis Vallon, les Capitant, ils sont trop timides avec leurs amendements. Alors qu'il y a tant d'obstacles à renverser ! Il faudrait révolutionner le pays, briser les carcans administratifs qui l'entravent, donner aux régions des pouvoirs étendus, transformer cette assemblée de notables qu'est le Sénat !

Il se sent prisonnier comme dans une toile d'araignée, où de toutes parts on s'emploie à le paralyser.

La « gauche » bavarde, crée un contre-gouvernement où on ne trouve que des hommes du passé, des « politiciens de retour ».

Le parti communiste joue sa carte « programme commun, programme commun » !

195

Les notables conservateurs s'accrochent à leurs fauteuils. Et la droite traditionnelle, celle pour qui l'argent est le seul horizon, est opposée instinctivement au général de Gaulle. Elle le trouve, il le sait, trop antiaméricain, trop antieuropéen, « incontrôlable » et – pourquoi pas ? – manipulé par les Soviétiques. N'envisage-t-il pas dans quelques semaines de faire un grand voyage en URSS ?

Ces droites préféreraient Pompidou, un banquier raisonnable, un homme qui aime se mêler à la société parisienne et parler d'art moderne ! Voilà un président selon le cœur des gens qui comptent ! Ou bien, si ce n'est Pompidou, pourquoi pas Lecanuet, si proche de Jean Monnet ?

De Gaulle le pressent à nouveau. Sa seule force, c'est dans le peuple qu'il la trouve.

Si celui-ci venait à se dérober, que pourrait-il ? « Inaugurer les chrysanthèmes ! » Et il le sait, il ne l'accepterait pas.

Or, qui peut dire que ce peuple, dont le penchant est à se diviser et que les élites, la presse, les partis s'emploient à convaincre que de Gaulle, c'est la dictature, le grand capital, le nationalisme, l'isolement, le passé, ne se dérobera pas, un jour peut-être proche, comme il l'a déjà fait, en partie, au moment du ballottage ?

Alors, forçons l'allure là où l'on peut agir, en politique extérieure, et parce que l'indépendance et la souveraineté nationale sont les conditions nécessaires pour qu'un jour ce peuple français puisse continuer d'exister.

Le 7 mars, il écrit à Lyndon Johnson, président des États-Unis :

« La France se propose de recouvrer sur son territoire l'entier exercice de sa souveraineté, actuellement entamée par la présence permanente d'éléments militaires alliés ou par l'utilisation habituelle qui est faite de son ciel, de cesser sa participation aux commandements "intégrés" et de ne plus mettre de forces à la disposition de l'OTAN. »

Les choses sont dites. La France sort de l'OTAN.

« Coup de poignard au cœur de l'Alliance », se lamentent les commentateurs, répétant les articles écrits à Washington.

Mais non, précise de Gaulle à Johnson. « La France modifie la forme de son alliance sans en altérer le fond. »

Dans les jours qui suivent, il lit la presse avec accablement.

Qui le comprend ? C'est le déferlement des critiques, de l'ironie. Mauriac presque seul le devine, lorsqu'il écrit : « De Gaulle ne pouvait pas ne pas faire ce qu'il a entrepris cette semaine : comme un homme, à la veille d'un grand voyage dont il sait qu'il ne reviendra pas, règle toutes ses affaires pour que les siens soient assurés d'entrer dans l'héritage qu'il leur a préparé... pour qu'après lui, ces Français qui ont perdu la foi en la France ne s'attellent pas de nouveau, avec les autres nations dociles, au timon américain. »

Il relit le « Bloc-Notes » de François Mauriac. Cet homme-là et quelques autres le comprennent donc. Ils mesurent qu'il agit le dos à l'abîme qu'est la mort, pour tenter de garder à ce pays sa place, de faire en sorte que les Français, s'il est possible, croient encore à la France !

Et puis, il y a une carte à jouer.

Le bloc de l'Est est travaillé par les tensions internationales. Il faut que la France élargisse ces fissures qui se dessinent dans l'Europe dominée par les communistes. Il envoie Couve de Murville en Roumanie, en Bulgarie, en Pologne. Il étudie le projet de voyage qu'à la fin juin il doit entreprendre en URSS.

Un jour, il en est sûr, le peuple russe digérera le communisme et la Russie renaîtra. Alors l'Europe sera possible, de l'Atlantique jusqu'à l'Oural.

Il reçoit, le 10 mars 1966, à 12 h 20, l'ancien chancelier Adenauer. Il est heureux de revoir cet homme au visage buriné comme un rocher.

– J'ai à vous exprimer un désir, dit aussitôt Adenauer. C'est que, sous la direction de la France, l'Europe se crée. C'est mon désir le plus cher... Vous devez rester le chef de l'Europe et je ne dis pas de flatterie, c'est ma conviction la plus profonde.

De Gaulle hoche la tête. Qui croirait à l'exactitude de ces propos si on les rapportait ? On accuserait de Gaulle de mégalomanie !

– La France n'a pas les moyens de conduire l'Europe, répond-il. L'Europe, c'est une affaire combinée des Français et des Allemands ensemble. C'est le bon sens. Seuls nous n'avons pas les moyens de conduire l'Europe. Vous, non plus. Mais, ensemble, nous pouvons le faire. Nous devons marcher la main dans la main...

Adenauer écoute, impassible, puis insiste :

– Les événements veulent que la France ait la direction, dit-il... Vous devez tout faire pour gagner les élections législatives de l'année prochaine afin de poursuivre votre politique. C'est essentiel pour tous.

De Gaulle soupire.

– Il est difficile d'entraîner un pays fatigué vers une politique active... Lors des élections présidentielles, en décembre dernier, le résultat n'a pas été très brillant en ce qui me concerne.

Il sourit, la tête un peu penchée.

– Il existe dans l'opinion publique française un sentiment favorable au général de Gaulle, mais l'exprimer au moment d'un vote, c'est tout autre chose.

198

Adenauer reste un moment silencieux, puis d'une voix lente, il dit :

– Ce que vous avez accompli en peu d'années est incroyable... Votre voix doit être entendue par tous et le plus fréquemment possible... Vous êtes l'un des rares qui ait quelque chose à dire au monde...

Quels sont les hommes politiques français, à l'exception de quelques-uns qui sont rassemblés autour de lui, qui oseraient dire cela ? Faut-il donc qu'il soit toujours si peu compris dans son pays ?

Il parle maintenant de son voyage en Russie.

– Les Russes me font beaucoup de politesses, ce qui est conforme à leur politique. Je ne refuse pas leurs politesses, mais je ne ferai pas d'accord politique fondamental avec eux.

Il se penche vers Adenauer :

– Nous estimons qu'il faut un jour arriver à une entente européenne, qui sera la clé de la réunification allemande. Je l'ai toujours dit aux Soviets, et je leur répéterai. Il est important que la question soit posée et qu'elle le soit par la France dans ce sens.

Il doit se rendre, ajoute-t-il, à Verdun, pour le cinquantième anniversaire de la bataille.

– Il n'est pas mauvais de la commémorer, car deux peuples courageux s'y sont affrontés vaillamment, mais si inutilement. C'est cela que je dirai à Verdun.

L'entretien se termine.

Il raccompagne Adenauer.

– Je vous rappelle simplement, ajoute-t-il, que c'est à Verdun que l'empire de Charlemagne fut déchiré.

C'était il y a onze cent vingt-trois ans. Et il est à Verdun, ce 29 mai 1966.

Il regarde ces tombes alignées, ce champ des morts, tous nos soldats « couchés dessus le sol à la face de Dieu ». Et ce vers de Péguy emplit sa pensée alors qu'il parle de la bataille :

*Combien demeure profond le mouvement
des âmes que soulève son souvenir !*

Il explique, raconte, et il se souvient, tout en parlant, de ce jour, le 2 mars 1916, quand il est tombé, blessé, et de tous ces hommes enfouis, morts près de lui, sur lui.

Et il a dû subir, même à ce sujet, le flot de boue des calomnies, transformant ce jour de combat, d'héroïsme et de douleur en jour de lâcheté.

Ils ont osé dire qu'il s'était rendu ! Qu'il n'avait pas été blessé. Que n'ont-ils pas inventé tant leur haine est grande !

Mais il balaie cela. Il veut oublier ces hommes médiocres qui, comme le disait Péguy, sont toujours prêts à « diriger leurs coups sur celui qui dépasse ».

Lui, il va évoquer ici le nom de Pétain, dont il vient de refuser le transfert des restes à Verdun, car ici ne doivent reposer que ceux qui sont morts au combat. Mais pourquoi ne pas dire de Pétain que, si « par malheur en d'autres temps, dans l'extrême hiver de sa vie, au milieu d'événements excessifs, l'usure de l'âge mena le Maréchal à des défaillances condamnables, la gloire que, vingt-cinq ans plus tôt, il avait acquise à Verdun... ne saurait être contestée, ni méconnue par la patrie » ?

La cérémonie finie, il se rend de Verdun à la Boisserie. Il a besoin, après cette rencontre avec la mort et le passé, de marcher loin des hommes, de leur bruit et de leur fureur.

Le 30 mai 1966, il s'enfonce dans le plus profond de la forêt des Dhuis. Il sait qu'au bout de ce sentier se trouve un chêne plusieurs fois centenaire.

Le voici immense, ce vieil arbre qui refuse de mourir.

De Gaulle s'arrête. Tant de choses depuis des siècles se sont déroulées sous les branches noueuses, autour de ce tronc à l'écorce éclatée, dans cette forêt sombre !

Mais que reste-t-il dans les mémoires de ce qui s'est produit ici ? Qui est encore en vie, des soldats, des promeneurs, des jeunes femmes et des jeunes hommes qui se sont assis là, le dos appuyé à cet arbre ?

Il ne peut parler durant tout le trajet de retour, sur ces routes qui conduisent à Colombey. Elles étaient jadis parcourues par les charrois et les groupes de paysans qui rentraient des champs, regagnaient leurs villages peuplés de familles aux nombreux enfants.

Temps révolus. La route est déserte. Les champs vides. Les maisons abandonnées.

Est-ce mieux ?

Il dit à Henriette de Gaulle, l'épouse de son fils : « Autant que la vie le permet, soyez donc une femme et une maman heureuse. »

14

Qu'on ne le dérange plus !

De Gaulle refuse d'un geste vif de la main le dossier que lui tend Jacques Foccart.

C'est la fin de la journée, il est las. Il ne désire pas consulter ce rapport rédigé par Boislambert, son vieux compagnon, retour d'un séjour en Israël.

Il se sent à la fois nerveux et fatigué. Il veut relire les discours qu'il a préparés pour son voyage de dix jours en Russie. Il doit les apprendre par cœur, pouvoir réciter, sans une seule erreur, les phrases en russe qui ont été traduites par le prince Andronikoff, le traducteur du Quai d'Orsay, qui sera du voyage. Il faut qu'il s'adresse, dans leur langue, aux Russes, ne fût-ce que par quelques phrases qu'il prononcera du balcon de l'hôtel de ville de Moscou, puis dans la déclaration qu'il doit faire à la télévision soviétique. Il sera vu et entendu par des dizaines de millions de Russes. Il faut qu'il les surprenne, qu'il les touche. Il doit parler aux étudiants de l'université Lomonossov, à Moscou, aux habitants de Novossibirsk, au-delà de l'Oural, à ceux de Leningrad et de Volgograd. Pourquoi avoir donné ce nom sans âme à Stalingrad ?

Il doit se préparer à affronter tous les aléas de ce voyage capital, parce que ce sera un moment important de la politique indépendante de la

France, et on l'importune avec le compte rendu de Boislambert, ou bien on lui demande de recevoir l'ambassadeur du Mali qui veut lui remettre une lettre !

Il fait non de la tête.

– C'est vous qui devez recevoir les lettres, dit-il à Foccart.

Il montre le dossier de Boislambert.

– Je ne veux pas le lire. Il paraît que Boislambert s'est fait embobiner par les Israéliens. Il veut me raconter des histoires. Vous lui direz que j'ai lu, que j'ai...

Il se lève, va jusqu'à la fenêtre. Le parc est déjà, en cette fin d'après-midi du vendredi 3 juin 1966, enveloppé par la pénombre.

– Et puis, non, lance-t-il, en se retournant. Je ne veux rien d'ici mon départ. Vous me montrerez cela à mon retour. Je ne veux rien. Je veux que l'on me fiche la paix avec tout ce qui est rapport, compte rendu, etc. Il faut me laisser tranquille. J'ai énormément de travail à faire et je suis très en retard.

Il décide de passer quelques jours à la Boisserie.

La terre, les arbres, le silence, l'espace, l'air plus vif : il lui suffit de quelques heures pour se sentir dispos, l'esprit dégagé de toutes ces poussières quotidiennes qui l'encombrent quand il est prisonnier dans son bureau de l'Élysée, harcelé par les sollicitations de ses proches, les audiences qui se succèdent.

Il peut enfin penser à ce voyage en URSS.

Il veut que la Russie serve de contrepoids aux États-Unis, même si l'alliance avec eux est nécessaire. Il l'a dit à Charles Bohlen, l'ambassadeur des États-Unis à Paris : « Vous êtes trop puissants, trop puissants pour le bien des États-Unis, trop puissants pour le bien du monde. Cela ne peut mener qu'à une mauvaise politique. Il faut rétablir un certain équilibre, du point de vue non seulement militaire mais aussi économique et industriel. »

Mais ce qu'il faudrait, c'est que l'Europe réussisse, entre les deux géants États-Unis et URSS, à émerger. Et elle ne le peut que si la France conserve sa volonté d'agir.

Mais le peuple le veut-il ?

Il marche dans le parc de la Boisserie. Il s'arrête, regarde ces étendues où l'on n'aperçoit plus un seul paysan. Partout, parce que les hommes manquent, que les mœurs changent, la culture est abandonnée au bénéfice de l'élevage. Il reste immobile, longuement. Il est un homme de soixante-quinze ans, qui vient déjà d'un autre temps. Il le sait. Il pressent qu'un bouleversement profond est à l'œuvre, qui va changer la civilisation qu'il a connue, dont il est issu et dont il n'est peut-être déjà plus qu'un témoin, peu à peu isolé, un survivant.

Quand les jeunes gens d'aujourd'hui auront son âge, y aura-t-il encore la France ? Elle sera si différente de celle qu'il a connue, aimée ! Les villages se vident et les églises aussi. Déjà, combien de familles ressemblent encore à la sienne ?

Peut-être est-il l'homme du dernier sursaut de la nation.

Il reprend sa marche.

Qu'est-ce qu'un homme digne de ce nom, sinon celui qui résiste, qui défend ce à quoi il croit ?

Il doit aller jusqu'au bout.

Il entre dans son bureau. S'il y a une chance que la France survive, il lui semble que c'est lui qui la détient. Et une nation n'existe que si elle est indépendante et souveraine. Il va partir en URSS, pour affirmer cela.

Il s'installe à sa table de travail. Il écrit :

« Mon cher Premier ministre,

« S'il devait paraître nécessaire de réunir le Conseil des ministres pendant mon voyage en

204

Union soviétique, je vous demande de le présider à titre exceptionnel, conformément à l'article 21 de la Constitution.

« En ce cas, vous voudriez bien soumettre l'ordre du jour à mon approbation. »

Lundi 20 juin 1966.

Il distingue mal les marches de l'échelle de coupée que l'on a placée devant la porte de la Caravelle présidentielle. Il est 16 heures précises et l'avion vient de se poser sur la piste légèrement ondulée de Vnoukovo, l'aéroport de Moscou.

Il se retourne. Il aperçoit Yvonne de Gaulle, son fils Philippe puis, enfin, son aide de camp, le capitaine de corvette Flohic, qui s'avance, lui indique d'un murmure, en se plaçant derrière lui, qu'il y a deux pas jusqu'à la première marche.

Il commence à descendre, regardant droit devant lui vers ces trois silhouettes qui attendent au bas de la passerelle : Leonid Brejnev, secrétaire général du Parti, un peu en avant de Nicolas Podgorny, président du Praesidium, et Alexis Kossyguine, président du Conseil des ministres. Au-delà, il devine les cubes gris des bâtiments de l'aéroport, devant lesquels en masse compacte sont disposées les unités de la garde. Elles forment des taches bleues et noires. Plus loin, c'est la plaine russe et ses arbres frêles, aux feuilles argentées.

Il avance vers les dignitaires soviétiques.

Il se souvient de son premier voyage, ici, en décembre 1944. Vingt-deux ans déjà ! Staline régnait au Kremlin et aujourd'hui Stalingrad a été débaptisé. Qui peut connaître les lendemains ?

C'est la première fois, depuis le 14 juillet 1914, qu'un chef d'État français se rend en Russie. Et il est bien loin le temps de Raymond Poincaré !

Il serre longuement les mains des dignitaires russes. Il fait beau et chaud. Les soldats, en dolman bleu ciel et bottes noires, défilent au pas de l'oie.

Puis c'est tout au long de la route, vers Moscou, une population, sans doute contrainte à se rassembler, qui applaudit. Voici le Kremlin dans sa magnificence, et les dîners somptueux, l'ennui compassé, les longs discours.

« Les Soviétiques nous font entendre leur disque, murmure de Gaulle. Ils récitent leur couplet. Nous récitons le nôtre. »

Enfin, commencent les entretiens.

Il veut parler clair, penché vers ces trois hommes, dont il devine qu'ils l'écoutent avec étonnement marteler qu'il faut que la *détente* succède à la guerre froide. Que la France n'accepte aucune hégémonie, ni celle des États-Unis, ni celle de l'URSS. Et qu'elle ne reconnaîtra pas la République démocratique allemande, cette création de Moscou.

« C'est une institution artificielle que vous avez réalisée là pour les besoins de la cause », dit-il d'une voix presque méprisante.

Mais cela ne doit pas empêcher la coopération, le désir de voir la paix s'établir au Viêt-nam.

Il se rend au Mossoviet, l'hôtel de ville de Moscou. Il s'adresse du balcon à la foule nombreuse malgré l'orage. Elle est chaleureuse, elle se libère – il le sent – des consignes, et applaudit spontanément. Il lance les phrases russes qu'il a apprises : « *Da zdrastvouiti, Droujba Rossi i Frantsi* [1] ! »

Puis ce sont les représentations théâtrales, les visites d'usine, de l'université, le départ pour Novossibirsk, à huit heures de vol ! Le retour, Leningrad, Volgograd, Kiev, Moscou encore et de nouveaux entretiens avec Brejnev.

La fatigue souvent tombe sur lui, comme une masse écrasante. Il marche avec difficulté. Il constate que sa cheville droite a doublé de volume.

1. « Bonjour. Vive l'amitié entre la Russie et la France ! »

Il s'emporte contre ce voyage auquel les Soviétiques ajoutent à chaque fois de nouvelles étapes, une usine ici, un musée là.

Il s'inquiète :

« Il me faudrait du repos que je n'ai aucune chance d'avoir avant la fin du voyage. Je crains de ne pouvoir tenir le coup. »

Il convoque le jeune interne français qui suit le président de la République. Le médecin décide de faire régulièrement des infiltrations.

Il le rabroue. Faites, faites ! De toute façon, il marchera. Il le faut.

Il ne se détend qu'à l'ambassade de France. Avant les réceptions, les jambes allongées, soliloquant, comme si parler ainsi, à bâtons rompus, sans contrainte, avec l'ambassadeur le libérait de cette tension des entretiens officiels.

– Les luttes tartares recommenceront, dit-il. Les Russes reprendront leur place de sentinelle avancée de l'Occident. Alors, la Russie deviendra européenne.

D'ailleurs il n'a rencontré nulle part quelqu'un qui s'avance et dise : « Je suis un militant communiste. » Tous déclaraient : « Je suis ingénieur, je suis professeur, je suis technicien. »

Il a rencontré des savants, à Akademgorod, assisté, à Baïkonour, au départ d'une fusée spatiale, privilège qui n'avait jamais été accordé à un étranger. On a même voulu qu'il soit témoin du lancement d'une fusée balistique. Pour lui montrer la puissance nucléaire de l'URSS ?

Il hausse les épaules.

– Au fond, si on ne s'attarde pas sur les déclarations de propagande, les dirigeants soviétiques mènent une politique pacifique. D'ailleurs, par nature, l'Histoire le démontre, les Russes ne sont pas offensifs.

Il se lève. La jambe est lourde. Il souffre chaque fois qu'il appuie le pied droit sur le sol. La cheville est toujours enflée. L'œdème est d'une rougeur inquiétante.

Il soupire. Il faut oublier cela.

– Les Russes sont un peuple européen, dit-il, un peuple aimable qui possède un certain sens de la discipline et de la collectivité. C'est aussi un peuple facile à gouverner. Les Russes ne sont pas comme les Français qui discutent toute la journée !

Le dimanche 26 juin, il est assis au premier rang, dans la nef de Notre-Dame-de-Lourdes, l'ancienne église de l'ambassade de France.

Le prêtre est un Letton, qui officie lentement, avec émotion. Les chœurs emplissent la voûte de leurs chants graves. Il prie. Il se sent, ici, dans ce pays où l'athéisme est curieusement « religion d'État », l'homme qui incarne la civilisation chrétienne. Et il compte bien la célébrer à Kiev, en rappelant comment une princesse de Kiev, Anne, épousa, au XIe siècle, un roi de France, Henri.

Il se tourne vers Yvonne de Gaulle, qui occupe la place de l'allée centrale. Elle se rend à l'autel pour communier. Il hésite. Il n'a jamais voulu communier publiquement, ni dans la chapelle de l'Élysée, parce qu'il est le président de la République d'un État laïc et qu'il veut strictement respecter la séparation de l'Église et de l'État. Il ne s'autorise à communier que chez lui, dans son village, dans la petite église de Colombey, le dimanche de Pâques.

Durant quelques secondes, il reste ainsi incertain, puis il comprend que le protocole a prévu qu'il communiera. Il a un mouvement d'irritation. Il ne supporte pas de se faire dicter ses choix. Il regarde l'aide de camp. Flohic semble aussi surpris que lui.

Sans doute, l'attaché de presse Gilbert Pérol, un diplomate, a-t-il consulté Yvonne de Gaulle afin d'obtenir la réponse à une question posée par le protocole soviétique. Yvonne de Gaulle a répondu positivement. Le Général communiera.

Bien. Ce geste sera ressenti ici comme une affirmation de foi chrétienne, une condamnation de l'intolérance du régime. Et après tout, ce geste, qu'il n'a pas prémédité, est utile.

De Gaulle marche vers l'autel, et il sait que dès lors qu'il communie toute la suite présidentielle l'imitera.

Il jette un coup d'œil à Yvonne de Gaulle. Elle est radieuse.

C'est déjà le dernier jour.

Il assiste à des manœuvres d'unités blindées, dans le cadre de la simulation d'une attaque atomique. Le ciel est si bas que l'aviation ne peut participer à la démonstration. Mais le mouvement des chars est impressionnant, leur tir précis. Puis il visite les cantonnements de l'unité de la garde, s'adresse aux officiers rassemblés dans le mess.

Il est sensible à l'attention qui raidit ces hommes. Il faut rendre la guerre impossible entre ce peuple et les nôtres.

« C'est un honneur pour moi, dit-il, de prendre contact avec l'armée russe en la personne de ses officiers. L'armée russe ! Quelle histoire est la sienne ! L'armée française, qui elle aussi a porté ses drapeaux dans toutes les régions du monde, mesure en connaissance de cause la grandeur et la gloire de vos soldats ! Je vous le dis de sa part ! »

Il s'en persuade en voyant ces officiers, en mesurant, lorsque les unités défilent, la force de la tradition russe qui commence à faire craquer cette défroque du communisme avec laquelle on avait tenté de déguiser l'empire des tsars.

« Le régime soviétique, ce n'est plus, dit-il, si tant est que cela l'ait jamais été, le pouvoir des ouvriers et des paysans. On passe de l'idéologie à la technocratie. Dans l'opinion, je n'ai pas découvert l'enthousiasme, l'adhésion ardente, l'adhésion du cœur, au régime qui est supporté plus que consenti. Oui, j'ai trouvé plutôt une acceptation. La population m'a paru assez amorphe politiquement. Cependant le régime n'est pas menacé. »

Il n'y a aucun risque à signer avec les dirigeants soviétiques une « déclaration » affirmant la nécessité de la détente. Ou bien de décider la création d'une « grande commission franco-soviétique » permanente, destinée à favoriser les échanges entre les deux pays.

Il est sûr, malgré la « maigreur des résultats », sur lesquels insistent les journalistes qui ne savent jamais regarder au-delà de l'actualité, qu'il a donné un signal. Il sait déjà que les Allemands rêvent d'une *Ostpolitik*, d'ouverture à l'Est. Et il est persuadé que plus la détente s'affirmera et plus les failles s'élargiront en Europe de l'Est. Il compte bien visiter ces pays, la Pologne, la Roumanie, pour rappeler à leurs peuples qu'ils ne sont pas oubliés par l'Europe à laquelle ils appartiennent.

Maintenant, ce 30 juin 1966, il parle devant les caméras de la télévision soviétique pour l'ensemble des peuples de l'URSS.

Quelques minutes pour dire, en dépit de la nécessité d'employer des formules diplomatiques, ce qu'il a ressenti vraiment.

« En survolant vos plaines, vos fleuves, vos forêts, vos montagnes, en voyant près de moi vos hommes, vos femmes, vos enfants, j'étais rempli d'une émotion qui me venait du fond de l'Histoire. Cette émotion, je la ressens au plus haut point en ce moment même. Car me voici devant vous tous pour saluer le peuple russe au nom du peuple français. »

Il parle longuement en russe, sans jamais qu'un mot ne résiste à sa mémoire.

« À tous, je dis que la France nouvelle est l'amie de la Russie nouvelle. »

Mais cela, c'est l'expression de la brève période d'histoire que l'on vit. Il veut exprimer davantage, l'essentiel.

Il ouvre les mains, soulève les avant-bras, comme s'il embrassait des siècles d'Histoire : « La visite que j'achève de faire à votre pays, c'est une visite que la France de toujours rend à la Russie de toujours. »

Balayés les régimes, les idéologies. Les hommes, fussent-ils d'État, ne sont qu'un moment dans l'histoire millénaire des nations.

15

De Gaulle s'arrête devant le figuier qui pousse dans l'angle du mur de la tour de la Boisserie. Il se penche. Certaines années, l'arbre donne une ou deux figues qui ne vont jamais jusqu'à maturité et ressemblent à de maigres bourgeons. Mais le plus souvent, l'arbre est stérile comme si toute son énergie était consacrée à survivre, en ce pays qui n'est pas le sien. Et c'est cette obstination, cette résistance qui fascinent. De Gaulle touche les feuilles rugueuses puis s'éloigne par l'un des sentiers du parc.

C'est sa troisième promenade. Il marche jusqu'aux trembles, s'arrête à nouveau. Les troncs de ces grands arbres sont de plus en plus creux. Ils résisteront moins bien que le figuier à une période de gel ou de bourrasque. Et ce sera douleur que de les abattre, d'apercevoir leur tronc brisé et de découvrir sous l'écorce ce bois fibreux déjà mort.

De Gaulle s'engage sur le sentier qui longe la clôture en treillage, au bas du parc. Il fait un salut amical de la main à l'un des gendarmes postés en surveillance, puis il rentre à pas lents.

À la Boisserie, les choses, les gens lui paraissent fraternels. Il peut méditer, travailler, préparer cette vingtaine de discours qu'il va prononcer, tout au long de ce voyage autour du monde qui commencera le 25 août 1966 pour s'achever le 12 septembre. Parfois, il pense : ce sera cent fois plus accablant que le voyage en URSS, des chaleurs étouffantes de Djibouti ou d'Addis-Abeba aux pluies torrentielles de Phnom Penh. Mais il doit faire entendre sa voix, de la mer Rouge au Pacifique, assister aussi à une explosion nucléaire en Polynésie.

Dieu veuille que le corps résiste à ces fatigues, à ces heures d'avion, à ces longues réceptions, à tous ces regards, des milliers, qui tenteront de saisir un moment de fatigue. Il y aura des dizaines de journalistes à l'affût, comme à l'habitude.

Il a dit à Foccart, l'un des organisateurs du voyage : « Ne m'en faites pas trop faire. Il ne faut pas abuser comme les Russes l'ont fait. On ne peut pas toujours tout faire. Il y a des limites aux forces. »

Mais il tiendra et Yvonne de Gaulle sera, comme à l'habitude, d'humeur égale, apaisante, souriante. Elle adore les voyages en avion.

Il s'installe à son bureau. Il regarde quelques instants les deux livres posés sur sa table, l'un près de l'autre. Il a de l'estime, de l'admiration même pour la personnalité de ces deux auteurs, Romain Gary, compagnon de la Libération, ancien du groupe d'aviation Lorraine, et Emmanuel d'Astier de La Vigerie, fondateur du réseau Libération-Sud, progressiste, qui a été directeur de *Libération*, ce journal financé par les communistes et si souvent critique pour la Ve République.

Mais quoi ! De Gaulle hausse les épaules. Ce sont là des querelles secondaires. Il va féliciter d'Astier pour son livre d'entretiens comme il a adressé, avant sa promenade, « le salut de mon admiration » à Romain Gary.

« Je vous l'écris [son compliment] note-t-il pour d'Astier, après avoir lu successivement votre livre et *Les Mangeurs d'étoiles* de Romain Gary. En somme, ce qui nous rend proches, semblables, valables – à travers nos querelles – nous autres, les "résistants", c'est que nous vivons, nous aussi, avec un rêve et mourrons avec lui. »

Ce « rêve », celui d'une France résistante, obstinée comme ce figuier qui continue de vivre malgré les coups de froid, dans cette région qui lui est hostile, peut-il se poursuivre au-delà de la vie de ceux qui l'ont porté, Gary, d'Astier, de Gaulle ?

Peut-il même aller au-delà de quelques mois ?

En mars 1967, dans à peine six mois, se dérouleront les élections législatives. Et tous se préparent à la curée.

Les communistes ont déjà désigné leurs candidats. Giscard d'Estaing, depuis qu'il n'est plus ministre, consacre toute son énergie à développer les Républicains indépendants, à tenir des conférences de presse, à déclarer qu'il est un « gaulliste réfléchi », qu'il faut repenser l'organisation de la majorité, c'est-à-dire lui faire une place ! Et il installe dans chaque circonscription électorale des fidèles, qu'il se propose de soutenir contre les candidats gaullistes.

Il faut empêcher cela. De Gaulle convoque Foccart, lui répète :

« Si Giscard veut aller à la rupture, qu'il aille donc à la rupture ! La force de Giscard ne vient que de votre faiblesse. Je ne sais pas quand vous comprendrez une fois pour toutes que Giscard est un adversaire. Il n'est pas de la même veine que vous. Il n'est pas de la même nature que vous. Ce n'est pas un gaulliste, mettez-vous ça dans la tête une fois pour toutes et persuadez-vous bien que c'est un adversaire ! À partir du moment où je vous ai dit une fois pour toutes que je voulais qu'il y ait des candidats vraiment gaullistes et qu'en ce qui concerne les Indépendants, ils ne puissent que retrouver leurs sièges, mais rien de plus, c'est à vous de jouer. Et fichez-moi la paix avec Giscard ! »

Mais comment pourrait-il se désintéresser ? Les journaux sont pleins déjà des préparatifs des uns et des autres. Tixier-Vignancour appelle à la constitution d'un front antigaulliste, des socialistes à l'extrême droite incluse ! Mitterrand présente le programme de la FGDS !

Jusqu'aux élections de mars 1967, ce sera un harcèlement continu, qui obscurcira tout l'horizon, dès l'automne 66. Alors, il faut utiliser chacun des jours de juillet et d'août, où chacun fourbit encore ses armes, pour parler au nom de la France, avant que cette voix ne soit voilée par les divisions de la campagne électorale, ou qui sait même brisée.

Il rentre à l'Élysée, reçoit les chefs d'État de l'Afrique francophone.

Il a un instant d'étonnement quand il entend le colonel Bokassa, président de la République centrafricaine, lui lancer sur le seuil du bureau un « bonjour, Père » sonore. Il faut lui expliquer qu'il doit dire : « Monsieur le Président ou bien, si vous voulez, puisque vous êtes de la France libre, appelez-moi mon général, mais ne m'appelez plus père ! »

Il va de l'un à l'autre de ces chefs d'État. Il échange quelques mots avec chacun d'eux, reçoit certains en audience. Si la France veut peser dans le monde, elle doit conserver des liens avec ces nouveaux États. La période coloniale est révolue, mais la mémoire de la présence française est un atout politique, en Afrique, en Asie.

Il accueille le roi du Laos, Savang Vatthana. Il veut que, lors des cérémonies du 14 juillet, le souverain bénéficie de grands égards. Parce que son pays est soumis à cette pression américaine qui s'exerce dans toute la péninsule indochinoise, et qu'il faut dénoncer cette « guerre néfaste » que les États-Unis mènent au Viêt-nam.

Certains l'accusent d'antiaméricanisme. Qelles seront leurs réactions quand ils entendront le discours qu'il compte prononcer à Phnom Penh, et auquel il met la dernière main ! Et puis, il y a aussi ceux qui critiquent ces interventions dans les affaires mondiales : que la France se replie sur l'hexagone, que de Gaulle cesse d'être mégalomane, que la France se dissolve dans l'Europe !

Il secoue la tête. Tant que Dieu lui en donnera la force et tant que le peuple français le soutiendra, il ira jusqu'au bout de son rêve : faire de la France un acteur majeur du jeu mondial.

Le jeudi 25 août, à 18 heures, alors que le jour commence à baisser, la Caravelle présidentielle se pose sur l'aéroport de Djibouti, première étape du voyage autour du monde.

Il s'avance sur la piste : la chaleur est une barrière dense et gluante, qu'il faut forcer. Il se dirige vers la foule, aperçoit dans le flou de sa vision imparfaite, car il refuse de porter ses lunettes, des pancartes brandies au-dessus des têtes. Peu à peu, il réussit à comprendre les cris que pousse la foule : « Nous voulons notre indépendance ! Nous voulons être libres ! » Et parfois, les clameurs « Vive la France ! Vive de Gaulle ! Nous voulons rester français ! » les recouvrent.

On l'avait assuré que l'accueil serait enthousiaste ! Et partout ce ne sont que pancartes, manifestants qu'il faut repousser ; le meeting qui devait se tenir sur la place Lagarde doit être annulé. Et pour dégager cette place, les forces de l'ordre interviennent. Il y aura quatre morts.

Il est impassible. Il sait bien comment on organise ce type de manifestations hostiles avec des populations venues des territoires voisins. « Peut-être, ce qui se passe ici, dit-il, n'est-il pas étranger à mon séjour à Phnom Penh. »

Il faut brouiller sa voix, l'affaiblir. Mais on ne le bâillonnera pas.

« Eh bien, lance-t-il, s'ils la veulent, l'indépendance, ils la prendront. »

Mais ce ne sont pas quelques pancartes qui manifestent une volonté démocratique. Et si on croit l'impressionner ainsi, on se trompe.

Il hausse les épaules. Il est à la tribune de l'Assemblée territoriale, à Djibouti. « Le monde entier est en gestation, il l'est dans toutes ses parties », dit-il. À Djibouti comme ailleurs.

Mais « dans ma longue vie d'activité nationale et internationale, j'ai assisté à d'innombrables événements. J'ai traversé beaucoup de changements et j'ose dire de difficultés. Ce n'est pas un problème de plus, si tant est qu'il est nouveau, qui puisse changer mon état d'esprit » !

Il martèle, les poings serrés : « Le service de la France dans le monde d'aujourd'hui, c'est le service de la paix et une des raisons pour lesquelles certains m'en veulent, c'est précisément cela ! »

Mais il ne pliera pas.

Il se rend à Addis-Abeba. Tant de souvenirs, ici, des temps de guerre. Et ce vieux roi des rois, hiératique, un serviteur tenant près de lui un lion las, au bout d'une laisse. Tout semble immobile et immuable dans ce palais du Négus.

Allons donc ! Il ne faut jamais attendre que l'Histoire vienne à soi. Il faut la devancer, la deviner, la susciter, la faire.

Il est dans l'avion qui vole vers Phnom Penh.

Il vient de déjeuner en compagnie d'Yvonne de Gaulle, dans le petit salon qui leur est réservé. Il appelle Foccart. Il veut bavarder avec lui, aller au bout de ses pensées.

« Oui, vous savez, il faut en prendre son parti, dit-il, Djibouti, ce n'était plus possible d'y rester, et on n'y restera pas, même si, apparemment, on va y faire un référendum... Il y a quelque chose, il y a un courant contre lequel on ne lutte pas. D'ailleurs, c'est pareil aux Comores, et c'est même pis, mais cela n'a pas d'importance. Ce sera la même chose en Nouvelle-Calédonie et à Tahiti, et pour les Antilles aussi, en Guyane également. »

Il jette un coup d'œil à Foccart qui conteste ce scepticisme, ce pessimisme. Mais être lucide ne signifie pas renoncer ! On peut – on doit – lutter, tout en sachant que les « choses » sont peut-être jouées. Un figuier ne s'est-il pas enraciné dans les terres froides de la Boisserie ?

Voici Phnom Penh, les dizaines de parasols dorés, les haies de jeunes filles qui jettent des pétales de rose, les dix-huit kilomètres qui séparent l'aéroport de la résidence royale, et Norodom Sihanouk, le souverain souriant, à la voix aiguë, qui dit en tendant les bras :

« Notre monde actuel, où tant de peuples sont victimes d'injustices ou subissent des actes de guerre, a le plus grand besoin de modernes saints Georges... qui osent défendre, même contre le gré de leurs alliés, la justice, le bon droit et la paix. »

La foule crie : *« Taiaut de Gaulle, Taiaut la France »*, ce qui signifie « Vive de Gaulle ! Vive la France ! »

Partout, le même enthousiasme, le même faste raffiné, comme si la soie des vêtements enveloppait toute la ville. Course de pirogues, cérémonie dans la salle du trône, visite des temples d'Angkor, spectacle son et lumière qui anime les statues. Et puis, l'instant attendu : le discours dans le stade de Phnom Penh, devant plus de cent mille personnes.

De Gaulle s'avance vers la tribune. Face à lui, dans les gradins, à l'aide de panneaux, des jeunes gens composent son portrait, immense, puis écrivent « Vive la France ! Vive de Gaulle ! Vive l'amitié franco-khmère ! »

Il reste un moment silencieux à contempler ce spectacle. Puis il commence à parler. Il veut que ce discours soit entendu dans le monde entier. Et il le sera. Il le sait. Il l'a écrit à cette fin, pour qu'il éclate comme un coup de tonnerre.

Il parle, regardant devant lui, puisant dans sa seule mémoire les phrases pour dénoncer l'intervention américaine au Viêt-nam, les dangers qu'elle recèle pour la paix dans le monde, les souffrances qu'elle inflige à des peuples.

« Oui, s'écrie-t-il, la position de la France est prise ! Elle l'est par la condamnation qu'elle porte sur les actuels événements... »

Il veut parler plus haut encore :

« La France considère que les combats qui ravagent l'Indochine n'apportent par eux-mêmes, et eux non plus, aucune issue. Suivant elle, s'il est invraisemblable que l'appareil guerrier américain vienne à être anéanti sur place, il n'y a aucune chance pour que les peuples de l'Asie se soumettent à la loi de l'étranger venu de l'autre rive du Pacifique, quelles que puissent être ses intentions et si puissantes que soient ses armes. »

L'a-t-on bien compris ?

Il lève les bras.

« Bref, pour longue et dure que doive être l'épreuve, la France tient pour certain qu'elle n'aura pas de solution militaire. À moins que l'univers ne roule vers la catastrophe, seul un accord politique pourrait donc rétablir la paix. »

Quant à l'Amérique, qu'elle « rapatrie ses forces dans un délai convenable et déterminé ».

Il a encore en mémoire, dans l'avion qui le conduit en Nouvelle-Calédonie, puis en Polynésie, les acclamations qui ont ponctué ce discours.

Et il lit les premières réactions de la presse. Titres énormes partout ! « Sommation sans frais à l'égard de Washington », écrit *Le Monde*. Et naturellement, revient l'accusation d'antiaméricanisme, se développe l'analyse selon laquelle il a voulu lancer un « défi » aux États-Unis.

Pourquoi ne peut-on pas imaginer qu'il a seulement dit ce qu'il pensait et qu'il a prononcé ce discours pour tenter d'un mouvement presque désespéré d'arrêter une guerre qui peut déboucher sur un conflit élargi, une guerre qui massacre pour rien ! Il en est sûr, comme il l'était pour l'Algérie : il n'y a pas de solution militaire.

C'est déjà le début de septembre.

Ce voyage est long. Ces réunions, ces déjeuners, ces dîners, ces réceptions avec les notables de Nouvelle-Calédonie, puis ceux des îles de Polynésie, ces danses, ces chants, ces discours, il doit subir tout cela. Il est las ; il fait face, ne montrant aucune irritation. Mais parfois, devant une nouvelle obligation, il ne peut empêcher sa colère d'éclater.

Il lance à Foccart : « Vous me gaspillez en menue monnaie ! »

Puis, il se reprend : « Vous savez, ces voyages, c'est fatigant, c'est énervant. Alors, je me mets en colère et j'ai tort. Après, je le regrette... »

Il refuse le fauteuil qu'on lui avance au palais du gouverneur, à Papeete. Il est encore capable de rester vingt-cinq minutes debout pour assister à des danses. Il veut le prouver à tous ces spectateurs curieux, et il se lance le défi à lui-même. Vieil arbre qui ne rompt pas !

Il embarque, le samedi 10 septembre, en compagnie des ministres Messmer, Peyrefitte et Billotte, à bord du croiseur *De Grasse*, afin d'assister à une explosion nucléaire au large de Mururoa.

Il se tient en avant des ministres, dans la passerelle vitrée. Il a revêtu la combinaison protectrice. Il attend. Mais il faut remettre l'expérimentation au lendemain. L'explosion doit avoir lieu dans l'atmosphère et les conditions météorologiques sont mauvaises. Le ballon qui porte la bombe s'est en outre déchiré.

Patienter un jour de plus. La vie est faite ainsi d'obstacles inattendus ou prévisibles, et il a appris qu'il faut à la fois les accepter comme inéluctables et en même temps s'efforcer de les franchir.

Prévoir le pire, toujours, et faire comme si, malgré tout, il était possible d'obtenir le meilleur.

Le 11 septembre 1966, enfin, c'est la réussite parfaite de l'expérience, dans un « ciel de curé », comme disent les marins lorsque le temps est beau.

Quelques instants, en se tournant vers les ministres debout près de lui, il éprouve de la joie. Cette force dont la France dispose doit donner à sa voix plus d'écho en faveur de la paix, de l'indépendance des nations. Tel est le but !

Dans l'avion du retour, ce 12 septembre, il lit les dépêches qui font état des premiers commentaires. Ironiques ici, accablés là, sceptiques presque partout, indignés chez les communistes et les socialistes. Et naturellement les atlantistes ajoutent au concert des opposants leurs protestations contre le discours de Phnom Penh qui « ne passe pas », « contraire à la cause de la paix » !

Il ferme les yeux.

Voilà des jours et des jours qu'il ne dort – et mal – que quelques heures par nuit. Et pourtant, il résiste. Ses proches lui ont souvent paru plus épuisés que lui. Et c'est lui qui prononce les discours, serre les mains et, entre chaque réception, signe les parapheurs que le Premier ministre lui fait parvenir de Paris par la valise diplomatique.

Il a une bouffée d'orgueil. Il est bien un vieil arbre difficile à déraciner.

Il ouvre les yeux. L'atterrissage à Paris est prévu pour 22 h 35. Yvonne de Gaulle, près de lui, range ses aiguilles et sa pelote de laine.

16

De Gaulle va et vient dans son bureau de l'Élysée. Il se sent mal à l'aise, d'humeur irritable et maussade. Peut-être est-ce dû à la fatigue accumulée tout au long de ce voyage, à la difficulté qu'il a, depuis son retour, à retrouver le sommeil. Et il n'a pas pu quitter Paris pour Colombey, ce samedi 17 septembre 1966. Il doit recevoir des lettres de créance, lire des notes accumulées, signer des messages de remerciements aux chefs des territoires qu'il vient de visiter, aux commandants de troupes. Il commence à les lire. Il ne peut pas parapher ces lettres aussi mal rédigées ! Il commence à raturer puis, tout à coup, la colère l'emporte. Il balaie ces feuillets d'un mouvement de la main.

– Non, je ne veux rien écrire, tout cela est ridicule, lance-t-il.

Il a la sensation d'être à nouveau prisonnier d'un marécage, de cette atmosphère politique parisienne dominée par le souci des prochaines élections de mars 1967, où donc tout est prétexte pour attaquer le « pouvoir personnel », selon la formule des communistes et de François Mitterrand. Il faut, dit le président de la FGDS, que tous les républicains se rassemblent. Et il est en passe d'obtenir des communistes et des radicaux un accord de désistement au second tour des élections. Il utilise tous les thèmes : de Gaulle est un nationaliste, ou bien son régime est truffé de tueurs, d'aventuriers, de barbouzes, et il finance et manipule réseaux et polices parallèles.

Un jour, les atlantistes de l'opposition – Lecanuet, Mitterrand – regrettent le départ des organismes de l'OTAN à Bruxelles, un autre, on condamne ce qui serait un renversement d'alliance, illustré par le voyage en France du président du Conseil des ministres soviétique, Alexis Kossyguine, et l'on dénonce les attaques contre la politique américaine au Viêt-nam, ou l'accueil fait au Soviétique. De Gaulle n'a-t-il pas dit : « Voici qu'encore une fois, la raison se joint à l'instinct pour amener la Russie et la France à agir en commun » ?

Et naturellement, à chaque difficulté du gouvernement, on exulte ! Les législatives doivent permettre enfin de renverser ce pouvoir qu'on dit impopulaire : les grèves à la SNCF, à la RATP, aux PTT ne se multiplient-elles pas ? Comme les manifestations paysannes qui dégénèrent parfois en violents affrontements : les agriculteurs saccagent la sous-préfecture de Morlaix au terme d'une véritable émeute.

Et puis, il y a l'affaire Ben Barka, le procès qui vient de s'ouvrir. Chaque jour, la presse martèle les accusations. De Gaulle éprouve à la lecture de ces articles de l'indignation et de l'amertume. Il a pourtant dit et redit : « Ce qui est inadmissible, c'est qu'un ministre du roi du Maroc ait pu enfreindre la souveraineté française et accomplir un crime sur le territoire français... »

Et il n'a pas donné suite aux tentatives d'« arrangement » proposées par des « envoyés » du roi du Maroc... « Tant pis pour eux, dit-il, et qu'Oufkir soit condamné ! » Mais la presse ne tient aucun compte de cela.

Il n'y a pas que les opposants pour le harceler. Il est sollicité de toutes parts. Foccart lui soumet des

223

listes de candidats aux législatives, des cas à trancher. Le fils de Jacques Vendroux veut se présenter à Saint-Pierre-et-Miquelon.

De Gaulle lève les bras. Son neveu, maintenant !

– Je ne vois pas du tout pourquoi il aurait l'investiture si ce n'est sa parenté avec moi, si bien que l'on dirait que c'est moi qui l'envoie ! Alors, je n'y suis pas du tout favorable !

Mais il connaît Foccart, qui reviendra à la charge jusqu'à obtenir satisfaction, par lassitude.

Il ne veut plus entendre Foccart, ce soir.

– Quand vous aurez réglé tous les problèmes, vous m'en parlerez ; d'ici là, ce n'est pas la peine.

Sombre automne. Il sent que le pays change, s'industrialise, mais les campagnes se vident, les banlieues des villes s'étendent. Il faut créer des villes nouvelles autour de Paris. La croissance est là, près de 8 % par an d'augmentation du produit intérieur brut, et les salaires augmentent, mais insuffisamment, moins de 3 %. C'est bien la question sociale qui est décisive.

De Gaulle prend une feuille de papier, il écrit à grands traits.

« Pour les Français, l'avenir doit être le progrès. Le progrès, c'est-à-dire la prospérité et la justice. »

Il note rapidement : « Expansion... emplois stables bien rémunérés, correspondant aux goûts de chacun pour les jeunes générations... Grands équipements collectifs... La justice, cela veut dire d'abord que chacun ait sa chance dès le départ... Réforme de l'éducation nationale, transformation du régime économique et social assurant au plus modeste un niveau de vie satisfaisant... Promotion des femmes... Protection des faibles et sécurité pour les personnes âgées... La justice, c'est enfin dans l'ordre humain l'accession de tous, non seulement au bien-être, mais à la culture et à la liberté sociale et économique. »

Il relit. Ce devrait être cela le point de départ d'un manifeste de politique générale.

Mais sur qui compter pour mettre en œuvre un tel projet ! Peut-être faudra-t-il, après les élections, remplacer Pompidou, trop conservateur, trop soucieux désormais de sa propre carrière et des appuis qui lui sont nécessaires pour la réaliser. Qui pour lui succéder ? Peut-être Couve de Murville, haut fonctionnaire, remarquable agent d'exécution, qui a le sens de l'État, qui n'est pas choqué quand on dit devant lui que « les conditions du siècle nous amènent sans renier l'esprit d'entreprise à pratiquer un dirigisme grandissant ».

Pompidou, au contraire, s'en va, répétant : « La vérité est que le général de Gaulle n'aime pas les gens qui gagnent de l'argent ! »

Le Premier ministre prend trop de liberté, multiplie les initiatives à son profit. Il veut publier un *Programme de la majorité*. Inacceptable. Qui dirige ?

« Mon cher Premier ministre, écrit de Gaulle.

« Je trouve fâcheux, et d'ailleurs inadéquat au point de vue constitutionnel, de faire faire un "programme" par un Comité de la majorité... C'est le chef de l'État et le gouvernement qui ont à faire le programme... D'autre part, sortir un "programme de la Ve République", c'est... m'engager moi-même, ce que je n'admets pas. Et d'autant moins que ce qui m'est soumis me vient deux jours avant d'être adopté et publié... En résumé, je désapprouve le projet.

« Bien cordialement. »

Il soupire. Si banale et tellement prévisible l'ambition d'un homme de qualité !

Il écrit rapidement quelques mots en réponse à l'envoi d'un livre. « Tout recommence toujours !... De toutes les choses du monde, la plus consolante est sans doute que tout s'est déjà passé. »

Que n'a-t-il déjà vécu ? Combien d'hommes côtoyés, estimés, combattus, qui ont disparu ?

Il vient d'apprendre, il y a quelques heures à peine, la mort de Paul Reynaud.

De douze ans son aîné ! Quatre-vingt-huit ans.

Il ressent une profonde tristesse parce que reviennent les souvenirs, ceux de 1940. Il revit ces jours de juin. Comme dans toutes les périodes cruciales, c'était une « sombre confusion enfantant un destin colossal » pour le monde entier. Et pour lui.

Il reste un long moment, la tête baissée, puis dit à Yvon Bourges, secrétaire d'État à l'Information : « Paul Reynaud m'a nommé sous-secrétaire d'État à la Guerre, et ce faisant, il a été pour moi l'instrument du destin. Appartenant au gouvernement, je devenais un homme politique. Je sortais de la hiérarchie militaire. Ayant quitté ce jour-là l'armée pour la vie publique, je n'y suis plus jamais retourné. »

Bien sûr, ces dernières années, Reynaud est devenu un opposant. Mais cela est si peu de chose par rapport à ce « grand drame de notre histoire où nous eûmes à porter successivement les suprêmes responsabilités » !

Paul Reynaud mort, Alphonse Juin, le vieux compagnon de Saint-Cyr, malade, mourant. Une époque se termine.

Et il suffit de garder les yeux ouverts pour découvrir combien celle qui vient est différente. Cette jeunesse nombreuse qui paraît avoir perdu la plupart des valeurs qui étaient celles de ses pères, que lui offrir comme avenir ? Que lui proposer comme sens de la vie ? Il faut que ce pays s'adapte, se réforme. De Gaulle a le sentiment de l'urgence et en même temps l'impression qu'il manque de point d'appui pour le levier sur lequel il veut peser.

Il se retire pour quelques jours à la Boisserie, le temps d'y préparer dans le silence de l'automne la conférence de presse qu'il veut tenir le 28 octobre.

Il travaille longuement dans son bureau, puis il sort dans le parc, marche en compagnie de son beau-frère Jacques Vendroux.

Il aime ces retrouvailles, cette certitude de pouvoir se confier, dire combien le déçoit l'attitude du nouveau gouvernement allemand, dont le chancelier Kiesinger et le ministre des Affaires étrangères Willy Brandt nouent des liens de plus en plus étroits et préférentiels avec Washington. Que devient, dans ces conditions, le traité franco-allemand ? C'est pour compenser cela qu'il faut établir avec la Russie des relations amicales, ainsi sera maintenu un équilibre qui permettra à la personnalité européenne de s'affirmer.

Il s'arrête.

Les bois sont dorés dans la lumière déjà rase de ce début d'après-midi. Les horizons sont doux.

Il interroge Vendroux sur le climat qui règne à l'Assemblée.

« Manque de tonus, dit Vendroux. Le cœur n'y est plus. Tout le monde pense aux élections de mars 1967. Les grandes manœuvres commencent déjà. »

De Gaulle hausse les épaules. Le pouvoir du président n'est pas directement en cause dans ces élections, mais il compte intervenir, au début et à la fin de la campagne électorale, malgré les criailleries que cela provoquera.

On rentre. La nuit tombe. On s'assied dans le salon-bibliothèque. On fait une flambée dans la cheminée. Vendroux évoque des souvenirs. De Gaulle écoute, silencieusement. Il n'aime pas que l'on revienne ainsi avec regret sur le passé. Il envisage de continuer ses *Mémoires*, dit-il tout à coup. Ainsi, il tentera d'en faire une leçon pour l'avenir.

Il se lève. Il va relire le texte des déclarations qu'il a prévu de faire à sa conférence de presse. Décidément, à soixante-seize ans bientôt révolus, il est encore trop jeune pour la nostalgie !

Il regarde, ce vendredi 28 octobre 1966, les journalistes rassemblés dans la grande salle des fêtes de l'Élysée. Il éprouve une impression de lassitude, le sentiment qu'il a déjà tout dit, que cette conférence de presse, nécessaire certes, est devenue un rituel un peu vain.

« La France, actuellement, ne vit pas de drame », commence-t-il.

Est-ce pour cela qu'il ne sent pas de tension ? Il affirme la nécessité de l'indépendance et, peu à peu, il est repris par la passion.

Tant d'esprits, dit-il, et « non des moindres », ont renoncé à l'indépendance de la nation ! Les uns tournés vers l'Internationale, c'est-à-dire vers Moscou, les autres désireux de fondre la France dans une « Europe fabriquée tout exprès » ou dans l'OTAN, ou dans le Fonds monétaire international. Eh bien, ce n'est pas la politique de la France ! Et sur le plan économique aussi, elle se veut indépendante, pas question qu'elle se soumette aux impératifs de la Bourse, par exemple.

Il s'arrête un instant. Il frappe la table du poing.

« Mais, vous savez, la politique de la France ne se fait pas à la corbeille ! »

Un murmure. Ils retiendront la formule. Pour le reste, il faut redire que les travailleurs doivent « avoir légalement leur part et du même coup leurs responsabilités dans les progrès des entreprises, étant donné qu'ils y participent directement par leur effort et leur capacité ».

Mais ce ne sont pas ces transformations sociales qui intéressent les journalistes. Ils veulent de « l'élection » ! On l'accuse de pouvoir personnel ? Trois élections législatives, quatre référendums, une élection du président de la République au suffrage universel, énumère-t-il. Qui dit mieux ?

Il écarte les mains, il hausse la voix.

« Aucun régime, à beaucoup près, n'a été aussi démocratique que celui qui fut fondé en 1958 ! »

Il regagne son bureau. Maintenant, chaque jour, on lui soumet des questions électorales. Il soupire. Il faut bien trancher, rappeler quelques vérités à tous ces « zigotos » qui « grenouillent ».

À tout seigneur, tout honneur. Giscard d'Estaing d'abord, qui élève le ton, déclare que, face au pouvoir, il y a plusieurs types de réactions possibles, le *non*, le *oui*, le *non mais* ; la sienne c'est le *oui mais*...

Il faut lui répondre durement, le remettre à sa place, lui dire « On ne gouverne pas avec des mais » !

« Dites-vous bien, répète-t-il à ses proches, que Giscard, ce n'est rien du tout. Il veut être président de la République, mais dès lors qu'il n'est plus avec nous, dès lors qu'il n'est plus ministre, il perd déjà de son audience et on s'apercevra vite dans le pays que Giscard, ce n'est rien. Il ne pèsera pas lourd le jour où il se déclarera contre nous... »

Il suffira aussi de soutenir certains de ses « amis » Républicains indépendants. « Ils n'hésiteront pas une seconde à le lâcher, à le trahir, dans l'espoir d'avoir un portefeuille ! »

Les hommes sont ainsi.

« Ils sont tous les mêmes, dès qu'ils ont été ministres, cela leur monte à la tête et ils changent complètement ! »

Il parle avec une sorte de rage contenue.

« Ne vous laissez pas faire, dit-il à Foccart qui, une fois de plus, vient lui soumettre des listes de candidats. Ne vous laissez pas faire par tous ces zigotos qui se prétendent gaullistes et par ceux qui, au nom de la gauche, au nom de Giscard, au nom de tel ou tel, veulent avoir des places. »

Il serre les poings. Il s'agit, ici aussi, de caractère, de résistance.

« Il faut tenir bon, reprend-il. Il faut tenir ferme. Rien de tout cela n'existe, ce sera pulvérisé lorsque, en fin de compte, la décision sera prise. Ils ne pourront rien faire. Surtout ne vous laissez en aucune façon intimider par tous ces gens. »

Par moments, il se sent entraîné par cette machine électorale.

L'UNR a fait appel à une agence de communication, spécialisée dans le « marketing politique » comme ils disent, la même qui, sous la direction d'un M. Michel Bongrand, avait « vendu » Jean Lecanuet, lors des élections présidentielles !

Et Foccart lui apporte les projets d'affiches. Sur les unes, de Gaulle apparaît, sur les autres, c'est Pompidou et le candidat, et la dernière ne représente que ces derniers. Bongrand aurait dit : « La Ve République est désormais plus populaire que son fondateur ! »

Et on voudrait que de Gaulle donne son avis !

« Je ne veux pas les voir, je m'en moque, lance-t-il. Cela m'est égal, fichez-moi la paix ! Je ne veux pas les voir. Tout cela n'a pas d'importance ! »

Il se calme. Il sait bien que le résultat des législatives va déterminer la liberté d'action plus ou moins grande du gouvernement. Il faut donc accepter d'écouter Pompidou, Foccart, et faire pression sur tel ou tel ministre pour qu'il accepte d'être candidat ici ou là. Malraux, disent les experts en questions électorales, serait le seul à pouvoir conquérir un siège à Neuilly. Couve de Murville va se présenter à Paris. Et il faut qu'il gagne pour pouvoir succéder à Pompidou qui se présente dans le Cantal.

Mais Malraux et d'autres se dérobent. Il n'en veut pas à Malraux, pas davantage à Pierre Lefranc, qui s'est finalement récusé. L'un et l'autre ne seront pas candidats. Ce sont des hommes de courage et, après tout, comme dit Lefranc, il faut pour être parlementaire des « qualités de subtilité, de souplesse et d'oubli » dont on peut ne pas se sentir doté. Mais tant d'autres ne sont que des prudents qui ne veulent jouer qu'à coup sûr.

Pour celui-ci ou celui-là, il ne veut pas intervenir :

« Je m'en fiche, lance-t-il. Qu'il fasse donc ce qu'il veut. Si les uns et les autres se dégonflent comme cela, qu'est-ce que vous voulez, moi, je n'y peux rien ! »

Il hausse les épaules. Il a appris à agir avec la réalité telle qu'elle est et à dire les choses telles qu'elles sont, et à qui que ce soit ! Il ne va pas devenir un flatteur alors qu'il vient d'entrer dans sa soixante-dix-septième année !

Il rencontre les journalistes aux vœux de la presse, ce lundi 2 janvier 1967. Il est froid, distant. Que voudraient-ils donc, ces messieurs-dames, qu'il leur fasse des ronds de jambe alors qu'ils ne cessent de l'attaquer, déformant ses propos et complaisants à l'égard des opposants ?

Alors, autant leur dire leur fait !

« Ce que vous écrivez est oublié le lendemain et j'en ai tellement vu depuis trente ans que d'avoir la presse contre moi... ne me fait ni chaud, ni froid. »

Il sent monter la tension autour de lui et dans la presse, au fur et à mesure que l'on se rapproche du 5 mars, date du premier tour des élections législatives. Il n'y cédera pas. Il doit continuer imperturbablement à exécuter sa tâche de chef de l'État, recevant l'ancien chancelier Adenauer, le prince Sihanouk, le chancelier Kiesinger et Willy Brandt. Il inaugure la centrale marémotrice de la Rance, il commémore le vingtième anniversaire de l'Unesco, il assiste aux funérailles nationales du maréchal Juin. Et chaque jour, ces décisions qu'il faut prendre, cependant que la campagne électorale commence, Pompidou tenant meeting sur meeting. Il suit au journal télévisé les débats de Pompidou qui affronte Mitterrand à Nevers, Mendès France à Grenoble. Il murmure : « Mendès France, c'est un cheval qui ne s'attelle pas. »

Il s'interroge : « Est-ce que ces grandes réunions changeront le résultat ? » Elles installent en tout cas Pompidou au premier plan. Il voit le Premier ministre assis au milieu des quatre cent soixante candidats, lors d'un grand rassemblement qui se tient au palais des Sports, à Paris. L'homme s'impose et, plus que jamais, se présente en chef de la « majorité », comme il dit. Il s'installe en successeur.

Majorité ? Qu'est-ce que ce mot-là ? Il préfère rassemblement autour du chef de l'État.

Mais sera-t-il encore maître des cartes, au lendemain des élections ?

Pourra-t-il remplacer un Premier ministre ayant acquis une telle autorité ?

Il faut jouer un jeu subtil : à la fois intervenir dans la campagne et ne pas apparaître trop engagé par ces élections législatives, se placer non du point de vue d'un camp, majorité ou opposition, mais du point de vue de la France.

Il prononce deux allocutions télévisées, le 9 février, puis le 4 mars, « à la veille du jour où le pays va voter après avoir entendu tant et tant d'arguments opposés ».

Il dit que les oppositions « juxtaposées pour détruire... seraient incapables de construire » et cela n'aboutirait donc qu'à des « ruines désastreuses ». Et comment, si les partis l'emportaient, « faire tout ce qu'il faut faire » pour le pays ? Et lui, de Gaulle, pourrait-il alors « garantir le destin de la France » ?

« Françaises, Français ! Vous le voyez ! Une fois de plus, au moment décisif, je vous ai parlé pour la France. »

Il part pour Colombey. Dans l'avion qui le conduit jusqu'à Saint-Dizier, puis dans la voiture qui roule vers la Boisserie, il feuillette les journaux. Ils donnent un large écho aux déclarations des opposants qui s'insurgent contre ces deux discours de « propagande » ou crient au « scandale », à l'information totalitaire, à une « télévision aux ordres », au pouvoir personnel !

Mais devrait-il être le seul homme politique à ne pas donner son avis ? Lui qui a été élu au suffrage universel, qui dispose de la légitimité nationale, devrait-il « laisser faire » comme un président qui « inaugure les chrysanthèmes » ?

Il vote, dans la petite mairie de Colombey, ce dimanche 5 mars 1967, puis, l'après-midi, entre deux brèves averses, il se promène dans le parc de la Boisserie. Mêmes chemins, mais la nature est si changeante ! Le ciel mouvant comme un océan ! Il imagine le jour où – peut-être bientôt – il vivra ici, loin des rumeurs de la place publique. Il pense à ses *Mémoires* qu'il doit reprendre, afin de poursuivre son récit au-delà de 1946.

Il marche à pas lents, dans le vent aigrelet qui secoue les premières feuilles. Il emprunte l'allée qui longe le mur, parallèlement à la route de Clairvaux, jusqu'au tennis, et revient sur ses pas, passant près du golf miniature. Il pourrait, s'il vivait retiré ici, accueillir plus souvent ses petits-enfants. Parfois, il se demande si ce qui reste d'une vie n'est pas d'abord cette relation aux siens.

Il s'arrête. L'aide de camp Jean d'Escrienne le rejoint, annonce que le pourcentage de participation est, à cette heure de la journée, élevé.

Il ne veut pas répondre. Il montre ces défrichements opérés à flanc de coteaux, sur des terrains incultes. On replante de la vigne, là où l'exposition au soleil le permet. D'ailleurs, ajoute-t-il, en Allemagne, il a vu des gravures représentant le pays de Bar-sur-Aube, pendant la guerre de 1870 : le vignoble s'étendait partout. Puis il a disparu et, aujourd'hui, il revient dans le but de faire du vin de Champagne.

« Tout recommence toujours », murmure-t-il.

Le soir, il attend les résultats devant le télé-viseur : 37,75 % des voix pour les candidats de la « majorité ». Il écoute sans répondre les commentaires que, depuis l'Élysée et Matignon, le secrétaire général de la présidence et Georges Pompidou font de la situation. Ils sont optimistes pour le second tour : l'UNR réalise un gain de voix de près de 20 % par rapport à 1962.

Mais une élection se joue en deux manches.

Il rentre à l'Élysée, le mardi 7 mars.

Il hoche la tête quand Foccart répète « l'ensemble est bon ».

« Oui, c'est convenable », se borne-t-il à dire.

Il a un pressentiment. Les communistes ont progressé, dans le Nord où les mineurs sont inquiets pour l'emploi, dans les pays viticoles où les paysans contestent la politique agricole. Naturellement, les résultats sont mauvais là où se concentrent les pieds-noirs. Et puis, il y a ces querelles entre les « gaullistes » qui se disputent entre eux pour passer à la télévision.

Il s'indigne.

– J'en ai assez de ces gens qui ont envie de ceci ou de cela et qui s'occupent d'eux-mêmes. Ce qu'il faut voir, c'est l'intérêt général. Il n'y a pas de raison que Debré parle. Je ne vois pas pourquoi il fait toutes ces histoires.

Il reçoit Pompidou qui, maintenant, après un examen attentif des résultats, se montre prudent : « On verra dimanche prochain », se contente-t-il de commenter.

Le 12 mars, dès le début de la soirée, l'échec est là, flagrant. Perte de près de quarante sièges pour l'UNR. Majorité absolue conservée certes, mais à un siège près : deux cent quarante-quatre pour la majorité sur quatre cent quatre-vingt-sept députés. Et quarante-trois députés sont des Républicains indépendants : Giscard d'Estaing va constituer un groupe parlementaire et détenir ainsi la clé de tous les scrutins. Les communistes ont gagné trente-deux sièges. Et la FGDS de Mitterrand rassemble cent vingt et un députés. Plus grave : en pourcentage des voix, les opposants obtiennent 46,4 % des votes et la majorité 42,6 %.

Toute la journée du lundi 13 mars, de Gaulle reste à la Boisserie, écoutant et lisant les commentaires qui se succèdent.

On annonce bien sûr la mort du « gaullisme ». C'est comme si on oubliait que les partisans de la Ve République gardent – avec les « giscardiens » en leur sein – la majorité absolue, fût-elle d'un siège. Mais il est déçu par l'échec de Maurice Couve de Murville, battu de quelques centaines de voix dans le VIIe arrondissement ! Impossible donc d'en faire le successeur de Georges Pompidou, élu dans le Cantal.

Il s'en va au bout du parc. Il regarde cette forêt de Dhuis. Il va les affronter, ces nouveaux opposants, ces « jeunes loups », ces « jeunes sangliers » de la FGDS, Roland Dumas, Charles Hernu, dont parle la presse.

Il rentre à l'Élysée, le 14 mars.

Mais, tout à coup, dans son bureau, il sent l'amertume monter, déborder. Faut-il qu'il continue de « labourer la mer » ?

« Ils m'ont assez vu, dit-il. Notez bien que je ne me suis jamais fait d'illusions. J'ai toujours pensé que la IVe République reviendrait au galop dès que j'aurais tourné les talons... Je n'imaginais pas cependant que cela pourrait se produire de mon vivant, moi étant encore présent à l'Élysée ! »

Le lendemain, le mercredi 15 mars, il reçoit Michel Debré. Il sait qu'il peut évoquer toutes les hypothèses devant ce compagnon fidèle, qui a le sens de l'État. Pourquoi ne pas lui dire qu'il a été à nouveau, hier, en retrouvant ce bureau, saisi par la tentation du départ ?

« Je me suis dit qu'il valait mieux ne pas me compromettre avec tous les grenouillages qui vont avoir lieu. Mieux vaut que je laisse une figure intacte plutôt que de m'abaisser à des contestations sans relief. »

Il baisse la tête, les yeux mi-clos.

« Tout le monde ne peut pas mourir à Sainte-Hélène, mais je peux au moins disparaître à Colombey, laissant à la postérité le souvenir d'un homme qui ne s'est pas compromis dans les combinaisons. »

Il reste un long moment silencieux, se redresse. Mais, reprend-il, il a décidé, dans la nuit, de continuer le combat.

– D'abord, dois-je garder Pompidou ? demande-t-il.

Il connaît la réponse, Debré la partage : il faut que Pompidou demeure Premier ministre si l'on ne veut pas, en le renvoyant, renforcer le sentiment d'échec. Et l'on peut d'ailleurs, précise Debré, pour quelques mois, dans le domaine économique et social, gouverner par ordonnances, et ce jusqu'au 31 octobre 1967.

De Gaulle se lève.

Il conservera également Couve de Murville aux Affaires étrangères et Messmer, battu lui aussi, à l'Armée. Il compte faire de Peyrefitte le ministre de l'Éducation nationale, de Fouchet le ministre de l'Intérieur, et de Louis Joxe le garde des Sceaux. On fera entrer dans le gouvernement de vieux compagnons, Maurice Schumann, Edmond Michelet, Olivier Guichard. Naturellement, Malraux reste aux Affaires culturelles, Debré à l'Économie et aux Finances, et Edgar Faure à l'Agriculture. Pompidou veut aussi promouvoir quelques-uns de ses proches, ainsi ce Jacques Chirac, qui fut membre de son cabinet, deviendrait secrétaire d'État chargé de l'Emploi. Mais le gouvernement ne sera connu que le 7 avril, après l'élection à la présidence de l'Assemblée. Chaban-Delmas est candidat et doit être réélu.

Il raccompagne Michel Debré jusqu'à la porte.

Il parle à voix haute, presque pour lui-même. Comment se fait-il que si peu de notables, d'hommes politiques, comprennent une orientation nationale ? Et qu'une nation ne puisse subsister dans un effort constant ? N'est-ce pas là un signe de décadence ?

– S'il y avait eu des élections, dit Debré, jamais Richelieu n'aurait eu la majorité.

– Oui, mais, il avait Louis XIII, il n'avait pas besoin du consentement populaire.

De Gaulle s'interrompt. Il ajoute.

– Rien n'empêche, ni n'empêchera que le peuple veuille voir améliorer son sort. Tirons-en les conséquences.

Il se sent déterminé et sombre, sans illusions. Il voit ce qu'il faudrait faire. Mais il ne peut changer de Premier ministre et, à l'Assemblée, Giscard d'Estaing et son groupe sont les arbitres de la situation.

– Il faudra qu'on en arrive à cette affaire d'intéressement, dit-il.

Il hausse les épaules, pointe le doigt vers Foccart qui est debout devant le bureau.

– Je sais très bien que le patronat est contre. De toute façon, il a été de tout temps contre nous. Mais je n'ai pas de ministre autour de moi, je n'ai personne parmi tous les hommes d'État de mon entourage, qui soit capable de s'opposer aux patrons. Pompidou lui-même est réceptif aux arguments du patronat.

Il secoue la main.

– Tout cela doit cesser car notre électorat ne se trouve pas dans ce camp-là et, de toute façon, c'est une grande œuvre à entreprendre. Quand je suis venu, il y avait un certain nombre de choses à faire en priorité...

Il les énumère, comme s'il les comptait sur ses doigts : décolonisation, ordre à l'intérieur, crédit à l'étranger, monnaie saine...

Il ajoute d'une voix résolue :

– Eh bien, maintenant, je vais m'occuper moi-même de la dernière chose qui reste à faire, c'est-à-dire mettre au point cette politique d'intéressement. Il faut que ce soit une véritable révolution.

Sixième partie

Avril 1967 – 2 mai 1968

... J'animerai le théâtre aussi longtemps que je pourrai et puis, après moi, ne vous faites pas d'illusions, tout cela retombera et tout cela s'en ira.

Charles de Gaulle à Jacques Foccart,
23 août 1967.

17

De Gaulle pose le stylo. Il relit la lettre qu'il vient d'écrire à sa sœur :

« Ma chère Marie-Agnès... »

Elle est le dernier témoin des temps de l'enfance.

« J'ai été très touché et encouragé par ce que tu m'as écrit à l'occasion de l'anniversaire de la victoire d'il y a vingt-deux ans. »

Déjà ! En 1945, il n'avait donc que cinquante-quatre ans ! Et maintenant, il est au mitan de sa soixante-dix-septième année !

« Le présent n'est certes pas dramatique, a-t-il écrit à Marie-Agnès, mais il est foncièrement médiocre. Il faut tenter de faire des choses fort importantes dans une ambiance qui ne s'y prête guère. »

Il plie la lettre, puis feuillette ce livre que vient de lui adresser Vercors, et dans lequel l'auteur du *Silence de la mer* raconte ce que fut sa bataille pour faire publier ce livre malgré l'occupant. De Gaulle se souvient de ce qu'il avait éprouvé alors en lisant ce texte : « Une sombre joie et une émotion qui me sont restées dans l'âme. »

Quelles sont les causes qui peuvent encore susciter, en France, des passions héroïques, des engagements semblables à ceux que prirent d'Estienne d'Orves, Jean Moulin, Brossolette, et les milliers de fusillés que chaque année, le 18 juin, il honore au mont Valérien ?

« Le présent est... foncièrement médiocre. »

Alors ceux qui ont l'âme haute cherchent ailleurs un lieu de combat. Ainsi ce jeune philosophe, Régis Debray, qui vient d'être fait prisonnier en Bolivie, alors qu'il se trouvait aux côtés de Che Guevara. François Mauriac vient d'écrire à son propos, dans l'un de ses « Bloc-Notes » que Debray « est un ascète et un missionnaire ». « Je crains, a ajouté Mauriac, que les agents des services secrets – américains – aient peu de goût pour un ascète comme celui-là. »

On ne peut pas abandonner un Français de cette trempe, auquel on risque en outre de faire payer la politique extérieure de la France. Il faut tenter tout ce qui est possible pour sauver Régis Debray.

Il écrit au général Barrientos, président de la république de Bolivie.

« Je me garde, bien entendu, de porter un jugement sur les faits retenus à la charge de Régis Debray... Mais je souhaite attirer votre attention sur l'intérêt que j'attache à ce que sa vie, qui en dernière instance ne dépend que de vous, reste sauve... Il est possible que ce jeune et brillant universitaire se soit laissé égarer par son parti pris excessif et par le goût de l'aventure. Mais il serait regrettable de mettre un terme, pour des fautes de jeunesse, à une existence chargée de promesses et qui permet d'espérer un sincère amendement. »

Vercors, Debray, Sartre aussi – auquel il vient d'écrire pour lui expliquer que si le gouvernement français critique la politique américaine au Viêt-nam, il ne peut accueillir un « tribunal » privé, même présidé par Lord Russel, mais destiné à juger des « crimes américains » –, ce sont des visages de la France. Des opposants, ces hommes de gauche ?

Il hausse les épaules. Si dérisoires, vis-à-vis de l'Histoire, ces prises de position circonstancielles !

Ne demeure que ce qu'on fait pour la nation, et ce qu'on crée.

Mais les hommes qui font carrière en politique peuvent-ils comprendre cela ?

Il le sait, s'il devait être envahi à chaque instant par les préoccupations de ces gens-là, il aurait déjà quitté ses fonctions et se serait retiré à la Boisserie, pour reprendre la rédaction de ses *Mémoires*, comme parfois la tentation l'en prend, forte, obsédante même.

Mais il réussit toujours à la repousser. Parfois, on s'étonne autour de lui qu'il puisse ainsi échapper à ce poids de la politique quotidienne, que pourtant il n'ignore pas.

– Écoutez, c'est bien simple, dit-il, je vais vous donner mes secrets, qui sont simples. D'abord, je n'ai pas le téléphone. Je n'ai plus le téléphone depuis 1940. Je ne m'en sers que lorsque je ne peux faire autrement. Ensuite, j'ai un horaire extrêmement précis : je ne vois que les gens que je dois voir et je n'accepte personne en dehors des audiences qui sont prévues. Enfin, à huit heures moins dix, le soir, je m'en vais et personne ne vient me déranger, sauf s'il y a la guerre ou des événements d'une importance considérable, et par conséquent, je peux travailler tranquillement et me reposer. Et puis, dites-vous bien que j'ai un Premier ministre en qui j'ai toute confiance. J'ai des ministres, j'ai des collaborateurs. Bien entendu, je donne l'impulsion à la politique, mais l'exécution n'est pas de mon fait.

Il devrait en être ainsi !

Mais ils sont là, les collaborateurs immédiats, qu'il faut toujours repousser. Sinon, ils vous dévorent de questions, ils vous ensevelissent sous les détails.

– Écoutez, je vous en prie, abrégez, lance-t-il à Foccart. Il est tard, et j'en ai assez pour aujourd'hui. Dites-moi l'essentiel.

Mais Foccart vient chaque soir faire le point, à la fois des affaires africaines et de la situation politique intérieure. Et tout le petit monde des politiciens, des journalistes, est fasciné par les débats parlementaires, la joute entre Mitterrand et Pompidou, le duel au sabre qui oppose Defferre et le député UNR Ribière qu'il a insulté au cours d'une séance à l'Assemblée.

La gauche veut, à l'aide du dépôt de motions de censure, empêcher le gouvernement de gouverner par ordonnances et d'obtenir des pouvoirs spéciaux en vertu de l'article 38 de la Constitution. Mais la censure est repoussée. Aucun Républicain indépendant n'a osé joindre sa voix à celles de la FGDS et du PCF ! Et pourtant, ce n'est pas la tentation qui a dû manquer !

Giscard, président de la commission des Finances de l'Assemblée, a même déclaré dans *L'Express* que l'utilisation des pouvoirs spéciaux « est un événement grave dans ses conséquences, d'abord en ce qui concerne l'opinion publique et ensuite en ce qui concerne la majorité ».

Edgard Pisani, ministre de l'Équipement, démissionne pour protester.

De Gaulle a un mouvement dédaigneux de la main.

– Alors, voilà, Pisani est parti. C'était d'ailleurs évident, c'était normal. Pisani n'est pas un gaulliste, c'est une espèce de « radical-pisaniste », et il n'a rien de commun avec nous. Il était donc tout à fait normal qu'il s'en aille. Ce n'est rien du tout, Pisani... Je vais nommer François-Xavier Ortoli – le directeur de cabinet de Pompidou – et puis, après, il faudra faire battre Pisani...

Il a la conviction que ce ne sont là que des « péripéties banales ». Quant au dépôt des motions de censure, et finalement leur rejet, « eh bien, voyez, c'est bien ce que je disais : le Parlement démontre qu'il n'est rien ! Il jacasse ! Il pérore ! Il fait un peu de bruit et de scandale, mais tout cela n'émeut pas l'opinion publique ». Une seule chose l'inquiète : « l'attitude des Républicains indépendants » et surtout de leur chef, Giscard, insolent à force d'intelligence brillante, d'ambition assurée.

« Giscard est un adversaire, dit-il une nouvelle fois, et il faut s'attendre aux pires difficultés avec lui... De toute façon, il faut prévoir de mettre quelqu'un partout où il y a un Indépendant. Giscard s'est révélé un ennemi, il faut donc prévoir la suite et je vous demande d'y veiller... »

Mais pour cela, il faudrait de l'obstination.

Tout à coup, il se lève, marche à grandes enjambées vers la fenêtre de son bureau de l'Élysée.

– Vous, les gaullistes, vous n'avez pas de couilles, lance-t-il.

Il se retourne. Foccart proteste.

– Mais non, je ne dis pas cela pour vous, vous le savez bien, mais que ce soit Pompidou, Debré, et à plus forte raison Chaban, ils cherchent toujours à arranger, à composer, à s'entendre avec l'adversaire.

Il serre ses deux poings, soulevant les avant-bras.

– Jamais ils ne prennent le recul suffisant pour marquer et dire : cela suffit maintenant, nous sommes sur nos positions et nous n'en bougerons pas.

Il retourne s'asseoir.

– Le Parlement, en réalité, s'est tué lui-même, dit-il. Il est mort. Il n'existe plus. À l'époque où nous sommes, nous ne pouvons plus continuer à participer à ces jeux stériles.

Il hausse les épaules.

– D'ailleurs, personne ne s'y trompe, sauf ceux qui font profession d'y croire. Alors bien sûr, ceux-là s'agitent, racontent des histoires, écrivent des éditoriaux dans les journaux, font des déclarations à la radio, mais tout cela, c'est de l'agitation qui ne touche pas le pays, et il faut que vous en soyez convaincu.

Brusquement, il a le sentiment de s'enliser, de ne plus pouvoir se tenir sur ces hauteurs où doit se situer un chef de l'État qui veut voir loin.

Il est pris par trop d'obligations. Un jour, il doit se rendre à la Nuit de Saint-Cyr, à l'Opéra, un autre jour, il doit visiter l'exposition Toutankhamon, au Petit Palais, et il doit même assister à la finale de la coupe de France de football.

Rien de tout cela ne lui déplaît. Même le match l'intéresse, et il s'est surpris à trépigner, à renvoyer avec une joie enfantine le ballon qui avait atterri dans la tribune présidentielle !

Mais il a conscience du temps qui lui reste, si bref !

Il se sent atteint par la mort du chancelier Adenauer. Quatre-vingt-onze ans certes, mais les années passent si vite ! Il ressent une « peine profonde ». Il se rend à Cologne assister aux obsèques de l'ancien chancelier qui a « inlassablement travaillé à l'organisation de l'Europe et s'est fait le champion de la réconciliation de la France et de l'Allemagne ».

Il est « profondément attristé », répète-t-il. Une part du monde qui est le sien disparaît. Le chancelier Kiesinger appartient à une autre génération. Quand, plus tard, il le rencontre à Bonn, qu'il lui conseille de reconnaître les frontières de l'Est – la ligne Oder-Neisse – nées de la guerre, et de refuser la « prépondérance américaine », il se heurte à un refus et l'opinion allemande, avertie, condamne ces orientations, rejette la politique « gaulliste ».

Il perçoit qu'il s'agit bien d'un changement d'époque. A-t-il encore sa place dans ce « présent... foncièrement médiocre » ?

Que veulent les Français d'ailleurs ?

Des grèves éclatent dans le service public, contre les « pouvoirs spéciaux ». On s'inquiète, dans certaines régions, de la montée du chômage. En mai 1967, on dénombre cent quatre-vingt-neuf mille sans-emploi.

Il faudrait, il le sent, une « transformation de la France. Il est nécessaire que les travailleurs participent... d'une manière organique et en vertu de la loi aux progrès de l'expansion... L'intéressement doit être un objectif essentiel ».

Il le dit, lors de la conférence de presse qu'il tient, le 16 mai 1967, dans la grande salle des fêtes de l'Élysée : « Cette voie conduit sans nul doute à un régime social nouveau. »

Il jette un coup d'œil aux ministres rassemblés à droite de l'estrade. La chaleur dans la salle est accablante. Les ministres somnolent. N'ont-ils pas conscience de la nécessité de ces adaptations qui doivent prendre de vitesse la « mutation » dont il perçoit les grondements ?

Il étudie les textes que le gouvernement s'apprête à promouvoir dans le cadre des ordonnances qu'il sent timides, réticentes même ! Il s'emporte, écrit au Premier ministre.

« Le projet qui m'a été montré hier de ce que vous aviez l'intention de déclarer au Parlement ne va pas assez loin, à beaucoup près. Je vous demande donc de le préciser, autrement dit de ne pas paraître démentir plus ou moins le mercredi ce que j'aurai moi-même dit le mardi et que je considère comme essentiel. »

Mais peut-il compter sur Pompidou ? Sur cette majorité, où les Républicains indépendants veulent jouer leur carte, ce qui est contraire « à la moralité politique et à l'intérêt public » ?

Le seul secteur où il se sent libre d'agir directement, c'est la politique extérieure.

Il peut dire à l'Angleterre, qui frappe à nouveau à la porte du Marché commun, qu'elle n'y entrera que si elle se transforme. Il peut se rendre en Italie, pour conférer avec les chefs d'État européens. Il peut décider un voyage en Pologne, un autre au Canada.

Mais il faut qu'on lui laisse le temps d'y réfléchir !

Il repousse les dossiers. Il lève les bras dans un mouvement vif.

– J'ai Rome, et j'ai tous mes discours de Pologne à préparer, ce n'est pas possible, je ne peux pas tout faire. J'en ai trop et c'est comme cela, ça attendra.

C'est la fin du mois de mai 1967. Il est inquiet. Il lui semble, à lire les dépêches qui proviennent du Moyen-Orient, que la situation internationale se tend. Il n'est pas sage d'envisager un long voyage en Pologne. Il décide de le reporter. Il ira en revanche à Rome, comme prévu, du 29 mai au 1er juin.

Mais, avant, il veut analyser toutes les hypothèses.

Il convoque Couve de Murville.

Il écoute le ministre des Affaires étrangères rappeler les derniers événements. Le 7 avril, des tirs de mortier ont touché un kibboutz israélien, sur les rives du lac de Tibériade. « Riposte intense et excessive » des Israéliens qui ont abattu vingt-quatre avions syriens. L'opinion arabe s'est enflammée. Nasser a demandé aux troupes de l'ONU, stationnées dans la zone de Gaza, de se retirer, puis les Égyptiens ont occupé Charm el-Cheikh qui commande le golfe d'Akaba, au fond duquel se trouve le port israélien d'Eilat. Ils ont instauré le blocus. Ce peut être la guerre à tout instant.

Il faut l'éviter à tout prix, dit de Gaulle. La France doit agir avec les trois autres grandes puissances pour proposer une conférence sur le Moyen-Orient.

248

Il se rend à Colombey. Le parc de la Boisserie est un havre de quiétude. Le ciel est d'un bleu tendre. Tout respire la paix. De Gaulle se promène d'un pas lent en compagnie de son aide de camp Jean d'Escrienne. Il s'arrête souvent. Il lui semble que si un foyer de guerre embrasait le Proche-Orient, le monde franchirait un nouveau seuil vers la Troisième Guerre mondiale, parce qu'il y a déjà l'incendie qui ravage le Viêt-nam. Parce que les Russes semblent pousser les Arabes à agir, en leur fournissant des informations à dessein alarmantes sur les intentions guerrières des Israéliens. Et il est vrai que les mesures de blocus prises par Nasser peuvent fournir à Israël l'occasion d'agir, de s'emparer de territoires, pour desserrer ainsi l'étreinte dans laquelle l'État d'Israël se trouve emprisonné.

– Bien sûr, les choses se gâtent au Moyen-Orient, dit de Gaulle, en fixant d'Escrienne, et on ne sait pas, personne ne sait, jusqu'où ça peut aller. Des réactions en chaîne peuvent se produire et aller bien au-delà de ce qu'on pense et de ce que veulent les adversaires en présence. Un enchaînement inexorable des faits ne dépend pas toujours des volontés délibérées. Ensuite, on se demande comment, pourquoi, on en est arrivé là, on dit « Ah, si j'avais su... ».

Il se remet à marcher, s'arrête après quelques pas.

– C'est pourquoi, j'ai mis en garde aussi bien Israël que ses voisins, et je les ai bien prévenus que la France, quelles que soient ses sympathies, ne pourrait que désavouer celui qui tirerait le premier coup de fusil et qu'elle en tirerait toutes les conséquences.

Il écoute d'Escrienne répondre que la France s'est engagée depuis toujours aux côtés d'Israël. Elle lui fournit l'essentiel de son matériel militaire. Elle ne peut assister les bras croisés à la destruction, à l'anéantissement d'Israël.

De Gaulle secoue la tête.

– Oh, soyez sans crainte. Israël ne risque absolument pas la destruction. Nous ne le laisserions pas détruire, je l'ai dit et répété naguère, mais nous n'avons pas à être inquiets à ce sujet ; s'il n'a à faire face qu'à ses voisins, comme ce sera le cas, Israël ne sera pas détruit. Vous savez, il ne faut pas toujours se fier aux apparences. La situation paraît effectivement alarmante pour Israël, le dos à la mer, en effet, menacé de tous côtés. C'est vrai, c'est vrai aussi que la volonté affirmée par ses ennemis, même leurs moyens non négligeables, ainsi que leurs vitupérations hostiles, sont impressionnants. Mais militairement parlant, Israël, par sa cohésion, la volonté de survivre de son peuple, la valeur de son armée, de ses cadres, de ses hommes, la qualité de son matériel est incontestablement en position de force par rapport à ses ennemis. Ceux-ci devraient être plus prudents ! Vous pouvez m'en croire !

Il rentre à l'Élysée, le mercredi 24 mai. Il parcourt la presse. Elle exprime plus que sa solidarité à l'égard d'Israël. Elle est déjà favorable à une action contre les Arabes. L'interdiction de la libre circulation dans le golfe d'Akaba n'a-t-elle pas été une vraie déclaration de guerre de Nasser ?

De Gaulle devine que l'opinion, en cas de conflit, basculera sans hésiter du côté d'Israël. Pour les meilleures et les pires raisons. Il y aura, aux côtés de ceux qui se sentent solidaires du peuple juif, les pieds-noirs rapatriés, les partisans de l'Algérie française, les anciens de l'OAS, tous ceux qui rêvent de voir infliger une « raclée » aux Arabes.

S'il prend une position contraire à ce courant majeur, il aura à affronter une opposition renforcée, exaltée même.

Il le sait. Mais on ne change pas la politique de la France pour de telles raisons.

Il reçoit, en fin de matinée, le ministre des Affaires étrangères d'Israël, Abba Eban, accompagné de l'ambassadeur d'Israël Walter Eytan. Il n'attend même pas qu'il soit assis.

– Ne faites pas la guerre, lui lance-t-il.

Il laisse Eban s'installer.

– Ne tirez pas les premiers. Si Israël attaquait, ce serait catastrophique. C'est aux quatre puissances qu'il appartient de résoudre le problème. La France usera de son influence pour faire pencher l'Union soviétique en faveur de la paix.

Il baisse la tête, cependant qu'Abba Eban expose les raisons qu'a Israël de réagir : terrorisme syrien, blocus égyptien. La France, en 1957, a garanti la libre circulation dans le golfe d'Akaba.

De Gaulle répète « ne faites pas la guerre », mais il sait bien que le choix d'Israël est fait. L'occasion est trop belle pour ne pas la saisir, doivent estimer les stratèges. Et les propos guerriers de Nasser sont à la fois réellement inquiétants et ils fournissent un excellent prétexte au déclenchement du conflit.

Il faut que la France propose d'urgence une solution pacifique. Mais Moscou se dérobe. Peut-être l'URSS estime-t-elle que des Arabes vaincus tomberont plus facilement sous son influence.

Il va jusqu'à la fenêtre de son bureau. Douceur du jour. Il pense avec un sentiment où se mêlent un peu de mépris et beaucoup de commisération à tous ceux qui ne voient pas le dessous des cartes, qui vont se laisser entraîner, endoctriner.

Il se retourne, quand Foccart entre dans le bureau, comme chaque soir.

– Voilà comment cela se passera, dit-il. Ils vont déclencher la guerre. C'est eux qui la déclencheront. Je reconnais que les Arabes sont insupportables eux aussi, je reconnais qu'ils sont menaçants et que ce pays se sent étouffé. Tout cela est vrai, mais ce sont eux qui vont tout déclencher. Ils seront vainqueurs, et après ce sera autre chose... Après, la difficulté, ce sera le cessez-le-feu et puis ce sera d'arranger les choses...

Il arrive à Rome, le lundi 29 mai. Pour quelques instants, en découvrant, sous le ciel d'un bleu translucide, l'ocre des pierres et les vestiges du Forum, il oublie la gravité de la situation, cette guerre qui peut éclater d'une heure à l'autre, là même où naquit ce qui est à la source de la civilisation, dont Rome est encore le cœur.

Lorsqu'il entre dans le grand salon de la Farnesina, où se tient la réunion des chefs d'État des six pays du Marché commun, qui célèbrent le dixième anniversaire du traité de Rome, il a le sentiment qu'ici, l'Europe prend son véritable sens. Puis, il est reçu, en compagnie d'Yvonne de Gaulle, par le pape Paul VI.

« Comment la France pourrait-elle méconnaître une histoire qui a fait d'elle la fille aînée de l'Église ? » dit-il.

Il se rend à la Villa Bonaparte, qui est le siège de l'ambassade de France auprès du Saint-Siège. Il se souvient d'avoir, pendant la guerre, rencontré ici, déjà, la colonie ecclésiastique française. C'est un visage de la France qui l'émeut, peut-être son visage le plus permanent, celui qui est lié à la foi catholique.

« L'avenir, dit-il, l'Église, la France aussi, qui est sa fille aînée, le voient avec sérénité, avec fermeté, avec confiance. L'Église est éternelle et la France ne mourra pas. L'essentiel, pour elle, est qu'elle reste fidèle à ce qu'elle est, et par conséquent à tous les liens qui l'attachent à notre Église. »

Et puis, quelques heures avant de regagner Paris, le 1ᵉʳ juin, il se rend à Venise. Voilà l'Europe tout entière résumée dans cette « ville incomparable » dans cette « métropole de la mer ». Il est touché par la Cité des doges, qui a porté « à travers le monde le courage de ses marins et de ses soldats ».

Si l'Europe pouvait retrouver cette énergie qui anima ces villes italiennes et que Venise symbolise, quel grand avenir pour elle !

Il regagne Paris, songeur. Qui, parmi les Européens, veut une politique indépendante ? Qui, parmi les chefs d'État, ose affronter son opinion publique ?

Il consulte les dépêches, feuillette les revues de presse, lit les télégrammes diplomatiques.

L'opinion française – ou ceux qui la font – est tout entière solidaire avec Israël. Et la guerre est là, sur le seuil.

Il en est sûr, elle est le péril majeur. Que fera le vainqueur – Israël, il n'en doute pas – de sa victoire ? Il faut que la France prenne ses distances, condamne la guerre, c'est la condition pour qu'elle puisse jouer, après les combats, un rôle dans la région.

Il sait que cette attitude ne sera pas comprise. On dira qu'elle est dictée par le souci de conclure des accords pétroliers avec les pays arabes, ou pire encore qu'elle est le fruit de la mégalomanie de de Gaulle qui tente de prendre place sur l'échiquier mondial.

Déjà, quand il parcourt les journaux, il voit poindre l'accusation d'antisémitisme. Pour la plupart des commentateurs, celui qui n'approuve pas la politique israélienne est un ennemi du peuple juif, donc un antisémite.

Soit. Il sera seul s'il le faut. Il prend la plume, écrit le communiqué qui sera lu, après le Conseil des ministres du 2 juin 1967 : « La France considère que chacun des États en cause a le droit de vivre. Mais elle estime que le pire serait l'ouverture des hostilités. En conséquence, l'État qui, le premier, et où que ce soit, emploierait les armes n'aurait ni son approbation, ni, à plus forte raison, son appui. »

Voilà la position de la France. Il y aura embargo sur les armes, si la guerre est déclenchée. Et comme Israël est le premier client de la France, on dira qu'il est le seul visé.

De Gaulle hausse les épaules. Israël vaincra.

– J'ai vu Abba Eban, dit-il à Peyrefitte. Je lui ai dit : Si vous faites la guerre, vous la gagnerez en une semaine. Vous occuperez des territoires. Vous créerez des Alsace-Lorraine et le peuple arabe n'aura de cesse qu'il n'ait repris ces Alsace-Lorraine et qu'il ne vous ait rejeté à la mer. Votre supériorité écrasante disparaîtra. Vous croyez ménager l'avenir. En réalité, vous lui portez atteinte, contre votre intérêt. Vous forgez de vos mains l'unité des Arabes. La sagesse pour vous serait de vous entendre avec vos voisins, de rechercher une garantie internationale.

Il marche de long en large. Il lui semble qu'il voit avec précision les conséquences à venir de la guerre.

Il le dit à Edmond Michelet. Il sait qu'il est Cassandre une nouvelle fois.

– Il sont fous, répète-t-il, d'une voix forte. Je les avertis : ils vont provoquer un phénomène qu'ils ne soupçonnent pas, le *terrorisme*. Dans ma jeunesse, le terrorisme, cela n'existait pas. Maintenant, cela existe.

Les heures passent. Chaque dépêche révèle un accroissement de la tension. Le 3 juin, dans l'après-midi, il reçoit Maurice Schumann.

– Je sais bien que mes avertissements ne seront pas écoutés et qu'une nouvelle guerre va éclater au Proche-Orient, dit-il. Bien sûr, Israël la gagnera sans difficultés.

Mais qui voit ce qu'elle entraînera ? Les Russes s'implanteront dans la région, l'extrémisme gagnera les pays arabes.

Il secoue la tête, reste un moment silencieux, puis ajoute :

– Enfin, le problème palestinien, qui est un problème de réfugiés, tendra à devenir un problème national et rendra un règlement de paix encore plus difficile. Mais quels sont les hommes d'État qui voient loin ? Qui se souvient de ce que l'Histoire enseigne ? Les croisés français sont restés quatre-vingts ans à Jérusalem, reprend-il. Ils ont été jetés à la mer. Il en sera de même pour Israël.

Il ajoute d'une voix sourde :

– Cela ne durera même pas autant, si Israël ne s'entend pas avec ses voisins arabes !

À 10 heures, le 5 juin 1967, il reçoit, à sa demande, l'ambassadeur d'Israël à Paris, Walter Eytan, qui annonce le déclenchement, à 8 h 30, des hostilités. L'aviation israélienne a cloué au sol les avions égyptiens. L'Égypte est, après quelques heures, hors de combat.

Il écoute le diplomate qui présente l'attaque comme une réaction défensive nécessaire à l'agressivité arabe.

Il répond d'une voix qui claque. On ne l'a pas écouté.

Quelques instants plus tard, il découvre les premières éditions de *France-Soir*. Le journal populaire titre : « L'Égypte attaque ! » Il s'emporte. L'opinion est manipulée.

– Il est tout à fait évident que ce sont eux qui ont attaqué, dit-il. Alors bien sûr, ils vont remporter des succès. Mais qu'est-ce que cela va donner au bout de trois jours ?

Il suit, heure par heure, le déroulement de l'offensive israélienne. Ses succès ne le surprennent pas. Le Sinaï, le Golan, la Cisjordanie, Jérusalem, Charm el-Cheikh sont occupés.

« Terrible frottée que les Arabes ont ramassée ! » lance-t-il.

Mais il est inquiet. Il faut empêcher que les Arabes forment un bloc qui interdirait par la suite toute négociation, dit-il.

« Il faut que nous maintenions la porte ouverte des deux côtés. »

Il est irrité, amer, choqué par ce mouvement d'opinion qui fait manifester des Français en faveur d'un pays étranger. Que signifient ces bandes de jeunes gens qui crient sur les Champs-Élysées « Israël vaincra » ? Ou ces extrémistes de droite qui poussent le même cri ? Et ces gaullistes qui se rallient à la politique israélienne ? Et cette foule de trente mille personnes devant l'ambassade d'Israël ? Et cette unanimité de la presse pour soutenir Israël ?

Que représente pour eux la politique française ? Sont-ils des Israéliens ? Il y a, en outre, ceux qui prennent prétexte de ces événements pour s'opposer à de Gaulle. Et cela va de Mitterrand aux anciens de l'OAS.

Il va et vient dans son bureau, la tête baissée. Après tout, il n'y a là rien que de normal, même s'il est surpris par la vigueur, dans les milieux influents, de cette solidarité avec Israël.

« Il y a ceux qui sont juifs, dit-il. Alors Israël lance un appel, ils répondent. Mon Dieu, je considère cela comme assez normal. Enfin, il y a les affairistes, tous ceux qui ont des intérêts en Israël ; on les oblige à prendre position. Alors, ils sont contraints de marcher... »

Naturellement, tous ceux-là, qui pèsent dans l'opinion, ne lui pardonneront pas la position qu'il a prise dans cette guerre de six jours. Peu importe.

Le mercredi 21 juin, il dicte un communiqué qui sera lu à l'issue du Conseil des ministres.

« L'esprit et le fait de la guerre s'étendent à nouveau sur le monde. Un conflit contribue à en susciter un autre. La France a pris position contre la guerre au Viêt-nam et contre l'intervention étrangère qui en est la cause... La France a pris position contre la guerre en Orient. Certes, elle tient pour juste que chaque État en cause – notamment celui d'Israël – puisse vivre. Elle blâmait la menace de le détruire... Mais elle condamne l'ouverture des hostilités par Israël... Aujourd'hui, elle ne tient pour acquis aucun des changements réalisés sur le terrain par l'action militaire... »

Voilà une nouvelle fois les choses dites.

Il sent bien, dès le lendemain, lors de la réception des parlementaires à l'Élysée, que cette déclaration a choqué.

Il va de l'un à l'autre. Il murmure à Foccart : « Ne me quittez pas, vous m'entendez, ne me quittez pas d'un mètre. Je veux que vous soyez là pour me les présenter. Je ne les connais pas tous, moi. Il faut me présenter les gens, enfin ceux qui valent la peine... »

Il veut expliquer. Dire : « Vous comprenez, il faut que nous soyons indépendants. Il faut pouvoir tirer dans tous les azimuts. »

Il martèle : « Nous avons dit aux Israéliens de ne pas ouvrir le conflit, mais ils l'ont ouvert en profitant de l'occasion offerte par l'affaire du golfe d'Akaba... La situation au Moyen-Orient est telle qu'on a l'impression qu'Israël ne reviendra pas à son point de départ. Notre politique est de maintenir de bons rapports avec les pays arabes, pour qu'ils n'aient pas de bons rapports seulement avec les Soviets... »

Il fait quelques pas.

– Il était tout à fait évident que les Israéliens allaient gagner, dit-il. Mais il était tout à fait certain aussi que cela allait créer un choc dans l'ensemble du monde et un risque de guerre généralisée.

Il ajoute d'une voix sourde.

– C'est ce que je ne peux pas leur pardonner. Ils n'avaient pas le droit de faire cela.

Le parc de l'Élysée est ensoleillé. L'orchestre de la Garde joue sur le perron, près du jardin d'hiver. De Gaulle regarde la foule des députés. Sont-ils conscients des défis que la France doit relever ? Des raisons qui guident sa politique ?

Un groupe de députés l'entoure. On l'interroge. Les Russes, dit-il, ont tout fait pour que le conflit éclate au Moyen-Orient, et les Israéliens sont entrés dans leur jeu, sans se rendre compte que pour l'URSS il s'agissait de créer un foyer d'incendie pour répondre à celui qui brûle au Viêt-nam. Voilà pourquoi il faut que la France condamne aussi l'intervention américaine là-bas, comme l'agression israélienne.

– Je prends des positions brutales, conclut-il. Je veux que la France possède, après moi, des réserves de négociations. Je ne veux pas qu'elle ait le dos au mur.

Le soir tombe. Dans une quinzaine de jours, il partira au Canada. Là-bas aussi, il faut que la France fasse entendre sa voix. Il soupire. Il se sent las. Il « laboure la mer ».

Pourquoi ne pas se retirer à Colombey. « À mon âge... »

Il rentre. Le dossier de presse est ouvert sur son bureau : bordée de critiques. Là, dans *Le Nouvel Observateur*, on dit qu'il mène une « politique de marchand de tapis ». Ici, le *New York Times* écrit : « La France a jeté Israël en pâture aux requins égyptiens. » Et pourtant ce sondage : 58 % des Français sont favorables à Israël et 59 % approuvent la position du général de Gaulle, que contestent seulement 18 %. Décidément, il ne faut pas confondre le peuple français avec le « peuple » des salles de rédaction !

Alors laissons les journalistes et les politiciens continuer de clamer leur indignation ! Cela fait longtemps qu'il a appris la vertu d'indifférence !

Et puis cette joie, qui efface un instant l'amertume et le sentiment d'ingratitude : Philippe vient d'être élevé à la dignité de commandeur de la Légion d'honneur.

« Je t'en félicite très vivement et affectueusement. Tu es le premier de Gaulle qui se trouve honoré de ce grade. Mon père est devenu "officier" à titre de combattant. Moi-même je n'ai jamais reçu la "cravate". Tu as toutes les raisons d'être heureux et fier d'une dignité due à tes services de guerre et à tes risques et mérites ultérieurs... Quand je te verrai, nous parlerons des affaires publiques.

« Au revoir, mon cher Philippe,

« Ta maman et moi t'embrassons de tout cœur.

Ton père affectionné »

L'Histoire, la France, la famille continuent.

18

De Gaulle se tient immobile, les bras croisés, les yeux mi-clos, au bout du parc de la Boisserie. C'est le début de l'après-midi du dimanche 9 juillet 1967 et toute la campagne est écrasée par la lumière violente du plein été.

Il fait quelques pas pour se placer à l'ombre des arbres et, à mi-voix, dans le silence de ce paysage qui, dans le soleil éblouissant, ressemble à l'océan, il commence à réciter le discours qu'il prononcera le 23 juillet, à Québec : « Oui ! Un morceau de notre peuple est installé, enraciné, rassemblé ici. Oui ! Un morceau de notre peuple par le sang qui coule dans ses veines, par la langue qui est la sienne... »

Il aperçoit Jacques Vendroux, qui vient vers lui. Il s'interrompt, attend son beau-frère.

– Je compte frapper un grand coup, dit-il. Ça bardera...

Il commence à marcher lentement.

« Cela fait deux cents ans qu'ils attendent », reprend-il, à mi-voix.

Il a rencontré, ces derniers mois, les nouveaux leaders politiques du Québec, Daniel Johnson, le Premier ministre, Jean Drapeau, le maire de Montréal. Il a lu les dossiers préparés par des hommes en qui il a confiance, l'ambassadeur Jurgensen, le diplomate Philippe Rossignol. Il a écouté les récits que lui a faits son aide de camp, Flohic, lui racontant comment, à Québec, en 1960, au cours du dernier voyage présidentiel au Canada, un officier canadien, après la cérémonie au monument aux morts, à l'endroit même où avait eu lieu le combat entre Montcalm et l'Anglais Wolfe, avait murmuré entre ses dents : « C'est alors que vous autres, maudits Français, vous nous avez abandonnés. »

Maintenant, ces Canadiens français, devenus six millions, disent aux Anglais qui les ont traités en domestiques durant deux cents ans : « Égalité ou indépendance. » Et Daniel Johnson a répété plusieurs fois, en renouvelant l'invitation à se rendre au Québec, afin d'y visiter l'Exposition internationale qui se tient à Montréal, et où le pavillon français occupe une place centrale : « C'est notre peuple qui vous recevra, mon général, avec honneur et affection. »

De Gaulle s'arrête.

Le Premier ministre canadien, Lester B. Pearson, n'a rien fait pour favoriser ce voyage. Au contraire, les services du protocole d'Ottawa ont multiplié les petites difficultés, comme si on voulait, en expliquant que l'avion présidentiel ne pourrait se poser ni ici ni là, faire renoncer au voyage.

Eh bien, de Gaulle se rendra au Canada à bord du *Colbert*, croiseur amiral de la flotte de l'Atlantique. On fera escale à Saint-Pierre-et-Miquelon, et on remontera le Saint-Laurent jusqu'à Québec. Et ceux qui n'ont pas imaginé qu'un homme de presque soixante-dix-sept ans pourrait affronter, en compagnie de sa femme, une telle traversée sur un navire de guerre, ne connaissent pas le général de Gaulle.

– Ça bardera, reprend-il. C'est la dernière occasion de réparer la lâcheté de la France.

Il se dirige lentement vers la Boisserie.

« À mon âge, je ne retournerai pas sur le continent américain, dit-il. Il vaut mieux que ce soit moi qui vienne là poser le problème comme il doit être posé. Quand un président de la République se rendra-t-il au Canada ? »

Il regagne son bureau, s'installe à sa table de travail, relit les discours, rature, déclame : « Après qu'eut été arrachée à ce sol, voici deux cent quatre années, la souveraineté inconsolable de la France, soixante mille Français y restèrent. Ils sont maintenant plus de six millions. Ce fut sur place un miracle de volonté et de fidélité... »

Il recommence à écrire, puis s'arrête.

Jamais peut-être il n'a autant pensé à un voyage. Jamais l'un d'eux n'a été à ce point chargé de tant d'implications historiques. Au Canada se nouent le plus lointain passé français et le présent.

Il trace rapidement une phrase : « C'est pour tous les Français, où qu'ils soient, une preuve exemplaire de ce dont peut être capable leur puissante vitalité. »

Qui d'autre oserait poser ainsi le problème des Canadiens français ? Seulement de Gaulle.

Six jours plus tard, à Brest, à la fin de la matinée du samedi 15 juillet 1967, sur les quais, il salue les personnalités venues assister à son départ.

Il dit à mi-voix au député Xavier Deniau, qui a la passion de la francophonie : « On va m'entendre là-bas, ça va faire des vagues. »

Puis, cependant que la musique des équipages de la flotte joue, il descend lentement l'escalier pour embarquer dans la vedette qui va le conduire jusqu'au *Colbert*. Il distingue mal le navire, ancré au milieu de la rade. La lumière est trop vive. Il sent qu'on le prend aux épaules, qu'on le force à tourner à gauche. Il baisse un instant les yeux. La passerelle de la vedette est là. Il ne faut pas hésiter, même si tout est flou. Les sifflets des gabiers retentissent, longs et aigus. Le vent est vif. Il reste debout à la poupe, impassible. Les canons du *Colbert* tirent plusieurs salves pour le saluer.

Mer forte, tempête même. Il est difficile de faire quelques pas sur la plage arrière du croiseur. Mais, malgré le roulis et le tangage, accentués par la vitesse du navire, de Gaulle sort deux fois chaque jour, et souvent Yvonne de Gaulle le rejoint. Puis après quelques minutes, on retrouve la cabine, la petite salle à manger et une deuxième cabine aménagée en salon-bureau.

Il travaille. Il reprend une nouvelle fois les textes des discours. Chaque mot va compter. À Ottawa, à Londres, à Washington, on va en soupeser chaque terme. Mais il se sent libre. Il faut briser les tabous, montrer qu'un Français au moins est différent des politiciens français ou de ces diplomates qui ont à ce point pris l'habitude d'être serviles, qu'ils se plient, avant même qu'on le leur demande, aux injonctions des Anglo-Saxons. Certains ambassadeurs poussent le renoncement jusqu'à ne plus utiliser le français tant ils sont fascinés par leurs modèles.

Il écrit. Il lit. Il s'enfonce dans le dernier livre de Malraux, *Antimémoires*. Il est ébloui. C'est comme s'il se dédoublait en lisant. Il se reconnaît dans le portrait que trace Malraux : « Un personnage hanté, dont ce destin qu'il devait découvrir et affirmer emplissait l'esprit. »

Il est ému par les récits de Malraux qui font entrer dans l'éternité de la littérature les épisodes de l'Histoire qu'ils ont vécue ensemble. Il aime que Malraux parle de « la transcendance telle que l'avaient conçue les fondateurs d'ordres combattants » et ajoute, se souvenant du ministère de la Guerre, où ils se rencontrèrent pour la première fois : « Avant de traverser, je levai distraitement les yeux : rue Saint-Dominique. »

Il prend une feuille, écrit. Il veut transmettre ce message à Malraux :

« En mer, à bord du croiseur *Colbert*, le 18 juillet 1967.

« Terminé première lecture. Livre admirable dans les trois dimensions. Meilleures amitiés. »

Il relit certains passages de Malraux : « Et le général de Gaulle, qui était si peu militaire, concevait l'action selon l'esprit militaire au sens où l'on pourrait parler d'esprit sacerdotal ou juridique... »

Il referme le livre. Il va agir selon ces règles.

C'est le jeudi 20 juillet, à 10 heures du matin. Le *Colbert* est en rade de Saint-Pierre.

Toute la population est rassemblée. Il est bouleversé par cette foule aux vêtements gris, noirs, sous un ciel bas, et qui chante à pleine voix *La Marseillaise*. Il entre dans la Maison des anciens combattants. Ici, sont les veuves, les filles, les mères, les pères et les frères des marins de la France libre, coulés à bord des corvettes *Mimosa* et *Alysse*. Et il y a aussi, épaule contre épaule, quelques survivants des Forces navales françaises libres. Les femmes pleurent en lui embrassant la main. Il est ému aux larmes et il a la gorge serrée, dans la pénombre de cette grande salle peuplée d'héroïsme et de tristesse.

Dehors, la foule. Il voit un homme titubant se précipiter vers lui, le saisir au cou, l'embrasser à trois reprises.

Et puis, il aperçoit son neveu, Jacky Vendroux, devenu député de Saint-Pierre par la grâce et l'obstination de Jacques Foccart. Il le reçoit quelques instants, le houspille : « Écoute, quand quelque chose ne va pas, il faut nous le signaler et tu n'as qu'à t'adresser à Foccart. Tu le mets au courant de tout, tu le tiens au courant et il m'en parlera. »

Il l'embrasse, puis embarque sur un petit escorteur qui va le conduire au *Colbert*. Il entend la foule qui, massée sur le quai, entonne une nouvelle fois *La Marseillaise*. Au bout de l'océan, après des siècles, la France vit toujours. Il va vers la poupe, il

264

chante à son tour, cependant que le navire s'éloigne.

Le *Colbert* lève l'ancre. Le lendemain matin, par forte houle, il regarde s'approcher du *Colbert* les deux frégates canadiennes qui viennent lui faire escorte. Un officier de liaison est transbordé. Le voici à table, pour le déjeuner. Mais le commandant Plant ne parle pas français.

Un choix qui est un acte politique pour bien marquer ce qu'est le Canada. À qui il est.

De Gaulle reste impassible, amusé par la surprise, la colère, la déception de François Flohic. Son aide de camp ne connaît-il pas les Anglais ? S'imaginait-il qu'ils allaient reconnaître l'existence d'une langue française ? Ont-ils depuis deux cents ans reconnu la personnalité, l'égalité aux Canadiens français ?

Mais ils vont bien être contraints d'entendre ce qu'il pense. Et les Canadiens français vont découvrir que le « Vieux Pays » n'a pas oublié la « Belle Province ».

Le 23 juillet au matin, le *Colbert* jette ses amarres à l'Anse-au-Foulon, au pied de la citadelle de Québec.

De Gaulle regarde la foule des invités, les soldats en « red coat » et bonnet d'ourson à poils noirs. Ils rappellent, sur les lieux mêmes, la victoire des habits rouges sur les hommes de Montcalm.

Et c'est pour cela aussi qu'il a revêtu sa tenue de général de brigade.

Il salue le gouverneur général du Canada, Michener, puis il se tourne vers Daniel Johnson, le Premier ministre du Québec : « C'est avec une immense joie, Monsieur le Premier ministre, que je suis chez vous, au Québec. »

La foule est là, qui lance une ovation quand la musique joue *La Marseillaise*, puis murmure quand elle interprète le *God save the Queen*.

Il observe cette foule, qui se presse autour de la voiture découverte qui le conduit à l'hôtel de ville. Elle vibre. Elle ne ressemble plus en rien à ces Canadiens qu'il avait vus lors de son dernier voyage en 1960. Les rapports qu'il a lus étaient exacts : ce peuple s'est réveillé. Il a même créé un Rassemblement pour l'indépendance nationale. Les Canadiens français sont eux aussi emportés par ce mouvement de liberté des peuples, qui touche tous les continents. Pourquoi cette vague libératrice, qu'il a soutenue en Afrique, dont il a accepté les effets en Algérie, ne devrait-elle pas être exaltée ici, alors qu'elle soulève ce peuple « français » qui a su, durant deux siècles, se maintenir et croître en dépit de la défaite et de l'oppression, des humiliations, de l'abandon par la mère patrie ?

Il reçoit, sur la plage arrière du *Colbert*, sur le sol français donc, les personnalités canadiennes. On a étendu sur le pont deux splendides tapis de la Savonnerie, commandés par Colbert lui-même. Il faut que la France, dans sa continuité, de la monarchie à ce navire républicain qui exprime toute la technologie la plus avancée du xxᵉ siècle, soit présente ici.

Et c'est cela qu'il veut dire, ce soir, au château Frontenac, en répondant à Daniel Johnson.

Il répète les phrases si souvent récitées dans le bureau et le parc de la Boisserie.

« Oui ! Un morceau de notre peuple... »

Et il hausse la voix pour dire l'essentiel :

« On assiste ici, comme en maintes régions du monde, à l'avènement d'un peuple qui, dans tous les domaines, veut disposer de lui-même et prendre en main ses destinées... Cet avènement, c'est de toute son âme que la France le salue. »

Il égrène les noms : Jacques Cartier, Champlain, François Iᵉʳ et Henri IV...

« Ce que les Français d'ici, une fois devenus maîtres d'eux-mêmes, auront à faire pour organiser, en conjonction avec les autres Canadiens, les moyens de sauvegarder leur substance et leur indépendance, au contact de l'État colossal qui est leur voisin, ce sont des mérites, des progrès, des espoirs qui ne peuvent en fin de compte que servir tous les hommes... puisqu'ils sont français... »

Il regagne sa cabine du *Colbert*. Les eaux du Saint-Laurent sont calmes. Mais si on l'a bien entendu, la tempête va se lever. Les Canadiens français en tout cas l'ont compris. Il a vu dans leurs yeux l'enthousiasme. Il a senti se nouer entre eux et lui ce quelque chose qu'il n'avait éprouvé que de rares fois, peut-être seulement en ces jours de 1944, quand il rencontrait les Français de ces villages libérés et enfin à Paris.

Mais on verra demain ce qu'il en est, le long du « chemin du Roy » qui, sur la rive gauche du Saint-Laurent, conduit de Québec à Montréal.

Il est debout dans la voiture découverte du Premier ministre québécois. Et c'est la foule, tout au long de la route, les arcs de triomphe, et sur la chaussée, on a peint d'immenses fleurs de lys blanches. À chaque arrêt, *La Marseillaise* et ces pancartes « Québec libre », agitées au-dessus des têtes. Ce sont sans doute les militants du Rassemblement pour l'indépendance nationale qui veulent utiliser la présence du général de Gaulle pour que leur revendication soit enfin connue.

On s'arrête sous l'averse, à Donnaconna.

On veut le protéger d'un parapluie, on lui propose un imperméable. Il les rejette d'un geste vif. Qu'importe l'orage ! Il marche vers la foule. Il entend un maire lui lancer : « Mon général, vous n'êtes pas pour nous seulement un grand homme, mais un vieux copain. »

Voici la grande ville de Trois-Rivières, où l'accueil est encore plus enthousiaste. Il est sûr maintenant que sa venue ici, à ce moment de l'histoire de ce peuple français, aide à faire éclore l'affirmation de la liberté, peut-être d'une conscience nationale, peut-être de l'indépendance.

Tout Montréal est rassemblé le long de cette longue rue Sherbrooke. Les gens se précipitent devant la voiture pour l'arrêter. Elle roule au pas jusqu'à l'hôtel de ville. Quand retentit l'hymne canadien *O'Canada*, il y a des cris hostiles, puis c'est l'ovation qui accompagne *La Marseillaise*.

Il entre dans l'hôtel de ville. Quel silence feutré que viennent battre les cris de la foule rassemblée sur la place ! Il écoute le maire Jean Drapeau qui parle de « l'accueil d'une grande ville cosmopolite fait à un grand homme » !

Cosmopolite ! Drapeau n'entend-il pas les cris de « Vive de Gaulle », « France libre, Québec libre », « Le Québec aux Québécois »... ?

Drapeau veut l'entraîner vers la terrasse où sont regroupées les personnalités.

– Quand dois-je leur parler ? demande de Gaulle, en montrant la fenêtre du balcon qui donne sur la place.

Il s'approche. La foule l'aperçoit, les cris redoublent. Il la salue, les bras levés en V.

Il devine l'inquiétude de Drapeau. Il faut forcer le destin, créer des situations irréversibles.

– Quand dois-je parler ? répète-t-il. Y a-t-il un microphone ici ?

Drapeau secoue la tête !

– Pas de micro ? dit de Gaulle en avançant vers le balcon.

C'est le lundi 24 juillet 1967, il va être 19 h 30.

Il lui semble distinguer un pied de micro, des câbles sur le balcon. Sans doute Drapeau craint-il par-dessus tout qu'il s'adresse ainsi directement à la foule. Et c'est cela qu'il faut faire. Il le sent. Il ne serait pas le général de Gaulle, il ne serait pas porteur de ce destin qui est le sien, de cette responsabilité que depuis près d'un quart de siècle il assume, de cette légitimité française qu'il incarne, s'il ne parlait pas à cette foule française qui réclame sa liberté. Et, tout à coup, voici qu'on lui tend un micro. Il reconnaît Paul Comiti, l'un de ses gardes du corps.

Il regarde longuement la foule qui, le voyant, debout, sur ce balcon, entre ces colonnes de granit gris, l'acclame. Il aperçoit une statue de Nelson et puis tous ces visages, toutes ces pancartes dont il devine qu'elles portent l'inscription « Québec libre ».

Il est ému et heureux, apaisé. Il va pouvoir dire ce qu'il ressent, balayer les prudences de Jean Drapeau. « Montréal, ville cosmopolite !... »

« C'est une immense émotion qui remplit mon cœur en voyant, devant moi, la ville française de Montréal, commence de Gaulle. Au nom du Vieux Pays, au nom de la France, je vous salue de tout mon cœur. »

Il laisse passer la vague d'acclamations, puis il reprend plus bas, plus lentement : « Je vais vous confier un secret, que vous ne répéterez pas. Ce soir, ici, et tout le long de ma route, je me trouvais dans une atmosphère du même genre que celle de la Libération... »

Il sait qu'il va choquer, scandaliser. Mais c'est cela qu'il ressent, c'est cela qui se produit ici, non pas que le régime canadien soit un régime d'oppression, mais c'est bien un peuple français qui renaît, et qui exprime sa volonté d'être libre en criant « Vive de Gaulle ! », comme à Bayeux ou à Paris, en août 1944.

Alors pourquoi ne pas le dire ?

« J'ai constaté quel immense effort de progrès, de développement, et par conséquent d'affranchissement, vous accomplissez ici, reprend-il. S'il y a, au monde, une ville exemplaire par ses réussites modernes, c'est Montréal, c'est la vôtre. Je dis c'est la vôtre, et je me permets d'ajouter, c'est la nôtre... »

Les acclamations redoublent. Il attend, puis il lance :

« J'emporte de cette réunion inouïe de Montréal un souvenir inoubliable. La France entière sait, voit, entend ce qui se passe ici et je puis vous dire qu'elle en vaudra mieux...

« Vive Montréal ! Vive le Québec ! »

Il hésite. Il doit aller plus loin, dire tout ce qu'il pense, souhaite :

« Vive le Québec libre !

« Vive le Canada français et vive la France ! »

Il reste immobile dans un creux de silence et, tout à coup, un immense cri monte de la place, enfle, roule, s'élève, semble ne plus devoir retomber.

Il quitte le balcon, il rentre dans les salons.

Il aperçoit la mine inquiète de Couve de Murville. Le ministre des Affaires étrangères doit déjà imaginer les suites diplomatiques de ces quatre mots qui emplissent la place, « Vive le Québec libre ! », et qui vont, il en est sûr, faire connaître au monde entier ce nom de Québec que tout le monde ignorait, comme si, il y a quatre siècles, ce n'étaient pas des Français qui avaient peuplé cette partie du continent, comme si, il y a deux cent quatre ans, ils n'avaient pas été réduits au silence par des vainqueurs orgueilleux, décidés à les asservir, à les déporter, à les humilier. Et comme si, malgré tout, ils n'avaient pas maintenu, développé, leur peuple.

Il ne regrette rien. Au contraire.

Il prend connaissance dans les heures qui suivent du communiqué du gouvernement canadien, qui considère ses déclarations comme « inacceptables » et en conséquence le ministre fédéral des Affaires étrangères canadien, Martin, ne se rendra pas à la réception du président de la République, à l'ambassade de France.

Soit. De Gaulle n'hésite pas.

« Dès l'instant que le gouvernement canadien ne comprend pas ce que je veux faire et qu'il prend ainsi les affaires, cela ne m'intéresse pas de continuer mon voyage », tranche-t-il.

Il visitera le pavillon français de l'Exposition, le métro construit par une entreprise française, l'université, puis présidera le grand déjeuner de l'hôtel de ville et, immédiatement après, directement à l'aéroport pour rentrer en France !

Inutile de se rendre à Ottawa.

Il séjourne pour ces dernières heures à la résidence du haut-commissaire français à l'Exposition, sur le mont Royal.

Il lit, ce mardi 25 juillet, les premiers articles parus dans la presse canadienne anglophone.

Il est le « dictateur sénile », le « vieil homme querelleur », le « nationaliste gaulois vieillissant et gâteux ». Et même une « bête puante ».

Parfait. Cela rajeunit ! Il lui semble être revenu au temps des querelles avec Churchill et Roosevelt !

Ce qui compte, c'est l'accueil des étudiants à l'université, celui de la foule, celui des notables québécois rassemblés pour le déjeuner à l'hôtel de ville. Il se lève. Il veut prononcer une brève allocution. Et il va dire une fois encore ce qu'il pense.

« Pendant mon voyage – du fait d'une sorte de choc auquel ni vous ni moi-même ne pouvions rien, c'était élémentaire, et nous avons tous été saisis –, au cours de ce voyage, je crois avoir pu aller en ce qui me concerne au fond des choses et quand il s'agit de destin et notamment du destin d'un peuple, en particulier du destin du peuple canadien français, ou français canadien comme vous voudrez, aller au fond des choses, y aller sans arrière-pensée, c'est en réalité non seulement la meilleure politique, mais c'est la seule politique qui vaille... »

Dehors, la foule chante sans fin *La Marseillaise*. Mais il a tout dit.

À 16 h 20, le mercredi 26 juillet, l'avion présidentiel décolle de Montréal. Les représentants du gouvernement fédéral ne sont pas venus le saluer.

Il est installé dans la cabine de DC 8, Yvonne de Gaulle lit, assise près de lui. Il a posé sur la tablette quelques dépêches qui rapportent les premières réactions des milieux français. Faut-il les lire ?

Il l'a dit au maire Drapeau : « Tout ce qui grouille, grenouille, scribouille n'a pas de conséquence dans les grandes circonstances, pas plus qu'il n'en eut jamais dans d'autres... »

Il convoque l'ambassadeur Jurgensen. Il a envie d'échanger avec lui quelques mots.

– Mon général, dit Jurgensen, vous venez de payer la dette de Louis XV.

De Gaulle hausse les épaules.

– Je vais être traîné dans la boue. Vous voyez la presse étrangère, vous allez voir la presse française. Ils vont se livrer à des manifestations indécentes à mon égard, et à l'égard de la France. Je m'en accommoderai. Ce que j'ai fait, vous m'entendez bien, je devais le faire... Je n'aurais plus été de Gaulle si je ne l'avais pas fait.

À 4 h 30 du matin, le jeudi 27 juillet, il descend la passerelle de l'avion, à Orly. Il se sent dispos. Il rentre dans le salon de réception, et il s'arrête après quelques pas. Tout le gouvernement est rassemblé autour de Pompidou. Peut-être manque-t-il Edgar Faure, prudent comme à son habitude ! Sur les visages des ministres, il lit l'anxiété, une curiosité avide. Se sont-ils imaginé qu'il avait perdu la raison ? Qu'il avait été victime d'un accès de sénilité ? Le roi devenu fou ? Il ne peut s'empêcher de se sentir gagné par une sorte d'amère gaieté. Il va leur expliquer.

Il résume en quelques mots ce qui s'est passé au Québec. Mais peuvent-ils comprendre, écrasés qu'ils sont par ces commentaires de presse, qu'il découvre dès le matin, dans son bureau de l'Élysée ?

Jamais il n'y a eu un tel écart entre lui et la réalité qu'il a vécue, ce qu'il veut promouvoir et ces éditorialistes ! Ou les correspondants de presse qui n'ont même pas eu le courage de rapporter ce qu'ils ont vu, ce soulèvement pacifique d'un peuple, tout au long du « chemin du Roy ».

Oui, ils l'accusent de folie !

Les Sirius dans *Le Monde*, les François-Poncet dans *Le Figaro*, et tous les autres dans l'ensemble de la presse.

« Le Général était-il bien maître de sa pensée, lundi soir, quand il évoquait la libération de la France, et s'écriait "Vive le Québec libre" ? » se demande un journaliste du *Monde*.

« Il est atteint d'une hypertrophie du moi... », écrit Sirius. Et, avec l'hypocrisie feutrée des bonnes consciences, il ajoute : « Comment empêcher que nos voisins, nos amis et à plus forte raison nos adversaires, ne se demandent si la francophonie, la "francité", telles qu'elles sont conçues à l'Élysée, ne présentent pas quelque analogie – toute proportion gardée bien sûr dans les principes comme dans les faits – avec ce que le Deutschtum fut pour le Troisième Reich ? »

Dégoût, mépris, amertume. Le voici peint, lui, en Hitler, et n'avait-il pas à les entendre, déjà livré les Juifs aux Arabes, il y a quelques semaines ?

Ils sont tous là, ses adversaires, une fois encore, espérant qu'enfin c'est le moment de l'hallali. Et tous ceux qui se sont déjà rassemblés contre le discours « antiaméricain » de Phnom Penh, puis plus tard encore, au moment de la guerre des Six-Jours, redoublent de hargne.

Il faut chasser ce « fou ». Voilà le leitmotiv.

« C'est vers Giscard entre autres que l'on se tourne », lit-on ici et là.

Le mercredi 31 juillet, il lit sur les visages des ministres, rassemblés autour de la grande table du Conseil, l'inquiétude, une sorte d'accablement. Et c'est vrai que, pour la première fois, les sondages d'opinion font état de 45 % de Français qui désapprouvent l'attitude du général de Gaulle, 37 % qui ne se prononcent pas et 18 % seulement qui le soutiennent.

La presse, les élites ont bien fait leur travail ! Mais il ne reculera pas.

Oui, Montréal est la deuxième ville française du monde, dit-il aux ministres qui restent cois. Oui, la France ne saurait se désintéresser de six millions de Canadiens français. Elle a fondé le Canada. Elle l'a, seule, pendant deux siècles et demi, administré, peuplé, mis en valeur ! Elle n'a aucune visée de direction, ni a fortiori de souveraineté pour tout ou partie du Canada, mais elle ne se désintéressera pas du sort présent et futur d'une population venue de son propre peuple et admirablement fidèle à sa patrie d'origine, ni ne considère le Canada comme un pays qui lui serait étranger au même titre que tout autre !

Mais les mêmes hommes qui, à Paris, défendent le droit des peuples à la liberté, qui manifestent en faveur d'Israël et du droit des Juifs au retour, n'ont que sarcasme quand on dit seulement que les Québécois ont droit à l'égalité et à la reconnaissance de leur personnalité !

Il est assis à sa table, dans le bureau de l'Élysée. Il rejette les journaux. Il se lève.

« Bien entendu, sitôt qu'on prend le parti de la France et que l'on dit que la France existe, immédiatement tous les plumitifs écrivent : "Comment il y a quelqu'un qui défend la France, mais enfin qu'est-ce que cela signifie ? La France n'est plus rien, c'est un petit pays... quelle prétention !..." Quand j'ai dit "tout cela grouille, grenouille et scribouille", eh bien, c'était pour eux. Ils ne s'y sont pas trompés... »

Il comprend les Anglo-Saxons. « Ils ont raison d'être furieux ! » dit-il.

« Mais que tous ces imbéciles du *Monde* ou du *Figaro* soient terrorisés parce que Washington n'est pas content, parce que Londres fronce le sourcil, c'est lamentable ! On ne peut plus en France prendre le parti de la France, sans être immédiatement montré du doigt par tous ces types qui sont des larbins ! »

Il retrouve avec joie la Boisserie. Il ne ressent pas la fatigue, mais tout en marchant dans le parc, il se sent envahi par la tristesse, et une nouvelle fois l'amertume.

Peut-être tous ceux qui veulent l'abattre, depuis toujours, et encore plus depuis la guerre des Six-Jours et cette visite au Québec, ont-ils réussi à le couper du peuple. Il pressent que se constitue contre lui une sorte de front commun.

Le 10 août, il est intervenu à la télévision, pour dénoncer « l'école du renoncement national... l'étrange passion de l'abaissement... des apôtres du déclin ».

Mais a-t-il été entendu ?

Peut-être vient-il un moment où on n'écoute plus !

Il a toujours été Cassandre, mais il avait devant lui de longues années de vie, pour redresser les erreurs commises malgré ses avertissements. Aujourd'hui, combien de temps lui reste-t-il ? On le représente comme un homme du « passé ».

« Ils ont cru que je ne tournais plus rond. » Ils répandent cette idée.

Et puis, il y a l'intelligent, l'habile, l'ambitieux Giscard d'Estaing, qui a le sens de la formule, qui, le 17 août, à sa manière, lui répond :

« L'angoisse est celle de craindre que l'exercice solitaire du pouvoir, s'il devenait une règle, ne prépare pas la France à assumer elle-même dans le calme, l'ouverture des idées et le consentement national, l'orientation de son avenir. »

Voilà le thème relancé, « exercice solitaire du pouvoir », traduction noble de « pouvoir personnel ».

C'est bien l'alliance de tous ses adversaires ! Ceux qui veulent une France soumise et ceux qui contestent la politique sociale et économique, et ceux que l'ambition ronge. Tous ceux-là, peu leur importent les réalités. Ils condamnent d'abord.

« Dans un an, serai-je seulement encore en vie ? » murmure-t-il.

D'ici là, il faut faire selon ce que l'on croit juste et utile pour la France.

« Comme je l'ai déclaré pour tous les peuples du monde, le Québec doit être libre, c'est-à-dire mis à même de choisir par autodétermination son destin et la nature de ses liens avec Ottawa. »

Ceux qui criaillent sont de mauvaise foi ou n'ont rien compris.

« Ils verront bien un jour que j'avais raison », dit-il à Jacques Vendroux qui vient de le rejoindre à la Boisserie.

C'est la fin du mois d'août 1967. Il a passé presque tout le mois à la Boisserie. Mais les orages ont été fréquents et l'actualité est venue le harceler. Il a repris la préparation des discours qu'il compte prononcer en Pologne, où il se rendra dès la deuxième semaine de septembre.

Il regagne l'Élysée. Il a le sentiment, durant tout ce mois d'août où les attaques contre lui n'ont pas cessé, que rares sont ceux qui l'ont soutenu. Ni le Premier ministre, ni aucun membre du gouvernement, comme si tous déjà prenaient leurs distances. À l'exception bien sûr des quelques fidèles, Malraux, Michelet... mais tant d'autres qui s'interrogent, comme beaucoup de Français sûrement : « Mais qu'est-ce qu'il fait encore là ? Pour qui se prend-il ? Il fait comme si la France était toujours vivante, alors que tout le monde sait qu'elle est en pleine décadence. »

Il a besoin d'exprimer ce qu'il ressent.

Il dit à Foccart, ce mercredi 23 août : « Je n'ai pas les hommes qu'il faut pour pouvoir faire la politique que je voudrais faire... J'ai toujours été seul. Cela a été vrai depuis le début et c'est toujours vrai... Pendant la guerre, il y avait une poignée de types qui se conduisaient bien et tout le reste était derrière Pétain, derrière Vichy, derrière les Allemands. »

Qui pourra lui succéder ?

« Debré est trop impulsif. Chaban retournera immédiatement à la IVe, Pompidou est au fond d'un tempérament très radical. Il est très arrangeant, il compose... »

Mais ce n'est pas cela l'essentiel :

« En réalité, figurez-vous que je suis sur une scène de théâtre où je fais illusion depuis 1940, et je fais semblant d'y croire. Je fais croire, je crois que j'y arrive, que la France est un grand pays, que la France est décidée, rassemblée, alors qu'il n'en est rien. »

Il lève les bras. Il parle sans hargne.

« La France est une nation avachie qui pense seulement à son confort, qui ne veut pas d'histoires, qui ne veut pas se battre, qui ne veut faire de peine à personne, pas plus aux Américains qu'aux Anglais. C'est une illusion perpétuelle. La France est faite pour Pinay, pour Mitterrand, elle est faite pour se coucher, elle n'est pas faite pour se battre. »

Il écarte ses mains ouvertes.

– En ce moment, c'est comme cela, je n'y peux rien. Je n'y peux rien, dites-vous bien cela.

Il reste silencieux quelques minutes.

– Alors voilà, reprend-il, j'animerai le théâtre aussi longtemps que je pourrai et puis, après moi, ne vous faites pas d'illusions, tout cela retombera et tout cela s'en ira.

19

De Gaulle est assis à son bureau. Il va être 20 heures. Il devrait se lever, gagner ses appartements, dans l'autre aile du palais de l'Élysée. Il y arriverait à temps pour voir les premières images du journal télévisé, comme chaque soir. Mais Foccart est encore là, qui évoque les derniers propos de Mitterrand : « La courbe du gaullisme doit aller vers zéro », a répété le leader de la FGDS. On n'entend que tous ceux qui évoquent « l'après-gaullisme » et bien des journaux traitent le président de la République de « façon scandaleuse », insiste Foccart.

De Gaulle frappe le bureau du poing.

– Qu'est-ce que vous voulez que j'y fasse ? Une fois pour toutes, cessez de me parler de choses sur lesquelles je n'ai aucun pouvoir. Quand je peux faire quelque chose, il faut m'en parler ; pour le reste, fichez-moi la paix.

Il se lève, regarde Foccart s'éloigner, puis il revient à son bureau, se rassoit. Il se sent si las. Ce n'est pas la fatigue du corps qui l'écrase ou la découverte de défaillances intellectuelles. C'est une sorte d'accablement diffus, de manque d'enthousiasme. Il fait les choses et cependant il doute. Lorsqu'il quittera le pouvoir, qu'est-ce qui demeurera de son œuvre, de tous ces efforts auxquels il a consacré son existence ? Et s'il s'agissait là, comme il l'a dit à Foccart, d'illusions ?

Il prend ce livre dont il vient d'achever la lecture. Un roman d'Hervé Bazin, qu'il ne voulait que feuilleter. Pourquoi lire en effet *Le Matrimoine* ? Pourquoi connaître cet auteur dont le premier livre, *Vipère au poing*, l'avait à ce point attristé ? Cet univers de violence familiale, cette haine de la mère sont si différents de ce qu'il a vécu dans son enfance, de ce qu'il vit avec les siens. Et puis, il s'est laissé prendre. Bazin a du talent. Et si c'était ce qu'il écrit qui était « la vie, la vraie », et non ces jeux de scène auxquels un homme public donne toute son énergie ?

Évidemment, il n'est plus sage de s'interroger ! Et cependant il reste là, pensif. Si « la vie, la vraie, c'est le quotidien », que vaut la sienne qui s'achève ?

Dans quelques semaines, il aura soixante-dix-sept ans. Peut-être est-ce cela aussi qui, en dépit de la force qui continue de l'habiter, le ronge.

Il le sait : « À cet âge, on n'a plus devant soi que l'ombre en attendant la nuit. »

Il reste ainsi longuement immobile, puis il relit la dernière lettre reçue de Philippe, qui a pris le commandement du *Suffren*, une frégate lance-missiles. Elle doit appareiller de Lorient pour une longue croisière avec des escales, à Madère, Dakar, Rio de Janeiro et Recife. Philippe va se « trouver dans une période capitale de son commandement ». Il doit, avant de traverser l'Atlantique, effectuer des tirs en Méditerranée, expérimenter de nouveaux missiles à longue portée.

Il est fier de Philippe, de son sens du devoir.

Il commence à lui écrire.

« Me rendant compte des obligations particulières qui vont forcément t'incomber lors des quatre escales de ta prochaine croisière, et pour aider à ce que les choses soient "bien" sans être naturellement excessives, je t'envoie quelque chose à cette intention...

« Pour ce qui est des affaires générales, elles suivent leur cours sans aucun drame.

« Au revoir, mon cher Philippe, Maman se joint à moi pour te dire nos profondes affections.

                                    Ton père qui t'aime »

C'est cela la vie. La continuité d'une famille, la permanence d'un pays, le devoir qu'on accomplit pour l'une et l'autre. Leur destin qu'on assume, leur avenir qu'on prépare même si, en soi, le poison du doute et cette érosion du pessimisme viennent souvent, de plus en plus souvent, créer le désenchantement. Heureusement, il y a ces foules qui témoignent que ce que l'on dit, ce que l'on tente de faire ne sont pas vains.

Hier, c'étaient au long de deux cent cinquante kilomètres du « chemin du Roy » les *Marseillaises* des Québécois qui s'élevaient. Aujourd'hui, à Varsovie, Cracovie, Gdansk, ce sont les Polonais qui accourent.

Il est ému quand, à Katowice, il entend un orchestre de mineurs, des anciens des mines de Lorraine, interpréter et chanter *En passant par la Lorraine*. Et il voit des larmes dans les yeux d'Edward Gierek – ancien mineur du Nord, devenu dirigeant communiste – quand on joue *La Marseillaise*.

Partout une foule en délire, des milliers de visages, le long des routes, aux fenêtres, et dans la cathédrale d'Oliwa.

De Gaulle s'agenouille au côté d'Yvonne de Gaulle. Il est venu pour témoigner, comme au Québec, qu'une nation a le droit d'être libre. Il vient saluer – il l'écrit au primat de Pologne, le cardinal Wyszynski – « la Pologne millénaire ».

Tout ici lui semble familier. Il se souvient des années 20, de son séjour en Pologne, aux côtés de cette armée qui luttait contre les bolcheviks, qui étaient d'abord les vieux oppresseurs russes. Ils sont toujours là. Mais la leçon du Québec vaut pour la Pologne !

Il le dit à Gdansk et, au fur et à mesure qu'il parle, il sent que la foule rassemblée le comprend : « La France n'a pas de conseils à donner à la Pologne... À nos yeux, vous êtes un peuple qui doit être au premier rang... La France espère que vous saurez voir un peu plus loin, un peu plus grand que ce que vous avez été obligés de faire jusqu'à présent. Les obstacles qui vous paraissent insurmontables, sans aucun doute vous les surmonterez. »

Il laisse l'attente s'installer, les mots traduits pénétrer la foule. Puis, il lance : « Vous comprenez tous ce que je veux dire. »

Ces acclamations, ces femmes qui, tout au long des rues et des routes, envoient des baisers, ce peuple qui acclame la France, voilà qui donne sens à la vie, qui justifie une vie qui ne s'en tient pas au « quotidien ».

Et puis, il y a tout à coup ce silence, à Auschwitz, ces hangars, ces salles de torture, ces amoncellements de valises, de chaussures, de lunettes, de cheveux, ces vestiges d'hommes, de femmes, d'enfants, triés ici, au terme d'une « abominable persécution ».

Il s'assoit à une petite table. Devant lui, le livre ouvert sur lequel il doit écrire. Il hésite, puis deux mots viennent : « Quelle tristesse !... Quelle pitié !... » Il s'arrête et il reprend, écrivant devant quelle tristesse « Quel dégoût ! », puis, au bout de la ligne : « Quelle expérience *humaine* ! »

Le 11 septembre 1967, au début de la soirée, au palais de Wilanow, à Varsovie, il s'adresse aux Polonais dans une allocution télévisée. Il veut que chaque mot compte et contribue à renforcer la fierté nationale de ce peuple lié depuis des siècles à la France, et qui doit faire partie d'une Europe indépendante, unifiée, puisqu'il est l'expression de cette civilisation européenne.

Il dit : « J'ai vu que la Pologne est solidement établie dans son unité ethnique, à l'intérieur de ses frontières, avec sa foi millénaire, son espérance de toujours, son âme nationale bien à elle. » Et il ne cache rien. Il veut, au contraire, rappeler ce temps des années 20, quand la Pologne refusait le bolchevisme russe : « Me voici sur le point de partir, dit-il. Je salue ceux d'entre vous qui ont vécu le temps lointain où j'avais été envoyé parmi eux dans ma jeunesse... »

Le mardi 12 septembre, il arrive à Orly.

Il ne lit aucune inquiétude sur les visages des membres du gouvernement venus l'accueillir. Et pourtant il a prononcé des mots qui auraient pu être reçus comme une provocation par les Russes et le gouvernement polonais ! Ils valaient bien « Vive le Québec libre ! ». Ils sont les jumeaux de ce discours-là. Mais on ne le traite pas de fou ! La presse est même d'une discrétion étonnante !

– Il y a eu un courant populaire extraordinaire, raconte-t-il, et cela a été un magnifique hommage à la France.

Mais quel journaliste s'en soucie ! Il faut au contraire taire ce succès qui dérange ceux qui l'attaquent. Ils ne peuvent pas concevoir que la France ait une politique indépendante. Et puis, il le sait, ils veulent l'hallali. Alors, comment pourraient-ils admettre qu'il défend la liberté des peuples, à Phnom Penh, comme à Québec ou Varsovie ? Et comment pourraient-ils approuver qu'on prêche l'indépendance et la souveraineté à un peuple, québécois ou polonais, alors qu'ils ne rêvent que d'abdiquer celles de la France ?

Il feuillette les journaux qui rendent compte sur un ton pincé du voyage en Pologne. Ils insistent sur « l'absence de résultats concrets ».

Et n'en est-ce pas un, considérable, que d'avoir rappelé le souvenir des années 20, quand la Pologne était dressée contre les communistes russes, ou exalté la Pologne catholique actuellement sous le joug !

Il a un geste de mépris : « *Le Figaro* est la feuille à tout faire des Anglo-Saxons », dit-il. La voix de François Mauriac paraît bien isolée, cantonnée dans un « Bloc-Notes » du *Figaro littéraire*. Mais il éprouve à lire ces lignes un sentiment de gratitude. Mauriac le venge.

« Aujourd'hui, libre à vous de vous moquer de ces peuples unanimes qui, à peine la frontière franchie, se pressent autour de de Gaulle, écrit Mauriac. Libre à vous de le traiter de gâteux, de le caricaturer sous les traits immondes du Père Ubu – le jour où cette caricature m'est tombée sous les yeux, je venais de voir, sur le petit écran, de Gaulle adressant aux téléspectateurs polonais un dernier adieu et visiblement au bord des larmes... N'importe, ceux qui se réclameront de lui, quand il ne sera plus là et que vous croirez pouvoir parler en maîtres, auront vite fait de vous rendre plus modestes. »

Il voudrait en être sûr. Et cependant le doute persiste, mêlé d'irritation, d'impatience, de colère. Et aussi, parfois, d'un sentiment d'impuissance.

Les paysans manifestent violemment, les étudiants de l'université de Nanterre créent des incidents, les syndicats lancent des journées nationales d'action. Les ordonnances sur la participation des travailleurs ne vont pas assez loin pour désamorcer l'agitation.

À l'Assemblée, les socialistes et les communistes ont déposé une motion de censure et, même si elle est rejetée, ces débats créent une atmosphère, superficielle sans doute mais hostile. Giscard refuse de voter le collectif budgétaire pour 1967. Et les gaullistes, au lieu d'attaquer, se divisent. Louis Vallon et René Capitant – la gauche – refusent d'aller aux assises de Lille qui doivent décider de la transformation de l'UNR en Union des démocrates pour la Ve République. Ils répètent : « Nous n'irons pas à Lille » et ils dénoncent « la préparation furtive de l'après-gaullisme ».

Il est irrité par ce climat, ces divisions, cette manière souterraine de se préparer à son départ. Il a le sentiment d'être trahi. Il écoute Foccart lui faire, chaque fin d'après-midi, le compte rendu de ces manœuvres. Pourquoi tout ce bruit, tous ces commentaires ?

– C'est ridicule ! s'exclame-t-il, alors que cela représente Vallon, Capitant et dix personnes.

Quant à Giscard, « il ne faut pas le laisser faire. On est tout le temps en train de se laisser grignoter, par-ci, par-là ».

Et pourquoi ne répond-on pas à l'opposition ?

Il est assis dans le bureau de l'Élysée. Il serre les poings, les coudes sur la table, les avant-bras dressés.

– Tous ces types de gauche en peau de lapin, tous ces Guy Mollet, tous ces fumistes, tous ces Mitterrand, ces espèces d'acrobates qui se moquent du public, qui se moquent du pays, qui sont moins que rien, sans moralité, ils sont là à vous dire : « Eh, mais dites donc, quelles sont vos intentions en ce qui concerne cela ? » Au lieu de les écouter, il faut les engueuler, leur dire leur fait, leur dire : « Messieurs, foutez-nous la paix, vous qui avez toujours été des incapables et des escrocs. »

Il repose les bras, il ouvre les mains. Il soupire.

– Voyez-vous, tout cela vient de la faiblesse du gouvernement ! Pompidou maintenant, c'est terminé. Je vais le démissionner, je vais le changer, je ne peux pas continuer comme cela.

Il est calme. Il est attentif aux arguments de Foccart qui insiste, répète que Pompidou est fidèle.

– Cela dépend de ce que vous appelez fidélité, reprend-il. Si c'est la fidélité des sentiments, si c'est la fidélité affective, oui bien sûr. Mais ce n'est pas cela...

Il secoue la tête.

– Il n'exécute pas ma politique. Il traficote tout le temps, il négocie, il arrange les choses. Or, il n'est pas là pour arranger les choses, il est là pour exécuter ou faire une politique.

Il se rejette en arrière, en appuyant ses mains au rebord de la table.

– Mais, voyez-vous, lui, il n'a pas de couilles, et ça, on n'y peut rien ! Il aime négocier.

Il reste quelques instants silencieux.

– Un homme d'État, c'est un homme qui dit tout le temps « non », qui ne voit que par sa conscience, qui ne se préoccupe pas des risques, des inconvénients politiques à droite, à gauche, et qui dit « non », qui répond « non », qui tient bon.

Il baisse la tête. Il n'y a pas d'homme d'État dans son entourage.

– Mais, c'est terminé, Foccart ! Je vous dis que c'est terminé ! C'est maintenant décidé : pour Pompidou, c'est fini, c'est fini ! On ira à la dissolution, et si le pays me donne tort, eh bien tant pis !

Il lève les bras.

– Ils l'auront voulu ! Je ne peux pas, moi, sauver les Français malgré eux et j'aurai fait tout ce que j'ai pu pour mon pays. Mais s'ils ne veulent pas le comprendre tant pis !

Est-ce la fatigue après ce voyage en Pologne, succédant au périple canadien ? Mais il est d'humeur changeante, passant de l'abattement et de l'amertume à une sorte de fatalisme, même si ni l'un ni l'autre de ces états n'entame son besoin d'agir, d'accomplir ce qu'il doit.

Il est au contraire saisi souvent par l'impatience.

Il entre dans sa soixante-dix-huitième année. Combien de temps lui est-il laissé encore pour tenter d'enraciner en France les institutions de la Ve République, ces nouvelles règles d'action politique et pour changer la condition ouvrière ? Combien de mois, et peut-être seulement de semaines, pour replacer définitivement la France dans le jeu mondial ?

Alors, quoi qu'il pense, il continue.

Il parcourt l'Ariège, se rend en Andorre, inspecte les travaux d'aménagement de la côte du Languedoc. On l'acclame. Il en est sûr, le lien n'est pas brisé avec le pays. Il est à Orange, Salon-de-Provence. Il passe en revue les unités de l'armée de l'air. Il visite le centre nucléaire de Pierrelatte et le bâtiment qui, à Cadarache, abrite le prototype du moteur du sous-marin nucléaire. Il voit, à Toulouse, le Concorde 001. Voilà de quoi la France est capable.

Il rentre à l'Élysée. Et c'est la succession des audiences des chefs d'État. Jamais, depuis des décennies, Paris n'a été à ce point un lieu de rencontre. Il reçoit tous les chefs d'État du Moyen-Orient, du président du Conseil des ministres de Syrie au roi de Jordanie. Ces peuples comptent sur la France pour les défendre. Et il faut qu'elle parle pour eux, qu'elle fasse entendre au Conseil de sécurité une voix impartiale.

Mais quels hommes pour l'aider à faire cette politique ?

À nouveau la colère et le pessimisme l'accablent. Il a le sentiment qu'autour de lui, on est prêt à toutes les abdications.

Il s'emporte une nouvelle fois devant Foccart.

– Vous direz oui aux Américains, aux Anglais, aux Allemands, vous serez incapables de leur tenir tête pour ne pas leur faire de peine, pour suivre ce que vous indiqueront *Le Figaro* et *L'Aurore*.

Il est devant la fenêtre. Il regarde le parc de l'Élysée, en cette fin d'après-midi du vendredi 24 novembre 1967. Il pleut.

– Alors, tout ce qu'on aura fait n'aura servi à rien ? ajoute-t-il.

Il retourne s'asseoir à son bureau. Il est indifférent aux propos de Foccart. À cet instant, il est plein d'une certitude : le gouvernement de la France lui échappe. Déjà, on prend des décisions sans le consulter. Il vient d'écrire cette note au Premier ministre :

« J'apprends par les journaux que l'on aurait rétabli l'autorisation annuelle des survols étrangers.

« Il n'est pas admissible qu'une telle disposition soit prise en dehors de moi.

« Au surplus, rien ne la justifie. »

Mais si : Pompidou et les autres veulent satisfaire les Américains, l'OTAN. Ils préparent tous « l'après-gaullisme ».

– Il faut que je remplace Pompidou, dit-il.

C'est l'une des conditions d'un nouvel élan. Mais quand agir ?

– Pompidou, c'est fini, reprend-il. Non seulement vis-à-vis de moi, mais vis-à-vis des adversaires qui rigolent, qui disent : « Ça y est maintenant nous tenons le bon bout. » Et ce Pompidou ne s'en rend pas compte. Lorsque *Le Figaro*, *Combat* et d'autres journaux lui font des compliments en écrivant « Le Premier ministre s'est remarquablement tiré de cette affaire ou de cette autre », il devrait savoir qu'il est sur la mauvaise voie... Mais Pompidou tombe là-dedans, tout content !

Il est urgent qu'il remette de l'ordre dans les esprits.

Le lundi 27 novembre, à 15 heures, il entre dans la salle des fêtes de l'Élysée.

Il a l'impression qu'il n'a jamais fait aussi chaud. Au moment où il franchit les quelques mètres qui le séparent de l'estrade, il éprouve la sensation d'être dévoré par douze cents paires d'yeux, ces journalistes venus du monde entier qui attendent la défaillance, guettent le faux pas.

Mais il ne va ni faillir, ni faiblir. Il va tout dire, sans prudence. À quoi bon ! Il laisse les précautions et les contorsions à Pompidou et aux ministres. Lui, il doit parler net. Il l'a fait avec Churchill, Staline et Roosevelt, quand il n'était que le chef d'une France libre réduite à quelques milliers d'hommes ! Maintenant, il est le président d'une nation souveraine, qu'il a dotée de tous les moyens modernes de la puissance. Oui, il veut parler fort.

« C'est une immense mutation que la France est en train d'accomplir », commence-t-il.

Mais il sent bien que ce qu'il dit des transformations économiques et sociales du pays, de sa stabilité monétaire, n'intéresse que peu les journalistes.

Alors, il répond à des questions sur le Québec. Et il va les faire frémir.

« Cela aboutira forcément, à mon avis, dit-il, à l'avènement du Québec au rang d'un État souverain, maître de son existence nationale... »

Il leur parle de l'Angleterre, maintenant.

« Une transformation radicale s'impose pour qu'elle puisse entrer dans le Marché commun. »

C'est comme si l'atmosphère de la salle avait changé, parcourue par un essaim vibrant, froissant l'air brûlant. Car il a dit plus.

Il a parlé du Moyen-Orient, d'Israël. Et sans précaution, alors qu'il sait que là est le foyer de toutes les passions.

Mais pourquoi devrait-il taire ce qu'il pense ? L'État d'Israël n'est qu'un État comme les autres

États, dont la politique doit être appréciée par la France en fonction de ses propres intérêts.

Mais il sait bien qu'aux yeux de beaucoup, cette position est inacceptable.

Alors, il refait l'histoire d'Israël, en ne cédant à aucune légende, racontant « l'implantation de cette communauté sur des terres qui avaient été acquises dans des conditions plus ou moins justifiables »...

Il sent la tension. C'est comme s'il devait faire face non à une assemblée de journalistes, mais à une salle passionnée, parcourue de frémissements hostiles.

« Certains même redoutaient, reprend-il, que les Juifs, jusqu'alors dispersés mais qui étaient restés ce qu'ils avaient été de tout temps, c'est-à-dire un peuple d'élite, sûr de lui-même et dominateur, n'en viennent, une fois rassemblés dans le site de leur ancienne grandeur, à changer en ambition ardente et conquérante les souhaits très émouvants qu'ils formaient depuis dix-neuf siècles... »

Il y a eu la guerre des Six-Jours.

« La voix de la France n'a pas été entendue... Et depuis, Israël organise, sur les territoires qu'il a pris, l'occupation qui ne peut aller sans oppression, répression, expulsions, et il s'y manifeste contre lui une résistance, qu'à son tour il qualifie de terrorisme... »

Une seule solution : « l'évacuation des territoires qui ont été pris par la force ». Et naturellement la reconnaissance des droits de l'État d'Israël.

Maintenant, il peut parler en souriant de « l'après-gaullisme ».

« Tout a toujours une fin, chacun se termine. Pour le moment, ce n'est pas le cas... Si je voulais faire rire quelques-uns ou en faire grogner quelques autres, je dirais que cela peut aussi bien durer encore dix ans, quinze ans. »

Il voit les journalistes se regarder entre eux. Il est donc fou !

Il sourit, dit un ton goguenard : « Franchement, je ne le pense pas. »

Il avait imaginé qu'on l'attaquerait. Il avait haussé les épaules quand, dans les minutes qui avaient suivi la conférence de presse, il avait répondu aux ministres groupés autour de lui, qui lui demandaient « N'êtes-vous pas inquiet sur le plan intérieur de la position que vous avez prise ? » :

– Si vous croyez que je me suis occupé de l'opinion, le 18 juin 1940 !

Mais, maintenant, il se rend compte qu'il a sous-estimé ses adversaires et ignoré la susceptibilité à fleur de peau des Français juifs, qui depuis cette guerre des Six-Jours sont devenus pour certains des Juifs français.

Et il y a ces centaines de milliers de pieds-noirs, qui le haïssent, qui haïssent les Arabes, qui se sentent solidaires des Israéliens, et qui hurlent à l'antisémitisme. Et il y a ses vieux adversaires de Londres, Raymond Aron, blessé, qui l'écrit avec sincérité. Il y a même René Cassin, scandalisé. Et le grand rabbin Jacob Kaplan. La « petite phrase » « peuple d'élite, sûr de lui-même et dominateur » ne passe pas.

Mais pour la vraie souffrance des uns, que d'habileté outrancière chez les autres !

Il est rempli d'amertume. Il se souvient de son père dreyfusard ! De ce que, tout au long de sa vie, dans l'entre-deux-guerres comme à Londres, comme dans les gouvernements qu'il a constitués, il a le plus souvent eu pour proches compagnons et collaborateurs des Juifs !

Que n'ont-ils, tous ces courageux qui l'attaquent, combattu Vichy et ses lois antisémites comme il l'a fait, lui, à coups de canon !

Mais ils ont appuyé le général Giraud qui, en Algérie, avait maintenu la législation antijuive et toutes ses discriminations !

Mais ils sont là maintenant à signer des pétitions, à l'accuser de réveiller les démons de l'antisémitisme.

Il est scandalisé par ce qu'écrit Aron, au fond de lui-même opposant de toujours : « Le général de Gaulle a sciemment, volontairement, ouvert une nouvelle période de l'histoire juive et peut-être de él'antisémitisme. Tout redevient possible, tout recommence. Pas question certes de persécutions, seulement de "malveillance". Pas le temps du mépris, le temps du soupçon. »

Et on l'accuse, lui, de Gaulle, d'outrance ! Alors qu'Aron laisse entendre qu'il est quasiment un nouvel Hitler, favorisant de nouveaux holocaustes ! Comme l'esprit de mesure se dissout vite chez ce philosophe ! Ne peut-il comprendre qu'on doive, au nom de la France, porter un jugement sur la politique de l'État d'Israël ?

Pourquoi faut-il que les mots – « fort », « entreprenant », « sûr de lui-même » – qu'il a déjà employés à propos du Québec ou de la France soient interdits pour Israël ? N'est-ce pas dans la Genèse (XXXII, 29) qu'un archange dit : « Je te surnommerai sûr de toi et dominateur face à Dieu, bref je te surnommerai Israël, car tu as lutté avec Dieu et avec les hommes, et tu as vaincu » ?

Il le sait bien, certains le condamnent pour l'abattre : opposants habituels, la presse comme à l'accoutumée, les vieux adversaires qui se sentent portés par l'opinion, mais d'autres sont affectés, blessés. Et cela il ne le supporte pas. L'idée qu'il ait pu ainsi attenter à la sensibilité de gens sincères le poursuit.

– Je n'ai outragé personne, répète-t-il, en marchant dans le parc de la Boisserie, en compagnie de son aide de camp.

On a isolé un mot du contexte.

– J'ai dit au peuple juif, non pas qu'il était un peuple dominateur, mais un « peuple d'élite, sûr de lui-même et dominateur ». Il y a tout de même une sérieuse nuance. Dans un sens, c'est même un compliment que j'ai fait aux Juifs... Mais l'amitié avec Israël, c'est une chose. Il en est une autre, le droit reconnu à la France de mener une politique extérieure qui, évidemment, de temps à autre, peut se révéler désagréable pour Israël.

Il s'arrête :

– Oui, dit-il, Israël est un peuple d'élite. C'est le peuple élu de Dieu.

Il baisse la tête. Il se souvient du psaume 110 de la Bible :

« L'Éternel dit à mon Maître : assieds-toi à ma droite, jusqu'à ce que j'aie fait de tes ennemis un escabeau pour tes pieds. »

Mais il doit l'admettre, l'émotion est profonde. Il lit le texte de la conférence de presse donnée par le rabbin Jacob Kaplan.

« Le grand rabbin de France, parlant au nom du judaïsme français, a déclaré Kaplan, se doit d'exprimer la profonde émotion ressentie par le judaïsme tout entier, en présence des thèses exposées par le président de la République. »

Il va recevoir le grand rabbin, lui dire, dès qu'il entre dans le bureau de l'Élysée :

– C'était un éloge justifié du peuple juif. Moi, antisémite ! Vous connaissez mes relations avec les Juifs !

– Vos propos ont cependant apporté des arguments aux antisémites, commence Kaplan, mais enfin, oui ou non une incompatibilité existe-t-elle à vos yeux entre les devoirs des Juifs en tant que citoyens français et leur sympathie affirmée pour Israël ?

De Gaulle secoue la tête.

– La sympathie des Juifs de France pour le peuple et la terre d'Israël est naturelle.

Il n'a pas dit État, car l'État d'Israël a la politique d'un État et la France peut ne pas l'approuver.

– Israël n'a pas été modéré, ajoute-t-il.

Il écoute Kaplan rappeler les menaces de génocide qui du fait des Arabes pèsent sur Israël.

Il répond, explique que, après ce succès si total, si rapide – une guerre de six jours – « les Israéliens sont passés de l'autre côté », comme le cavalier de saint Georges emporté par son élan, du fait de leur victoire.

Et la France ne peut les approuver. Mais c'est une divergence de politique internationale qui ne peut être caractérisée par l'antisémitisme, comme le prétendent les « manipulateurs » de l'opinion. Ceux-là veulent abattre de Gaulle parce qu'il dérange, au Viêt-nam, en Europe, au Proche-Orient, et aussi en France.

Il raccompagne le rabbin Kaplan. L'entretien a été cordial. Il est sûr d'avoir convaincu cet homme juste. Pourtant, il le sait, les ennemis ne désarmeront pas.

Mais au moins que les proches comprennent ! Il veut répondre à Léo Hamon, ancien vice-président du Comité parisien de Libération, dont il a reçu une lettre émouvante. L'homme est blessé.

Il l'accueille, lui dit d'une voix basse :

– Je voudrais trouver les accents pour vous amener à comprendre que je n'ai voulu être désagréable à l'égard de personne. M'accuser d'antisémitisme, c'est ouvrir un procès gratuit ! Comment donc est composé mon gouvernement ?

Mais pour autant, faut-il accepter que certains Juifs français se comportent plus comme des citoyens israéliens que comme des Français de confession israélite ?

Disant cela, il choque, encore. Il ne l'ignore pas. Et s'il évoquait les partis pris de la presse en faveur d'Israël, que dirait-on sinon qu'il est antisémite et qu'il reprend les thèmes des *Protocoles des Sages de Sion*, ce faux publié au début du XXe siècle !

Il veut expliquer, expliquer encore. Il répond à une longue lettre que lui adresse David Ben Gourion, qui fut le premier chef de l'État israélien. Il aime ce lutteur, ce patriote, cet homme de volonté et de foi.

« Monsieur le Président, lui écrit-il.

« Le vaste sujet de la renaissance et du destin de l'État d'Israël ne peut manquer, vous le savez, de m'attirer et de m'émouvoir... Mais Israël dépasse les bornes de la modération nécessaire.

« Quant à la phrase "un peuple d'élite, sûr de lui-même et dominateur", il ne saurait y avoir rien de désobligeant à souligner le caractère grâce auquel ce peuple fort a pu survivre et rester lui-même, après dix-neuf siècles passés dans des conditions inouïes.

« Mais quoi ? Voici qu'Israël, au lieu de promener partout dans l'univers son exil émouvant et bimillénaire, est devenu, bel et bien, un État parmi les autres, et dont, suivant la loi commune, la vie et la durée dépendent de sa politique. Or, celle-ci – combien de peuples l'ont tour à tour éprouvé – ne vaut qu'à la condition d'être adaptée aux réalités. »

Sera-t-il compris ? Il passe les derniers jours de décembre à la Boisserie. Il fait froid, mais il s'obstine à marcher chaque jour sur le sol gelé du parc. Le soir, il s'installe devant le téléviseur. Il aime le chatoiement des couleurs qui, depuis le 1er octobre 1967, ajoute à l'image la diversité de la réalité. Puis il se retire dans son bureau pour relire l'allocution télévisée qu'il doit prononcer à l'Élysée, le 31 décembre. Il a écrit : « Que sera 1968 ? L'avenir n'appartient pas aux hommes et je ne le prédis pas. Pourtant, en considérant la façon dont les choses se présentent, c'est vraiment avec confiance que j'envisage pour les douze prochains mois l'existence de notre pays. »

Et cependant, il y a en lui une sourde inquié-tude, quelque chose comme un voile sombre sur l'avenir. Tant d'oppositions dans les milieux influents ! Il gêne.

Il reprend son stylo, réécrit la dernière phrase de son discours : « Françaises, Français, voilà le cadre humain, actif et pacifique que 1968 paraît offrir à la nation. » Il s'arrête. Le verbe *paraître* est plein d'incertitude, comme l'aveu que tout est illusion, théâtre. Il a un instant la tentation de le changer, et puis, il continue.

« Ce cadre-là, vous toutes, vous tous, et moi aussi, puissions-nous le remplir de telle façon que l'année soit bonne et qu'elle fasse honneur à la France. »

Il relit l'ensemble. Il sent que cette conclusion n'a pas l'élan qu'il faudrait, qu'elle est même pleine d'angoisse. Mais il ne peut pas aller au-delà.

Il referme le dossier, pose les mains à plat sur le bureau.

Qui mesure à quel point il se sent seul ?

Peut-être François Mauriac, qu'il ne voit jamais et qui pourtant comprend. Mauriac vient d'écrire dans son « Bloc-Notes » : « De Gaulle, quoi qu'il ait fait pour son peuple, aura eu contre lui depuis le commencement presque toute l'intelligentsia, de l'extrême droite à l'extrême gauche, en passant par le centre, comme en témoigne la presse quoti-dienne et hebdomadaire. J'ai voulu faire contre-poids dans la mesure de mes forces, à tant d'injustice, à tant d'ingratitude et quelques fois à tant de muflerie. Je le ferais encore si j'avais à le faire et ne regrette rien. »

Ce sont des phrases comme celles-là qui aident à affronter l'incompréhension, la bêtise, la haine.

Mais il ne doit pas s'abandonner à la complai-sance. Voilà plusieurs décennies qu'il sait que celui qui aspire à diriger est toujours seul face à lui-même, et face à son destin.

Il se souvient de ce qu'il a écrit en 1927, lorsqu'il rédigeait ses conférences pour l'École de guerre.

« Face à l'événement, c'est à soi-même que recourt l'homme de caractère... Il a la passion de vouloir, la jalousie de décider. »

C'était il y a quarante ans. Il n'a pas varié. C'est en soi qu'on trouve la force d'agir.

« Le caractère est toujours la vertu des temps difficiles. »

Et ils le sont encore.

Alors ne rien attendre des autres, si ce n'est de quelques proches, Malraux, Mauriac, si ce n'est de ceux de sa famille.

Il reçoit les vœux de Philippe de Gaulle, qui vient avec son bâtiment de regagner Lorient. Il lui répond :

« Ce navire et son commandant se sont magnifiquement comportés dans les épreuves qu'ils avaient à subir. Je te sais grand gré des nouvelles raisons de fierté paternelle et de satisfaction militaire que j'ai pu y trouver.

« À bientôt, mon cher Philippe,

« Ta maman et moi te disons nos profondes affections.

Ton père »

20

De Gaulle ferme le dossier d'un mouvement lent, comme à regret. Il se lève, va vers la fenêtre. Le parc de l'Élysée est inondé de soleil. Le ciel, en ce début du mois de janvier 1968, est d'un bleu brillant. De Gaulle reste un long moment immobile, puis retourne à sa table. Il prend une feuille. Chaque jour, il répond personnellement à quelques-unes des centaines de lettres de vœux qu'il reçoit. Il y a celles des ministres proches. Il relit les quelques lignes que lui a adressées Malraux, d'une petite écriture noire mais parfaitement calligraphiée. Il répond :

« Mon cher ami,

« Pour vous, du fond du cœur, les meilleurs vœux possibles ! Voilà ce que je vous offre avec l'assurance de mon admiration profonde et de ma fidèle amitié. »

Il reprend le dossier, le rouvre. Il feuillette une nouvelle fois les rapports des différents ministères qu'il contient. À les lire, le bilan qu'ils dressent de la situation du pays est favorable. La croissance industrielle vient de repartir, et on pense qu'elle atteindra 8 %. Le nombre des demandeurs d'emploi, inférieur à trois cent mille, devrait diminuer. Les hausses des salaires – 3 % l'an depuis dix ans, en francs constants –, des prestations maladie

– 10 % –, celles du minimum vieillesse – 7 % – devraient continuer.

Il referme une nouvelle fois le dossier. Tout va bien, semble-t-il. Et cependant, il a le sentiment vague d'un malaise. Il a l'impression que ces chiffres ne reflètent pas l'état du pays. Il se tourne vers la fenêtre. Oui, c'est cela, comme si une vitre empêchait de sentir, de respirer, de pénétrer ce qui se passe vraiment.

Il ferme à demi les yeux. Peut-être n'est-ce qu'une angoisse intime, dont il ne peut se dégager depuis quelques semaines, depuis novembre, ce soixante-dix-septième anniversaire, qui lui a fait franchir un nouveau cap. Cette année 1968 est celle de ses soixante-dix-huit ans ! Comment ne pas être morose !

Il soupire. Allons, il va répondre aux vœux de Jacques Vendroux. Il doit féliciter son beau-frère qui, président de la commission des Affaires étrangères de l'Assemblée et maire de Calais, est un fidèle efficace et dévoué :

« J'apprécie tout ce que vous faites, écrit-il.

« Cette transition d'une année à l'autre aura été assez plate. Mais, tout compris, c'est ce qui est le mieux. »

Et si c'était un calme trompeur ? Si cette inquiétude sourde qu'il porte en lui n'était, comme à d'autres moments de sa vie, qu'une intuition ? S'il fallait, au lieu de tenter de l'étouffer, l'écouter, la laisser se dilater, reprendre tous les signes qui la nourrissent ?

Il pose sa main sur le dossier. Chaque rapport peut être lu d'une autre manière. On a dénombré, en 1967, quatre millions de journées de travail perdues pour faits de grève. *Un chiffre jamais atteint précédemment.* Pompidou ne va pas assez vite, ni assez loin dans la politique de participation. Le Premier ministre se montre par ailleurs trop réservé sur la réforme universitaire, comme un enseignant conservateur, et refuse à la fois la sélection et l'orientation des étudiants. Comment, dans ces conditions, le ministre de l'Éducation nationale, Alain Peyrefitte, pourrait-il réformer un système qui craque sous le nombre ? Parce que la vague démographique de l'après-guerre va avoir vingt ans, qu'elle remplit les amphithéâtres de ces universités nouvelles créées un peu partout, à Nanterre d'abord, mais aussi dans les villes de province. Et les incidents se multiplient à Strasbourg, à Nantes, à Nanterre surtout. Le ministre de la Jeunesse et des Sports, Missoffe, a été interpellé dans cette dernière université par un groupe d'étudiants conduit par un jeune Allemand, Daniel Cohn-Bendit.

Et naturellement, les autorités universitaires laissent faire, désarmées, complaisantes ou lâches ?

Hier soir, Foccart, dans son tour d'horizon quotidien, a fait état d'une prévision de Jacques Baumel, le député des Hauts-de-Seine, où se trouve l'université de Nanterre : « Nous allons avoir un gros problème avec les jeunes, a-t-il dit. Et ce sera très grave. »

Il faut des réformes. Et Jacques Narbonne, le conseiller de la présidence pour les questions universitaires, a fait une analyse complète de ce qu'il faudrait faire. Pourquoi cela traîne-t-il ? De Gaulle rouvre le dossier d'un geste irrité. Voilà. Il a approuvé, dès novembre 1967, les decrets destinés à organiser l'orientation et la sélection des élèves dans l'enseignement secondaire. Mais il faut aller plus loin. Il faut demander à Peyrefitte d'élaborer un rapport, dans un délai d'environ un mois, sur les « modalités d'un contrôle de l'accès des étudiants à l'enseignement supérieur, compte tenu des aptitudes individuelles et des besoins de la nation ». Puis, on réunira un Conseil restreint au début du mois d'avril, afin d'arrêter les principes de cette sélection-orientation.

Il fait claquer la couverture du dossier. Encore faut-il que Pompidou ne trouve pas le moyen de retarder une fois de plus les décisions ! Le Premier ministre craint tant d'avoir à affronter des résistances, qu'il cède avant même d'engager le combat ! Dès lors, le pays souvent reste bloqué, entravé par l'absence de réformes, donc incapable de préparer l'avenir.

De Gaulle en est persuadé, le mal est profond.

Il se souvient des années 30, du poids de la bureaucratie militaire, des préjugés, du « gigantesque conformisme collectif », des intérêts de caste auxquels il s'est heurté.

Près de quarante ans ont passé. Et Jean-Marcel Jeanneney, le ministre des Affaires sociales, explique au Conseil des ministres qu'il se heurte toujours à cette « bureaucratie tentaculaire » qui pousse à l'exaspération un grand nombre de Français.

Jeanneney a raison. Mais comment briser ce carcan ? Un référendum ? Une réforme donnant plus de poids aux régions ?

Il reçoit Jeanneney, approuve le diagnostic que le ministre a formulé. Il a de l'estime pour ce juriste et cet économiste issu d'une longue dynastie républicaine. Autrefois, en 1945, son père, Jules Jeanneney, président du Sénat, collaborateur de Clemenceau, a fait partie du gouvernement provisoire.

– Quand on regarde l'agitation qui règne à l'étranger, dit Jeanneney, les révoltes des étudiants aux États-Unis, en Angleterre, en Allemagne, la France apparaît comme une oasis de calme. Je crois que c'est en partie grâce à vous.

Jeanneney n'est pas un flatteur, et pourtant... De Gaulle secoue la tête.

– Grâce à moi, peut-être, commence-t-il.

Il se lève pour mettre fin à l'entretien.

– Mais ne vous faites pas d'illusions, ajoute-t-il. Ça ne va pas durer.

Il revient à son bureau, tête baissée. Il doit encore répondre à une lettre de vœux de sa filleule.

« Ma chère Martine, écrit-il.

« Merci beaucoup des vœux que vous nous avez adressés. De tout cœur, je vous exprime les miens qui sont les meilleurs possible... Quant à notre pays, mon sentiment est que l'année ne lui sera pas très facile... »

Il s'arrête. Il s'étonne lui-même de la phrase qui est venue sous sa plume, comme si, malgré lui, l'inquiétude avait jailli.

Il reprend.

« ... Mais notre pays a maintenant les moyens de s'en tirer fort bien. »

Pourrait-il écrire autre chose ?

Il se lève. Il va regagner ses appartements. Il marche lentement lourdement. Il doit le reconnaître, il manque d'allant.

Il salue son aide de camp Flohic.

– Cela ne m'amuse plus beaucoup, dit-il en soupirant.

Il voit l'étonnement teinté d'inquiétude se peindre sur le visage du capitaine de vaisseau. Il faut rassurer Flohic.

– Il n'y a plus rien de difficile, d'héroïque à faire, ajoute de Gaulle.

Il s'éloigne. Flohic marche près de lui, le long des couloirs, rétorquant qu'« il y aura toujours des circonstances qui nécessiteront l'engagement de véritables chefs ».

– Il y en aura encore, murmure de Gaulle, mais elles ne seront pas pour moi !

Il est 20 heures. Il entre dans son salon. Le journal télévisé commence.

Inquiétude dans la banlieue de Caen, dès les premières images, des heurts violents entre grévistes de la Saviem – une filiale de Renault – et les forces de l'ordre. Des manifestations à Redon, des grèves dans l'enseignement, les PTT, à la SNCF.

Chaque soir, il se sent blessé par ces reportages. Il faudrait agir vite, et il a l'impression irritante, désespérante même, de ne pouvoir le faire, comme si la machine gouvernementale n'embrayait plus. Elle patine ! Est-ce parce que le groupe UNR, après des élections partielles, n'a plus la majorité à l'Assemblée que Pompidou est à ce point prudent ? Et pourtant les faits sont là ! Le Premier ministre ne regarde-t-il pas le journal télévisé ?

Les incidents se multiplient dans les universités, à Nanterre, à Nantes encore. Les étudiants, membres des comités de soutien du Nord Viêt-nam, se heurtent à ceux du groupement d'extrême droite Occident. Celui-ci attaque le siège national du comité de soutien au Nord Viêt-nam. Et, en représailles, les étudiants d'extrême gauche saccagent une exposition organisée par le comité de soutien au Viêt-nam du Sud ! Les cours sont suspendus pour quelques jours à Nanterre.

Il est pris par la colère. Tout cela est insupportable ! Pourquoi faut-il que Paris devienne un lieu de bataille entre partisans et adversaires du Nord Viêt-nam, au moment où Américains et Nord-Vietnamiens choisissent Paris comme lieu de négociation, afin de tenter de mettre fin à la guerre ?

Hommage à la France, et voilà que ces « gauchistes » et ces extrémistes de droite en ternissent l'image. On recense même des plasticages de sièges de sociétés américaines !

Qu'est-ce qu'une république où l'ordre et la loi ne sont plus respectés ? Que font les ministres de l'Éducation nationale et de l'Intérieur, Peyrefitte et Fouchet ? Que fait Grimaud, le préfet de police de Paris ? Que fait surtout le Premier ministre ?

De Gaulle est, peu à peu, au fil des jours, envahi par une colère sourde, de plus en plus vive, et un sentiment d'accablement. Se pourrait-il qu'il ne puisse trouver un moyen d'agir ?

Une fois encore le seul terrain où il a l'impression de pouvoir peser est celui de la politique extérieure. Les visites de chefs d'État et de ministres se succèdent. Ils viennent d'Irak, de Hongrie, de Tchécoslovaquie. Au mois de mai, il compte se rendre en Roumanie.

« Le remue-ménage que ma politique contribue à instaurer n'est pas pour me déplaire », dit-il à Flohic.

Mais, aussitôt, le pessimisme resurgit : « Les États-Unis sont décevants, ajoute-t-il. Ils n'arrivent toujours pas à faire la paix au Viêt-nam. L'Allemagne s'agite... Quant à l'Angleterre, elle est dans un pauvre état. »

Il va rencontrer le chancelier allemand Kiesinger. Les entretiens seront tendus. L'Allemagne refuse d'admettre qu'il y a « deux hégémonies rivales » et que l'Europe doit jouer sa carte entre elles. Les Allemands veulent au contraire être de plus en plus proches des États-Unis et ils soutiennent le dollar face à la flambée des cours de l'or. Comme toutes les puissances – à l'exception de la France.

Alors pourquoi masquer les divergences ?

« Le fait est qu'aucune réunion de responsables de deux États, dit de Gaulle, ne peut être aujourd'hui légère et riante. Le monde est trop tendu. »

C'est cela qui l'inquiète. Il ne peut, à aucun moment, oublier ce climat international, ou bien cette vague de troubles qui affectent la jeunesse, qui secouent la plupart des pays. Qu'il assiste à l'ouverture des Xe Jeux olympiques d'hiver, à Grenoble, ou à l'inauguration de la Foire internationale de Lyon, c'est comme si une douleur diffuse l'habitait.

Les troubles ne cessent pas à Nanterre. Une organisation gauchiste s'y est même créée : le Mouvement du 22 mars. En Allemagne, les manifestations étudiantes sont particulièrement violentes, le leader des gauchistes, Rudi Dutschke, est gravement blessé. Et des manifestations de protestation ont aussitôt lieu à Nanterre, à Paris.

Un universitaire communiste, le député Pierre Juquin, venu faire une conférence, est même chassé de l'université de Nanterre par des étudiants qui se disent « prochinois ».

De Gaulle lit les notes que transmet le ministère de l'Intérieur. C'est, dans une minorité de la jeunesse universitaire, un foisonnement de nouvelles organisations : Jeunesses communistes révolutionnaires, qui se réclament du trotskisme, Union des jeunes communistes marxistes-léninistes, qui sont « maoïstes ».

De Gaulle repousse ces notes. Qu'est-ce que tout cela, sinon le signe d'un trouble profond, l'écume de la mutation du monde qui est en train de s'opérer ? Il la pressent depuis des années, et c'est pour cela qu'il veut des réformes radicales, c'est pour cela qu'il pousse Pompidou à agir. Il ne faut pas que cette mutation s'opère dans le désordre et que la France y disparaisse.

Mais pourra-t-il maîtriser cette situation alors qu'il craint que le pays lui échappe ? Peut-être est-ce un de ces moments de l'Histoire où tout le monde est emporté.

Il se souvient. Ce fut ainsi en 1914. Il le dit à Jean Guéhenno, qui vient de publier *La Mort des autres*, un essai sur le premier conflit mondial, cette tragédie. Ce fut, précise de Gaulle, « un immense consentement qui saisit alors tout à coup tous ceux, hommes et peuples, qui devenaient belligérants alors qu'à part quelques individus, ils ne l'avaient pas voulu. Il me semble que nous eûmes soudain, quels que fussent nos pays, nos conditions, nos opinions, le sentiment d'être saisis par une puissance inexorable. Était-ce par ce que l'Antiquité appelait le Destin, Bossuet, la Providence, Darwin, la loi de l'espèce ? Même Guillaume II, oui, même lui, a crié, sincèrement je crois : *"Ich habe das nicht gewollt* [1] *!"* ».

Il répète ces mots « *Ich habe das nicht gewollt !* ». Et si les acteurs, en cette année 1968, étaient eux aussi saisis par cette « puissance inexorable » ?

Il pense au Destin, à la Providence, cette puissance inexorable, alors qu'il se trouve sur la place d'Armes de Toulon, le 8 février, écoutant la messe célébrée à la mémoire des cinquante-deux hommes d'équipage qui viennent de disparaître à bord du sous-marin *Minerve*, perdu corps et biens dans des circonstances inexpliquées.

Puis il se rend à la base sous-marine. Il fait grand vent. Les sous-marins sont alignés coque contre coque, leurs équipages au garde-à-vous. Il monte sur une petite estrade.

« Des marins sont morts en mer », commence-t-il.

Il parle d'une voix forte. Il regarde loin vers l'horizon, au-delà de ces familles en noir rangées en face de lui.

« Ils étaient des volontaires, reprend-il, c'est-à-dire qu'ils avaient d'avance accepté le sacrifice et qu'ils avaient fait un pacte avec le danger. »

Ce pacte, il a décidé de le renouveler pour lui, comme un défi symbolique. Il s'avance vers la passerelle du sous-marin *Eurydice*, du même type que le *Minerve*. Il devine les regards des personnalités de sa suite, qui n'ont pas été averties de ce qu'il a décidé. Le capitaine de vaisseau Flohic, le ministre des Armées Messmer, et l'amiral Patou, chef

1. Je n'ai pas voulu cela !

d'état-major de la Marine, savent seuls qu'il veut plonger à bord de l'*Eurydice*, là même où le *Minerve* a disparu. Il suit le commandant du navire jusqu'au panneau avant où l'on embarque les torpilles. Flohic a prévu de le faire descendre par cet orifice où il devrait entrer moins difficilement.

Il s'enfonce. Il faudra bien que ce corps lourd, corpulent, presque difforme, se plie à sa volonté, se glisse dans l'étroit passage, cette coursive où il doit baisser la tête, où il se frotte des épaules aux parois, pour atteindre le carré, où il a décidé de déjeuner avec les officiers du bord, au cours de la plongée.

C'est Flohic qui, l'*Eurydice* ayant refait surface, montera l'échelle du kiosque pour jeter une couronne à la mer, en hommage aux morts du *Minerve*. De Gaulle écrit sur le livre de bord :

« Au sous-marin *Eurydice*, en témoignage. Et à la mémoire du *Minerve* ! Charles de Gaulle. »

Il retrouve l'Élysée. Les jours se suivent, émaillés de grèves, de manifestations, de débats à l'Assemblée, d'opposition entre Pompidou et Giscard.

Il lit, le 15 mars, l'article, publié en première page du *Monde*, de Pierre Viansson-Ponté, un journaliste de talent, qui est aussi un adversaire. Viansson-Ponté écrit : « Ce qui caractérise actuellement notre vie publique, c'est l'ennui. Les Français s'ennuient... La jeunesse s'ennuie... Le général de Gaulle s'ennuie. Il s'était bien juré de ne plus inaugurer les chrysanthèmes et il continue d'aller, officiel et bonhomme, du Salon de l'agriculture à la Foire de Lyon... N'y a-t-il vraiment d'autre choix qu'entre l'apathie et l'incohérence, l'immobilité et la tempête ? »

De Gaulle enlève ses lunettes, hausse les épaules. Il ne partage pas ce sentiment. Il a l'impression que la France vit le moment où, avant l'averse, le vent tombe tout à coup et qu'on croit à une accalmie, qu'on imagine même que l'orage ne va pas éclater.

Il se souvient tout à coup d'une phrase d'André Maurois : « L'émeute se glisse dans le sillage de l'ennui. »

Voilà qui est plus juste.

Il y a des drapeaux noirs anarchistes en queue du cortège qui, le 1er mai, à l'appel de la CGT, du PCF et du PSU, défile de la place de la République à la place de la Bastille. Le gouvernement a autorisé cette manifestation, interdite depuis plusieurs années.

De Gaulle regarde les images du défilé à la télévision. Gens paisibles, à l'exception de cette poignée d'anarchistes, contenue d'ailleurs par le service d'ordre de la CGT.

Et pourtant, il est inquiet. Le 2 mai, à la Sorbonne, un incendie ravage le local des Groupes d'études de lettres, peut-être l'œuvre du mouvement Occident. À Nanterre, les incidents reprennent. Huit étudiants sont traduits devant le Conseil de l'Université. Et le doyen Grappin suspend les cours *sine die*.

Enfin, quelques mesures d'autorité !

De Gaulle s'approche de Christian Fouchet, venu à l'Élysée pour les cérémonies de remise du muguet du 1er mai au président de la République. Il faut que le ministre de l'Intérieur reste directement en contact avec lui puisque Georges Pompidou, malgré les réserves de Fouchet, vient de partir, le 2 mai, pour un voyage officiel en Iran et en Afghanistan. L'intérim du Premier ministre est assuré par Louis Joxe, le garde des Sceaux.

De Gaulle prend Fouchet à part :

– Il faut en finir avec ces incidents de Nanterre, dit-il.

– C'est bien mon sentiment, mon général. Mais jusqu'ici ils échappent à ma juridiction. C'est l'affaire des autorités universitaires.

– Je sais, je sais, mais vous les connaissez. Il faut en finir, répète de Gaulle.

Il s'éloigne et tout à coup il pense au Destin, à la Fatalité, à cette « puissance inexorable » qui entraîne les hommes là où ils ne veulent pas aller.

Septième partie

3 mai 1968 – juillet 1968

Vous savez, depuis quelque chose comme trente ans que j'ai affaire à l'Histoire, il m'est arrivé quelquefois de me demander si je ne devrais pas la quitter.

Charles de Gaulle à Michel Droit,
7 juin 1968.

21

De Gaulle se lève et commence à marcher dans le salon en jetant de temps à autre un coup d'œil vers l'écran du téléviseur, où continuent de défiler les images des manifestations de ce lundi 6 mai 1968.

Il ne peut rester assis, immobile. Il a besoin d'agir.

Voilà trois jours qu'il sent que la situation se dégrade et que le gouvernement laisse le désordre s'installer. Mais, aujourd'hui, on atteint des sommets ! Les heurts entre manifestants et forces de l'ordre ont tourné à la bataille de rue, dans tout le Quartier latin. Il a vu, entendu, ces reportages complaisants, à la télévision, à la radio, surtout sur Europe n° 1 et RTL, où les reporters semblent tout faire pour donner le plus large écho aux propos des étudiants « enragés », qui protestent contre la traduction de certains des leurs – ce Cohn-Bendit notamment – devant la commission disciplinaire de l'Université. Ils réclament aussi la réouverture de la Sorbonne fermée et évacuée depuis le vendredi 3 mai. Ils s'indignent de la condamnation, ce samedi et ce dimanche, de treize manifestants arrêtés, auteurs des incidents qui se sont produits après l'évacuation de la Sorbonne, ce 3 mai précisément.

Il s'arrête, face à l'écran. Voilà qu'on interviewe de bons bourgeois qui, tous, soutiennent les étudiants.

Il tourne le dos au téléviseur. Et il est saisi par la fureur. Il est écœuré, révolté, indigné. Il écoute les journalistes. Ils racontent que, tout au long de cette journée du 6 mai, une véritable « guérilla urbaine » a opposé les étudiants aux forces de l'ordre. Les manifestants ont bénéficié, disent-ils, de la sympathie de tous les habitants du Quartier latin, qui les ont accueillis, approvisionnés, encouragés même en applaudissant de leurs fenêtres ceux qui construisaient les premières barricades.

De Gaulle s'assied lourdement. À la fureur, succède l'accablement. Il pressent que toutes les oppositions qu'il a suscitées, de l'extrême droite à l'extrême gauche, que tous ceux qui le haïssent, des anciens de l'OAS, partisans de l'Algérie française, aux politiciens, vont se liguer contre lui. Mais des bourgeois qui applaudissent les drapeaux rouges et noirs, ça, il ne l'avait pas imaginé !

« Je les savais c..., mais à ce point-là !... maugrée-t-il. Quel est ce pays, quelle est cette France qui se couche devant une poignée de galopins ! »

Il va une nouvelle fois recevoir Alain Peyrefitte, Fouchet, Joxe. Le ministre de l'Éducation nationale est un partisan de la réforme de l'Université, mais il n'a pas pu avancer, empêché par un Premier ministre qui ne « veut pas déranger le pot de fleurs ». Il a rencontré la résistance de tous les « mandarins » du système. Quant au ministre de l'Intérieur, il est d'abord soucieux de ne pas provoquer d'effusion de sang. Soit. Mais il faut être capable de prendre aussi ce risque et d'en assumer les conséquences.

– Il n'est pas possible de tolérer les violences dans la rue, dit de Gaulle à Fouchet. Il faut trouver la voie entre la répression sanglante et la faiblesse.

Il a confiance dans le ministre de l'Intérieur et dans le préfet de police Maurice Grimaud. Et cependant, une partie de la nuit du lundi 6 au mardi 7 mai, puis durant toute la journée du 7, les manifestations se succèdent, les heurts sont violents : quatre cents blessés chez les manifestants, deux cents parmi les forces de l'ordre. Un cortège de près de trente mille étudiants a même remonté les Champs-Élysées et s'est répandu tout autour de l'Arc de Triomphe. On a chanté *L'Internationale*.

Il se sent humilié. Le monde entier a les yeux fixés sur Paris où doit s'ouvrir, le 13 mai, la première négociation entre Américains et Nord-Vietnamiens. Et voici que la capitale offre ce spectacle !

Il ne peut se contenter de l'explication commode selon laquelle il s'agit d'un mouvement « mondial » de la jeunesse. Certes, n'a-t-il pas lui-même, dix fois, parlé de la « mutation » dans laquelle la France est engagée, de la nécessité de réformer le système d'enseignement ? Mais les faits sont là. Un État digne de ce nom ne doit pas reculer.

Il lit les fiches que transmettent les agents du Service de documentation extérieure et de contre-espionnage. Ils affirment que des services étrangers financent certains des mouvements extrémistes. Ils évoquent le rôle de la CIA, des services chinois, des agents de l'Est ou de pays d'Amérique du Sud, des services secrets israéliens.

Il hausse les épaules. Tout est possible. Il a tant dérangé qu'on serait, à Washington, à Ottawa, à Pékin, à Tel-Aviv, et peut-être à La Havane et même dans certains cercles moscovites, heureux de se débarrasser de lui.

Mais rien n'est prouvé. Et d'ailleurs un complot n'a jamais réussi s'il ne rencontre pas des circonstances favorables. Les trente mille jeunes qui remontaient les Champs-Élysées ne sont pas des « agents étrangers ».

Ou bien la nation trouve en elle-même les moyens de résister, ou bien le gouvernement dispose d'assez d'énergie et d'intelligence pour faire face, ou bien tout s'effondrera.

Il reçoit Fouchet, après le Conseil des ministres du mercredi 8 mai.

Il faut tenir bon, répète-t-il. Pas question de céder aux demandes d'ouverture de la Sorbonne.

Puis il reste seul, marchant dans son bureau. Il se sent irritable. Il dort mal depuis quelques jours. Il contemple longuement le parc de l'Élysée.

Qui sait si, à un certain moment, « le pays ne va pas, sans réagir, glisser dans le néant, comme dans la légende allemande où l'enfant au bras de son père s'abandonne au roi des Aulnes et à la mort » ?

Que faire si c'est de cela qu'il s'agit ?

Il s'emporte : « Les Français sont des veaux, ils ne tiennent pas le coup. Ils sont couchés. »

Il se calme. Il est injuste avec son peuple, il le sait. La France est ainsi.

Il va et vient, trop irrité pour s'asseoir. Il pense à l'histoire de cette nation, à Louis XIII et Richelieu qui « avaient demandé à la France, pendant près de vingt ans, un effort considérable de discipline, d'organisation, d'argent même. Richelieu, appuyé sur le roi, avait exercé une véritable dictature que le peuple français avait supportée impatiemment, mais sans laquelle l'œuvre nationale eût été impossible ». Et puis ces années aboutissent à « la Fronde, à la curée de l'État ».

Peut-être se trouve-t-on aujourd'hui devant une situation semblable.

« Et ceux qui mènent la danse sont les prétendues élites ! »

Il s'assied enfin.

Il parcourt les textes des discours qu'il doit prononcer en Roumanie, la semaine prochaine. Pourra-t-il accomplir ce voyage ? Peut-il quitter la France en ce moment ?

Il reste, tête baissée.

Ne pas donner à voir l'inquiétude, telle est la règle du commandement. Et donc, il faut partir en Roumanie. Et cependant, abandonner le pays au gouvernement, en pleine crise, n'est-ce pas donner l'impression qu'on ne tient plus la barre ? Il est partagé.

« Mardi prochain, commencera la visite à la Roumanie », écrit-il à sa « chère fille Élisabeth ».

« Retour le dimanche suivant. D'ici là, les histoires d'étudiants... d'autant plus désagréables que le problème qui les suscite ne peut être résolu du jour au lendemain. Il s'agit en effet de ne plus admettre à l'Université ceux qui ne sont pas capables d'en obtenir les diplômes. Mais cela fait beaucoup de monde et le corps des professeurs en est bouleversé. Cela se fera pourtant. »

Encore faut-il qu'on ne laisse pas le pays s'enfoncer dans le désordre.

Ce mercredi 8 mai, il reçoit à déjeuner son gendre, le général Alain de Boissieu, qui commande, à Mulhouse, la 7e division du corps de bataille. Coïncidence : il vient précisément d'écrire à Élisabeth, l'épouse de de Boissieu.

Alain de Boissieu vient de rendre visite au ministre des Armées, pour lui soumettre le plan des manœuvres nationales qui doivent se dérouler dans les jours prochains.

– Je vous vois en pleine réussite, dit de Gaulle, et je sais combien vous l'avez méritée.

Puis de Gaulle reste silencieux.

Il se souvient de ces jours de 1941 où il vit arriver, à Londres, de Boissieu, jeune lieutenant évadé d'Allemagne, interné en Russie et enfin rejoignant les Forces françaises libres. Puis ce compagnon est entré dans la famille, épousant Élisabeth, devenant le père d'une petite Anne.

Toute la vie passe en quelques secondes.

Il redresse la tête.

Moins que jamais le temps est à la nostalgie.

Il veut savoir ce que, dans l'armée, on pense des « événements ». Il écoute Alain de Boissieu dont les propos ne l'étonnent pas. Les jeunes appelés, explique de Boissieu, critiquent les étudiants, les « sursitaires » privilégiés qui brûlent les voitures et abattent les arbres des boulevards parisiens. Les soldats s'étonnent de l'inefficacité de la police.

– Le préfet de police joue au chat et à la souris avec Cohn-Bendit, dit de Gaulle, mais contrairement à ce qu'il croit, il n'est pas le chat, mais la souris.

Il se lève, reprend.

– Imaginez un étudiant français allant semer la pagaille au son de *L'Internationale* dans une université allemande. Dans l'heure qui suivrait, il serait arrêté, reconduit à la frontière avec une solide amende qu'il ne pourrait pas payer ; en conséquence, il irait en prison dans la ville la plus proche.

Il invite de Boissieu à le suivre pour une promenade dans le parc de l'Élysée. Il marche à pas lents, s'arrêtant devant les massifs de fleurs. Le ciel a la légèreté bleutée de ces autres mois de mai qui furent à chaque fois des tournants dans son destin : mai 1940, mai 1958. En sera-t-il de même pour ce mois de mai 1968 ?

À propos de Cohn-Bendit, de Boissieu sait-il que pour les communistes, il n'est qu'un « anarchiste allemand » ? Et Herbert Marcuse, le philosophe inspirateur de bien des étudiants, est, lui aussi, selon eux, un « philosophe allemand qui vit aux États-Unis ».

De Gaulle secoue la tête. Les communistes ne veulent pas se laisser déborder par les gauchistes qui condamnent pour leur part les « crapules staliniennes ».

Grenouillages politiciens que tout cela. Il faut aller au fond des choses.

– Il se produit une sorte de mécanisation générale, reprend de Gaulle, dans laquelle sans un grand effort de sauvegarde l'individu ne peut manquer d'être écrasé.

C'est pour cela qu'il faut instituer partout la participation, pour les étudiants à l'Université, pour les salariés à la marche des entreprises. Peut-être pourrait-on utiliser cette crise pour faire avancer cette réforme sociale capitale.

Il s'arrête à nouveau. Il interroge de Boissieu : doit-il, malgré les circonstances, se rendre en Roumanie ?

Tout en écoutant de Boissieu, il s'est remis à marcher. De Boissieu insiste pour que le voyage ait lieu. Car, selon lui, les incidents sont provoqués par des services étrangers désireux de saper l'autorité internationale du général de Gaulle. La Sécurité militaire, précise de Boissieu, avait prévenu les états-majors que bientôt la France allait connaître des manifestations étudiantes. Il ne faut pas que la diplomatie française en soit affectée.

– Il faut parler au pays, mon général, conclut de Boissieu.

De Gaulle s'immobilise. Pourquoi surenchérir, donner ainsi de l'importance à des « manifestations stupides » ?

Et puis, Pompidou doit rentrer de son voyage en Iran et en Afghanistan à la fin de la semaine.

– C'est au gouvernement de faire face. Ce n'est pas au chef de l'État de s'occuper du maintien de l'ordre public.

Et d'ailleurs, s'il parlait, cela signifierait qu'il prendrait le problème en main, et dès lors comment quitter le pays pour la Roumanie ?

De Gaulle croise les bras, le menton sur la poitrine. Il y a autre chose. Le silence est une manière de préparer les conditions de l'action.

Il se tourne vers de Boissieu :

– Souvenez-vous de ce que j'ai écrit dans *Le Fil de l'épée*, dit-il. « Rien ne rehausse mieux l'autorité que le silence. »

Il regagne son bureau. Il consulte les dépêches. Alain Peyrefitte vient d'annoncer à l'Assemblée que, si certaines conditions étaient remplies, la Sorbonne pourrait rouvrir.

Qu'est-ce que cela !

« Non, non, on ne capitule pas devant l'émeute, l'État ne recule pas ! »

Il écarte de la main les notes faisant état que, alors qu'il est prévu comme chaque année qu'il se rende à l'Arc de Triomphe, pour commémorer l'anniversaire de la victoire du 8 mai, de jeunes gauchistes se préparent à lancer contre lui des billes d'acier. Le ministre de l'Intérieur a reçu des informations précises à ce sujet.

Il ne changera rien au programme habituel.

Il est debout dans la voiture découverte qui lui semble rouler un peu plus vite que d'habitude. Il salue la foule qui applaudit.

On ne doit jamais reculer quand l'honneur de l'État est en question.

C'est la fin de la journée du mercredi 8 mai 1968. Tout est calme. Peut-être est-ce la fin de la crise ?

Il reçoit Peyrefitte. Le ministre explique la position qu'il a exprimée devant l'Assemblée nationale.

« Si l'ordre est rétabli, a-t-il dit, tout est possible. S'il ne l'est pas, rien n'est possible. »

Les étudiants bénéficient de larges soutiens dans l'opinion, précise-t-il.

De Gaulle montre le télégramme qu'il a reçu. Il est signé par cinq prix Nobel – Jacob, Kastler, Monod, Lwoff, Mauriac : « Vous demandons instamment faire personnellement geste susceptible apaiser révolte des étudiants. Profonds respects. »

Mais peut-on laisser des manifestants imposer leur loi, crier « le pouvoir est dans la rue », dire, comme Cohn-Bendit aujourd'hui dans une interview au *Nouvel Observateur*, « notre objectif immédiat, c'est la politisation de l'Université », ou bien ajouter qu'il faut « détruire les centres d'exploitation du tiers monde, qui sont à notre portée, en France même » ?

La République, c'est la loi. La démocratie, c'est le suffrage universel. Ce n'est pas l'émeute qui doit dicter la politique, mais le gouvernement et le chef de l'État issus du vote des citoyens.

De Gaulle serre les poings. Il ne cédera jamais à la force de l'émeute.

Il n'est donc pas question de rouvrir la Sorbonne.

Il regarde s'éloigner Peyrefitte.

Il voudrait se convaincre que la situation est maîtrisée.

« Nous disposons des moyens pour faire face, dit-il à Foccart. Il faut donc restaurer l'ordre. On verra ensuite le fond du problème. »

Mais l'inquiétude est là qui sourd, la nuit, le jour. Il ne dort plus. Il est tendu. Il voit, à la télévision, ces images d'étudiants assis sur le pavé de la place de la Sorbonne et qu'un de leurs leaders, Sauvageot, harangue, annonçant que, dès que la Sorbonne sera rouverte, des étudiants l'occuperont et n'en sortiront plus.

Il convoque Fouchet et Grimaud. Il les écoute argumenter. Ils souhaitent l'un et l'autre pour des problèmes d'effectifs, de prudence aussi, ne pas interdire la manifestation prévue pour le samedi 11 mai. Il hésite. Il a confiance dans ces deux hommes, deux bons serviteurs de l'État.

Il préférerait, dit-il, que la manifestation soit interdite. Il faut savoir montrer la détermination du gouvernement. Il répète une fois encore d'une voix courroucée : « L'État ne recule pas. »

Fouchet expose une nouvelle fois les raisons de son choix : la manifestation doit être tolérée.

De Gaulle se lève, met fin à l'entretien. Il faut reconnaître aux responsables de terrain la liberté de leur stratégie. C'est aussi un principe de commandement. Les faits jugeront.

– Je vous laisse carte blanche, dit-il.

Il n'est pas satisfait. Il se sent prisonnier de ces hommes qui l'entourent, de ce gouvernement dont le Premier ministre est encore absent pour quelques dizaines d'heures.

Il lui faudrait prendre du champ, pour se retrouver avec lui-même, seul enfin, avant de resurgir et de reprendre d'un seul acte la situation en main, comme il l'a fait tant de fois.

Mais aujourd'hui tout est incertain.

Dans les rues, dit Grimaud, il y a des milliers de lycéens, des enfants qui n'ont pas seize ans. On ne peut prendre le risque de devoir tirer sur cette foule juvénile qui ne sait pas trop ce qu'elle veut. C'est la même qui, il y a quelques années – le 22 juin 1963 –, s'est rassemblée place de la Nation, pour ce concert yé-yé, organisé avec Sylvie Vartan et Johnny Hallyday par Europe n° 1. Ils étaient déjà des dizaines de milliers. Et ils écoutent maintenant ces reporters d'Europe n° 1 ou de RTL qui exaltent leurs « faits d'armes » contre les CRS. « CRS-SS ! »

Et pourtant, c'est l'État, c'est la France, ses moyens d'agir, son prestige qui sont en cause.

Il saisit le téléphone, le repose. Jamais il n'utilise cet appareil. Il le reprend. Il veut répéter à Fouchet qu'il n'est pas question de laisser les manifestants envahir la Sorbonne.

« Instruction formelle », martèle-t-il.

C'est le soir du vendredi 10 mai. Il regarde le journal télévisé, comme à l'habitude. Et voilà encore les manifestants qui déferlent, qui crient « libérez nos camarades » et brandissent des banderoles qui proclament « Dix ans ça suffit », ou bien « De Gaulle au musée ».

Et les badauds applaudissent dans le soir qui tombe. Au loin, barrant les carrefours, se dessinent les lignes noires des CRS, des gardiens de la paix, et éclatent, au milieu des cris « CRS-SS ! », les premières bombes lacrymogènes.

Il est amer. Accablé. Ces jeunes gens pour lesquels il a tant voulu que la France de demain, la leur, soit grande, fière, forte, voilà qu'ils courent, sautent, rient, lancent des pavés contre lui. « De Gaulle, tu es vieux », hurlent-ils.

Qui saura la souffrance qu'il éprouve ? La vie publique, pour celui qui y engage tout son être, est un calvaire.

Il l'a toujours su. Mais c'est le destin qu'il doit assumer encore.

Il lui semble, dans le demi-sommeil, entendre au loin des explosions et, derrière les rideaux, il aperçoit des lueurs, comme des éclairs de chaleur, l'été, dans les nuits d'orage.

Des voix. Il reconnaît tout à coup celle de Bernard Tricot, le secrétaire général de la présidence de la République, et celle de Flohic, l'aide de camp.

Il est 5 h 30, ce samedi 11 mai.

Il est calme. Puisque ses collaborateurs le réveillent, c'est que la situation est grave.

Peu après, il entre dans son bureau. Il est 6 heures. Voici Joxe, le Premier ministre par intérim, Fouchet et Messmer, les ministres de l'Intérieur et des Armées.

« Mon général, je vous prie de bien vouloir m'excuser, commence Fouchet, je me présente à vous sans être rasé. »

De Gaulle fait un geste d'indifférence.

« Moi non plus, je ne suis pas rasé. »

Il écoute : cinquante barricades ont été dressées, cette nuit, par les manifestants. L'ordre d'assaut a été donné à 2 heures, les premières sommations, rue Auguste-Comte, ont été lancées à 2 h 05. Il y a au moins trois cent soixante-seize blessés. Les rues du Quartier latin, sur la montagne Sainte-Geneviève, ont été dépavées. Les émeutiers ont mis le feu à près de soixante voitures. Les affrontements ont été très durs, mais il n'y a pas de morts.

Il lit les différentes dépêches. Il y a donc eu de véritables combats de rue. Mais pourquoi a-t-on laissé construire des barricades ? Il aurait fallu intervenir « dès qu'il y a eu une pierre sur une autre pierre ».

À 16 heures, il reçoit Joxe, Fouchet, Grimaud.

Ils sont unanimes. Il faut faire droit aux revendications des étudiants : libération des manifestants, amnistie, retrait des forces de police, réouverture de la Sorbonne.

Que veulent-ils, ces ministres, la capitulation de l'État devant la rue ? Mais sur qui donc peut-il compter ? Comment ne voient-ils pas que plus l'on cède, et plus les manifestants exigent, et que peu à peu ils s'en prennent aux institutions, au chef de l'État ?

Déjà les syndicats viennent de décider, pour le lundi 13 mai, une grève générale, avec manifestation de masse à Paris. Il sent que de l'émeute étudiante, banale, semblable à ce qui s'est passé dans d'autres capitales, moins violente même qu'à Berlin ou au Japon, on glisse vers autre chose. La coalition des opposants se met en place, voulant utiliser les étudiants comme fer de lance contre de Gaulle.

Il est 18 heures, ce samedi 11 mai. Il reçoit Alain Peyrefitte et le recteur Roche.

Il interroge longuement le recteur, puis il reste seul avec Peyrefitte. Le ministre de l'Éducation nationale est un homme maître de lui, lucide. Il l'a montré dans tous les postes ministériels qu'il a occupés. Il l'écoute proposer un « plan compensé, équilibré, complet ». On accepte les trois revendications étudiantes, et on exige trois contreparties : filtrage à l'entrée des facultés, maintien de l'ordre à l'intérieur des bâtiments universitaires, reprises des cours.

« Il faut provoquer une baisse de température », conclut Peyrefitte.

Le ministre est prêt à remettre sa démission si elle est jugée nécessaire.

De Gaulle l'écarte d'un grand geste.

« Bon, d'accord sur le plan. »

Il raccompagne Peyrefitte.

« D'ici à la grève générale de lundi, plus rien ne se passera », dit-il.

Il attend. Le Premier ministre vient d'atterrir à Orly, à 18 h 45 et a déjà rencontré Joxe, Fouchet, Peyrefitte, Guichard, Foccart, Tricot.

À 21 heures, il entre dans le bureau.

De Gaulle l'observe. Pompidou a le visage reposé et énergique de quelqu'un qui n'a pas subi la tension de ces derniers jours. Le Premier ministre parle avec autorité. Il veut, dès ce soir, dit-il, intervenir à la télévision, annoncer pour lundi la réouverture de la Sorbonne et de Nanterre, ainsi que la libération des étudiants emprisonnés. Il veut jouer l'apaisement. Ses yeux sont vifs, presque fixes sous les sourcils épais. Pompidou n'envisage donc aucune contrepartie à ses concessions. Fini le plan équilibré. Il parle en « patron ». Il dit :

« Je ne suis mêlé à rien de ce qui vient de se passer... Je suis libre, finalement le seul à l'être, et je peux, sans que le gouvernement semble se désavouer lui-même, choisir et adopter une attitude différente de la vôtre. »

De Gaulle se tasse. La fatigue tout à coup. Le sentiment qu'il a en face de lui un vrai rival, un homme qui a décidé de jouer sa carte, pour lui-même. Et qui dit clairement qu'il met son poste dans la balance. Chantage. Comment changer le Premier ministre aujourd'hui, dans ce climat ? Avec la grève générale et les manifestations prévues pour lundi ?

– Vous étiez absent lorsque les événements ont éclaté, commence de Gaulle. Je ne vous le reproche pas. Je vous ai moi-même conseillé de ne pas interrompre votre voyage. Vous revenez. Vous prenez la responsabilité de la tactique.

Il se lève.

– Si vous gagnez, tant mieux, la France gagne avec vous. Si vous perdez, tant pis pour vous.

Le samedi 11 mai, à 23 heures, de Gaulle s'assoit devant le téléviseur. Voici le Premier ministre. Gros plan sur son visage. Pompidou parle sans qu'aucun trait de son visage ne bouge.

« Durant le voyage officiel... je n'ai jamais cessé de suivre avec une grande tristesse le développement du malaise universitaire... J'ai décidé que la Sorbonne serait librement réouverte à partir de lundi... Je demande à tous de rejeter les provocations... »

Pompidou annonce la libération des étudiants condamnés.

« Ces décisions sont inspirées par une profonde sympathie pour les étudiants et par la confiance dans leur bon sens... Cet apaisement, j'y suis pour ma part prêt... Puisse chacun entendre mon appel. »

Chaque mot comme un pion poussé en avant dans une stratégie personnelle. Pas une phrase sur l'ordre nécessaire et l'action de la police. Pas une fois le nom de de Gaulle. On capitule, pour ramasser la mise.

De Gaulle se lève et, lourdement, va éteindre la télévision.

Il est si las.

Voilà des mois qu'il voulait en finir avec Pompidou pour engager des réformes profondes, qui eussent peut-être évité la crise, et que Pompidou a empêchées. Et maintenant que la crise est là, le Premier ministre se sert d'elle pour s'imposer. C'est de bonne guerre.

Le dimanche 12 mai, il s'est emparé de toutes les commandes. Debré, Fouchet, Peyrefitte sont écartés en fait. Peyrefitte a même présenté sa démission.

Et c'est le lundi 13 mai : cinq cent mille manifestants, la Sorbonne rouverte et immédiatement occupée, les étudiants libérés portés en triomphe. Et les opposants qui exultent : « Le pouvoir gaulliste recule », « De Gaulle, c'est le chaos », répètent Mitterrand et Defferre.

De Gaulle, le visage impassible, regarde le cortège qui, comme un flot inépuisable, a envahi la place Denfert-Rochereau, venant de la place de la République. Il est hérissé de pancartes et de banderoles sur lesquelles on lit : « 13 mai 1958-13 mai 1968 : dix ans c'est assez »... « De Gaulle à l'hospice »... « De Gaulle au couvent »... « De Gaulle aux archives »...

Il ne se tourne pas vers Yvonne de Gaulle. Il imagine sa souffrance.

Il ne peut pas dormir dans cette nuit du lundi 13 au mardi 14 mai. Le départ pour la Roumanie est fixé à 7 h 35.

Il va et vient dans ses appartements puis, à 1 heure du matin, il regagne son bureau. Il appelle Fouchet.

— Alors, je m'en vais ou je ne m'en vais pas ? demande-t-il au ministre de l'Intérieur.

– Il n'en est pas question, mon général... L'opinion française ne comprendrait pas que vous n'y renonciez pas. Elle compte davantage que l'opinion roumaine.

De Gaulle hésite. Et ce doute en lui, comme une douleur, le partage.

– Je reste, murmure-t-il.

Couve de Murville et Pompidou arrivent. Ils sont tous deux partisans du départ en Roumanie.

La blessure du doute, plus profonde encore.

Pompidou insiste, renoncer serait mauvais diplomatiquement, dit-il.

– D'autre part, poursuit-il, sur le plan intérieur, l'heure de votre action n'est pas encore venue. Ne vous usez pas... Très sincèrement, je crois que les difficultés sont derrière nous ; non devant nous. Nous assistons aux derniers remous. Si vous ne partiez pas, vous donneriez l'impression que tout n'est pas terminé. L'opinion serait troublée.

De Gaulle se retourne vers Fouchet, l'interroge du regard.

– Mon général, je vous ai dit mon sentiment, je le maintiens.

Il faut refermer la plaie du doute. Laisser Pompidou jouer sa carte. Le Premier ministre a voulu être seul à décider ? Soit ! Qu'il le reste. Bucarest n'est après tout qu'à quatre heures d'avion de Paris. Et on le tiendra informé de ce qui se passe à Paris heure par heure.

C'est le milieu de la nuit. Il se sent plus calme.

À 7 h 30, ce mardi 14 mai. Il salue, dans le salon d'Orly, les ministres venus le saluer. Il est inquiet. Le doute à nouveau brûlant. Il voudrait partir pour Colombey, marcher seul dans le parc de la Boisserie, réfléchir. Mais il doit serrer les mains des membres du gouvernement, dire qu'il ne faut pas accorder aux manifestations étudiantes plus d'importance qu'elles ne méritent.

Il pense au cortège du 13 mai, aux centaines de milliers de manifestants.

Il parlera, dans une dizaine de jours, le 24 mai. Il reprendra la situation en main.

Il se souvient de cette prière que récitaient les manifestants et que complaisamment les reporters ont rapportée :

> *Notre Charles qui est trop vieux*
> *Que ton nom soit oublié*
> *Que ton règne finisse*
> *Que notre volonté soit faite.*

Il baisse la tête pour entrer dans la Caravelle.

22

De Gaulle va et vient devant ces larges baies vitrées qui ouvrent sur un parc immense. Il se tourne. La pièce a les dimensions d'un hall. Tout est démesuré dans ce palais où Ceaucescu l'accueille, ou plutôt – il n'en est pas dupe – l'isole, loin des foules, à peine aperçues hier matin, mardi 14 mai 1968, à l'aéroport de Baneasa, puis hier soir autour du Conseil d'État. Et, à l'évidence, il s'agissait de « figurants » convoqués sur ordre, criant en cadence « Vive l'amitié franco-roumaine », « Vive le président de Gaulle et Ceaucescu ». Ils donnaient à peine l'apparence de comprendre ce qu'ils scandaient.

Mais peu importe ! L'essentiel est qu'il ait pu parler, ici en Roumanie, de « l'indépendance de chacune des nations d'Europe », de la nécessité de se débarrasser des « idéologies et des hégémonies ». Il a sans doute ainsi conforté l'orientation de Ceaucescu à se dégager du carcan soviétique, prudemment car l'homme est rusé, demeuré communiste et dictateur à n'en pas douter, mais on peut en appeler à son patriotisme, à sa volonté d'indépendance.

De Gaulle traverse la pièce. Les pas résonnent sur les dalles de granit rose poli. Les cloisons sont escamotables. Il fait glisser l'une d'elles et s'installe dans une autre pièce démesurée qui sert de bureau.

Cet après-midi, à l'Assemblée nationale roumaine, il dira... Il cherche le passage de son discours qu'il veut souligner : « Nous, Français, sommes depuis l'origine les champions de l'Occident sur un continent peuplé essentiellement de Latins, de Germains et de Slaves, et vous, vous êtes la Roumanie ! »

Il se lève. L'essentiel sera dit ce soir, au bout de quarante-huit heures de séjour. Après, il ne s'agira plus que de parcourir le pays, de créer un lien personnel avec ces populations écrasées par ce régime totalitaire et dominées par les Russes. Il faut qu'elles comprennent que l'on peut desserrer ces liens qui étranglent.

Il retourne à la table, consulte son programme. Le samedi 18 mai, il doit parler à l'université de Bucarest, aux étudiants. Il évoquera ce « grand vent salubre qui se lève d'un bout à l'autre de notre continent, dissipant les nuées et soulevant les barrières ».

Il imagine déjà ce que les envoyés spéciaux de la presse parisienne écriront : de Gaulle parle aux étudiants roumains pendant que les étudiants français lancent des pavés et veulent l'envoyer « à l'hospice » ou « au musée » !

De Gaulle ouvre les baies vitrées. Chaleur déjà, en ce mercredi 15 mai. Calme et paix du parc et de la forêt. Il marche sur la terrasse. Il ne regrette pas d'avoir quitté Paris, pour ces quelques jours.

Il avait besoin de voir les événements à distance, en perspective. Bernard Tricot et François Flohic viennent de lui transmettre les dernières nouvelles de Paris, rassemblées à l'Élysée par Xavier de La Chevalerie, le directeur de cabinet du président. Il perçoit une aggravation de la situation : les grèves avec occupation d'usine, notamment à Nantes, à

Sud-Aviation, chez Renault, à Cléon et à Flins, se multiplient. La crise est-elle en train de changer de nature ? L'opposition, par la voix de Mitterrand, a déposé une motion de censure à l'Assemblée. La crise étudiante peut servir de détonateur à une crise sociale, à partir de laquelle les politiciens tenteront de jeter à bas les institutions. Et il semble bien que la stratégie d'apaisement de Pompidou est en passe d'échouer.

Il rentre dans la pièce.

Il faudra remplacer Pompidou, dès que l'ordre sera rétabli, quand le fleuve aura regagné son lit. Il faudra, à ce moment-là, entreprendre la grande réforme qui seule peut régler les problèmes que la crise a révélés.

Qui choisir comme Premier ministre ? Sans doute Couve de Murville. Il faut, au cours de ce voyage, le préparer à cette désignation. Et ce changement de gouvernement doit aller de pair avec un référendum, afin de retrouver le contact avec le peuple.

Les choses sont claires. Enfin ! Il a le sentiment puisqu'il a fait ses choix que la situation n'est plus, comme il le vivait encore le 14 mai, « insaisissable ».

Mais, plusieurs fois par jour, il doit faire un grand effort sur lui-même pour rester imperturbable, quand Bernard Tricot et François Flohic lui chuchotent, cependant qu'on parcourt les usines électriques et chimiques de Craiova, ou bien qu'on traverse, de Craiova à Bucarest, la campagne roumaine, les dernières nouvelles de Paris.

La situation se dégrade d'heure en heure. Le théâtre de l'Odéon a été occupé. Les syndicats de police manifestent leur mécontentement. Des mouvements de grève sont déclenchés dans les services publics, à la SNCF, aux PTT et à l'ORTF. Ce sont en fait toutes les institutions qui sont remises en cause, contestées, à la Sorbonne, dans un climat détendu. Les badauds visitent le quartier. L'Odéon et la Sorbonne sont des lieux de débats permanents. On y a vu Sartre. Et, sur les murs, on a pu lire : « J'ai quelque chose à dire, mais je ne sais pas quoi. »

Pompidou est intervenu à la télévision, réclamant le retour à l'ordre. En vain. Le mouvement social gagne tout le pays. On se dirige vers une grève générale.

« Il ne faudra pas tarder à référer », dit à mi-voix Yvonne de Gaulle.

De Gaulle se retourne. Yvonne de Gaulle n'a pas levé la tête de son ouvrage. Il ressent pour elle, à cet instant, un intense sentiment de gratitude. Elle a toujours été présente à ses côtés, toujours légère, même aux moments les plus sombres, les plus douloureux aussi, quand « la pauvre petite Anne »...

Qu'aurait-il fait sans elle ? Elle est le plus proche, le plus fidèle des « Compagnons », celle qui n'a jamais failli.

Ce jeudi 16 mai, si loin de la Boisserie, il est heureux, dans ce palais roumain, à Craiova, de dîner seul avec Yvonne de Gaulle. Moment de paix, d'intimité, ménagé par le programme officiel et si bienvenu.

Il lit, puis il commence à se dévêtir. Et tout à coup, ces bruits dans l'antichambre. Couve de Murville et Bernard Tricot demandent à être reçus.

Il a gardé son pantalon de ville, mais il est déjà en veste de pyjama. Il faut les recevoir.

Il devine, malgré l'impassibilité de Couve de Murville et le contrôle de lui-même de Bernard Tricot, la profondeur de leur inquiétude.

Les grèves s'étendent donc. Le pays n'est pas loin d'être paralysé. L'opinion ne comprend pas que le président de la République soit absent de

Paris, en un moment pareil. Le gouvernement, même s'il continue de fonctionner, les ministres se réunissant régulièrement, et même si le pouvoir est ainsi maintenu, ne peut résoudre la crise. Il faut un choc qui frappe l'opinion.

– Le voyage doit être écourté, mon général, dit Couve de Murville.

De Gaulle réfléchit quelques secondes, puis approuve d'un mouvement de tête.

Il quittera la Roumanie, samedi 18 mai, après avoir enregistré une allocution télévisée et s'être rendu à l'université. Les rencontres prévues pour la matinée du dimanche matin doivent donc être annulées.

Peu de chose.

Sur la route, entre Craiova et Bucarest, il regarde ces maisons de paysans, basses, aux toits de chaume. Au bord de la chaussée, sur ordre à n'en pas douter, les paysans ont dressé des tables couvertes de nappes blanches. Il est ému par cette civilisation rurale qui, même si elle se plie ici aux exigences d'un régime totalitaire, exprime une hospitalité ancestrale. Les voitures s'arrêtent. Il descend. Les paysans offrent le pain et le sel. Plus loin, sur la route, une collation est prévue : les jeunes paysannes dansent en rondes joyeuses. Elles tendent la main : « Rien qu'un instant, Monsieur le général. »

Le geste est spontané. Il pourrait se laisser aller à faire quelques pas de danse. Mais il imagine les photos à la « une » des journaux parisiens. Il est si facile de caricaturer, de déformer une intention, et d'écrire une légende sous un cliché : « Le roi s'amuse et danse pendant que son peuple est en grève ! »

– Merci, Mesdames, ce n'est plus vraiment de mon âge, dit-il.

Il parle à l'université, devant un amphithéâtre d'étudiants attentifs, puis enthousiastes.

Et c'est une joie et une douleur. Pourquoi faut-il qu'il ne trouve pas les moyens, en France, de nouer ce même dialogue avec la jeunesse !

Il se souvient de cette blessure, la main qu'on lui a refusée, à l'École normale supérieure, quand il l'a visitée, le 21 février 1959 : « On ne serre pas la main d'un dictateur », a dit l'étudiant.

Et, aujourd'hui, près de dix ans plus tard, alors que la paix en Algérie a été conclue, l'indépendance de la France assurée, que les scrutins se sont succédé, que la Constitution a été respectée, les réformes engagées dans la liberté, le même rejet. « De Gaulle au musée », ont-ils crié.

Ces images reviennent pendant que l'avion vole vers Orly.

Blessures toujours ouvertes. Mais celui qui prend en charge les intérêts d'une nation doit s'attendre à toutes les incompréhensions. Et tout au long de sa vie, dès lors qu'il a voulu, dès les années 20, penser contre les modes et les hiérarchies, il a été seul, et si souvent incompris !

Mais cela ne doit pas empêcher d'agir, de faire ce que l'on croit juste et souhaitable pour le pays dont on a accepté la direction.

C'est cela être responsable. Et l'Histoire jugera.

Le pilote vient d'annoncer que les nouvelles en provenance d'Orly sont mauvaises. Les grèves risquent de paralyser l'aéroport. On sera peut-être contraint de se poser sur l'aéroport militaire de Villacoublay.

De Gaulle reste impassible. Mais il se sent habité par une résolution inflexible.

Il faut en finir. On ne peut pas laisser la France s'enfoncer ainsi dans le désordre, sombrer, sans que personne ne réagisse, comme si le pays se défaisait.

Il pense à ce mois de mai 1940 quand, dans tous ses rouages, la nation s'est désagrégée, presque tous les Français devenant des spectateurs fascinés et passifs de leur propre défaite.

Il va réagir.

Contrairement aux espoirs et analyses de Georges Pompidou, la situation s'est dégradée. Elle est pire, ce samedi 18 mai – alors que l'avion se pose finalement à Orly, à 22 h 30 – que le mardi 14 mai, au moment du départ d'ici même pour la Roumanie.

C'est donc l'échec de la stratégie d'apaisement et de capitulation de Georges Pompidou, que le Premier ministre a été totalement libre d'appliquer pendant ces cinq jours.

Pompidou est là, dans le salon d'Orly, en compagnie de tous les membres du gouvernement.

Il suffit d'un coup d'œil pour deviner leur angoisse et leur désarroi.

De Gaulle marche vers eux d'un pas décidé. Il serre les mains des uns et des autres. Il interpelle Peyrefitte, démissionnaire en fait, mais officiellement demeuré en charge de l'Éducation nationale.

– Et vos étudiants, toujours la chienlit ?

– Le flot est en train de se répandre, mon général. Je pense qu'il finira par s'arrêter.

De Gaulle tourne la tête, dit en se dirigeant vers Malraux :

– Je reviens quelques heures plus tôt. Il ne se passera rien avant lundi, mais il faut marquer le coup, cela ne peut plus continuer.

Il serre la main de Malraux.

– Alors, Malraux, ils vous ont pris l'Odéon ?

– Leurs problèmes ne seront pas réglés pour autant et cela ne leur portera pas bonheur, répond d'une voix saccadée le ministre d'État chargé des Affaires culturelles.

De Gaulle fait quelques pas, s'arrête sur le seuil du salon.

– Ce voyage a été très important, dit-il, c'est extraordinaire comme la France a été, est aimée là-bas... Et puis, les Roumains, ils font la sélection !

Il va regagner l'Élysée. Il réunira dès ce soir quelques ministres dans son bureau. Il fixe Pompidou :

— La récréation est terminée. Nous allons reprendre tout cela en main, dit-il, et nous allons régler les problèmes comme nous les avons toujours réglés dans les moments difficiles. Nous en appellerons au peuple français.

23

De Gaulle suit des yeux Yvonne de Gaulle qui, dans les longs couloirs de l'Élysée, regagne les appartements présidentiels. D'un pas lent, il se dirige vers son bureau. L'huissier ouvre les portes devant lui. De Gaulle traverse les salons, vides et silencieux. Il lui semble qu'il s'enfonce dans un labyrinthe dont il doit sortir, fût-ce en bousculant les murs, en brisant tous les obstacles. Il ne ressent pas la fatigue du voyage mais, plus il s'approche de son bureau, moins il parvient à maîtriser sa colère.

Il aura donc suffi de cinq jours pour que le pays glisse dans ce chaos, que la chienlit submerge tout, que les efforts de dix années risquent ainsi d'être balayés et que, dans les rues de Paris, on laisse crier « De Gaulle à l'hospice », « De Gaulle au musée » !

Il s'installe à sa table. Il découvre une lettre d'Henri, comte de Paris, portée il y a quelques heures, ce samedi 18 mai.

« Selon ce que vous direz et ferez, mon Général, dans les heures qui suivront votre retour, les Français, qui tous vous attendent, s'orienteront vers le meilleur ou vers le pire. C'est de vous seul que tout dépend.

« L'avenir va se jouer dans les heures qui viennent, j'en ai la conviction profonde... Les habiletés illusoires, le conservatisme aveugle n'ont eu jusqu'ici pour effet que d'exposer l'autorité du président de la République, en même temps que d'amoindrir la portée populaire du régime...

« L'insurrection des jeunes, la détermination ouvrière nous font une obligation de rechercher objectivement les valeurs réelles qui doivent commander les orientations à donner au pays... Vous seul, mon Général, pouvez tirer de ces circonstances graves le meilleur pour la France et pour tout ce que vous lui avez rendu...

Votre affectionné,
Henri »

Il replie la lettre que le comte de Paris précise avoir rendue publique.

Il est touché par cette démarche mais sa colère, un instant estompée, revient plus forte.

Quel gâchis ! Le prince a raison. Les habiles, les conservateurs, ces ministres et le Premier d'entre eux n'ont pas compris la profondeur de la mutation en cours. Ils ont freiné, saboté les réformes, et maintenant ils abdiquent.

Certains, il en est sûr, ont déjà placé leurs biens à l'abri en Suisse ! Et d'autres sûrement s'apprêtent à trahir.

Il a convoqué Georges Pompidou et quelques ministres, à minuit. Les voici qui entrent dans le bureau.

– C'est le bordel partout, lance-t-il, alors que Pompidou termine son compte rendu de la situation.

Des millions de grévistes, toutes les autorités contestées.

– Il faut arrêter cela, dit-il. C'est eux ou nous.

Il fixe Pompidou qui ne baisse pas les yeux, annonce qu'il est prêt à remettre sa démission.

De Gaulle hausse les épaules, se lève, va jusqu'à la fenêtre. Le parc est un gouffre noir.

– Pas question.

On n'abandonne pas le navire en pleine tempête. Une fois rendu au port, on avisera. D'un geste, il met fin à l'entretien.

Il sait qu'il ne dormira pas. Il donne des ordres pour que demain, dimanche 19 mai, dans la matinée, les responsables de l'ordre – Pompidou, Fouchet, Messmer, Grimaud et le ministre de l'Information Georges Gorse – soient convoqués dans son bureau. Il faut aller vite, utiliser les quelques heures qui restent avant que, avec le début de la semaine, on ne plonge à nouveau dans le désordre des grèves, des manifestations et des violences.

La nuit qui n'en finit pas. La fatigue qui se transforme en fureur, en inquiétude, en sentiment d'impuissance.

Il s'installe à son bureau. Il lit les rapports des préfets.

Le mouvement gagne les villes de province. Dans les plus petites cités, on manifeste, on occupe les bâtiments publics, les usines.

À Paris, notent les Renseignements généraux, une banderole barre la rue Saint-Guillaume, où se trouve l'Institut d'études politiques. On y lit : « Les Sciences-Po disent NON à la dictature gaulliste. » C'est donc ainsi qu'on juge le gouvernement de la France ! Il se sent écrasé par l'amertume. Il ne se lève pas quand, en fin de matinée, ce dimanche 19 mai, les ministres conduits par Pompidou entrent dans le bureau. Il se redresse.

– Alors de Gaulle s'en va et quand il rentre tout est par terre ! lance-t-il.

Il donne la parole à Fouchet, tout en haussant les épaules.

« Je ne pense pas que vous ayez à me dire autre chose que je ne sais déjà », dit-il.

Un ministre de l'Intérieur incapable de rétablir l'ordre, est-ce encore un ministre ? D'ailleurs, Fouchet ne prononce que quelques phrases.

Inutile d'écouter Pompidou, qui a fait mine de prendre la parole. De Gaulle l'arrête d'un geste.

– Ce qui se passe, commence-t-il, a assez duré. Cette fois, c'est la chienlit, c'est l'anarchie. Ce n'est pas tolérable. Il faut que cela cesse. J'ai pris mes décisions. On évacue aujourd'hui l'Odéon et demain la Sorbonne.

Il se tourne vers Gorse.

– Pour l'ORTF, vous reprenez les choses en main. Vous mettez les trublions à la porte et puis voilà.

Ils avancent leurs bonnes raisons, leurs excuses. Ils disent : il y a des problèmes dans la police, effectifs, état d'esprit...

Il doit les choquer, les bousculer.

– Eh bien, Fouchet, il faut faire ce qu'il faut avec la police, il faut lui donner de la gnole... Il faut le faire tout de suite !

Ils disent qu'ils ont évité de faire tirer sur les manifestants, qu'on ne compte aucun mort malgré la brutalité des heurts entre manifestants et policiers. Qu'à vouloir prendre l'Odéon et la Sorbonne, on ira nécessairement vers des incidents sanglants.

Il lève les bras. La colère est retombée tout à coup. Il faut pourtant qu'on sache dans l'opinion ce qu'il pense. Que Gorse répète devant la presse : « La réforme, oui, la chienlit, non ! »

Pour le reste... Il soupire. Pour le reste...

Il écrit rapidement une note :

« 1. L'Odéon doit être évacué dans les vingt heures ;

« 2. L'ORTF doit être protégé et n'employer pour l'information que des éléments vraiment sûrs ;

« 3. Un avantage immédiat doit être donné à la police. »

Il raccompagne les ministres.

Qu'est-ce qui se passera réellement ? Il dit à Fouchet sur le seuil :

– L'Odéon d'abord, la Sorbonne ensuite.

Il se retrouve seul. Il éprouve la sensation insupportable d'une situation qu'il ne peut contrôler, comme si les commandes ne répondaient plus, comme s'il ne pouvait plus peser sur l'événement.

« Le gouvernement donne des ordres et ne m'en rend pas compte. Je donne des ordres qu'il n'exécute pas. »

Ils n'ont pas fait évacuer l'Odéon. Et la situation empire. L'essence manque. La paralysie gagne le pays. Il lit les comptes rendus du débat qui s'est engagé à l'Assemblée sur la motion de censure déposée par la FGDS et les communistes. Chaque phrase est une blessure. Mitterrand lance : « Vous avez tout perdu, il faut que vous partiez. »

Et le camp gaulliste se fragmente : René Capitant démissionne, pour ne pas avoir à voter contre le gouvernement qu'il juge responsable de la vague antigaulliste ; et Edgard Pisani vote la censure en prétendant que c'est de cette manière qu'il se comporte en gaulliste, puis il démissionne.

Il passe par des moments d'abattement, puis de colère et de volonté d'agir. Car la partie n'est pas terminée. Il reçoit un message de Jacques Vendroux qui raconte qu'à l'Assemblée, dans la galerie qui conduit de la salle des Quatre-Colonnes à la salle des conférences, Waldeck Rochet, le leader communiste, l'a entraîné dans l'embrasure de l'une des grandes fenêtres et lui a murmuré : « Surtout, insistez pour qu'on ne cède pas... Il ne faut pas qu'*il* s'en aille. »

Mais Vendroux précise aussi que des députés gaullistes, et certains parmi les plus notables, répètent que « le temps du Général est terminé et que le moment est venu où il devrait prendre sa retraite ».

De Gaulle n'est pas surpris. Certains pensent que l'avenir est maintenant du côté de Pompidou et, dans l'entourage du Premier ministre, on dit aussi de plus en plus fort « maintenant, le Vieux est fini, il doit partir ».

Humain, trop humain !

Voilà qui complique la sortie de crise. Pompidou joue sa carte. Il se campe à la fois en conciliateur et en rempart. Il ne doit pas être mécontent de ces affiches qu'on appose dans Paris et dont les notes des Renseignements généraux disent qu'elles se multiplient. Elles représentent une caricature du général de Gaulle accompagnée par ces mots : « La chienlit, c'est lui. »

Pompidou doit rassurer ceux que le désordre inquiète de plus en plus et qui cherchent une issue. Pourquoi pas le départ de de Gaulle, si Pompidou le remplace ? Le Premier ministre ne vient-il pas de l'emporter à l'Assemblée où la motion de censure n'a recueilli que deux cent trente-trois voix alors qu'il en aurait fallu deux cent quarante-quatre ?

De Gaulle est assis à son bureau. Il a retrouvé, parmi les livres rapportés de la Boisserie, un ouvrage écrit par sa grand-mère maternelle qui signait Madame de Gaulle. Il a eu envie de relire ces pages consacrées à Sainte-Hélène, quand celui qui disposa de tous les pouvoirs et qui fut l'empereur des rois, entouré de courtisans, se retrouve seul, avec une poignée de compagnons fidèles. Destins de faiseurs d'Histoire ! Ce sera sans doute son sort.

On frappe. Il lève la tête. Il fait entrer le lieutenant-colonel Jean d'Escrienne. Il ferme le livre, lit la note que lui remet son aide de camp, la pose au coin du bureau.

Même le siège de la Société des gens de lettres, l'hôtel de Massa, vient d'être occupé par des écrivains. Et apprenant qu'un ordre d'interdiction du territoire français a été promulgué contre Cohn-Bendit, les étudiants ont recommencé à manifester dans les rues du Quartier latin, criant : « Nous sommes tous des Juifs allemands ! » Et ils répètent : « CRS-SS ! » Quelle confusion !

Il regarde d'Escrienne.

– Alors, qu'est-ce que vous en pensez ? demande-t-il.

Faut-il aller jusqu'au bout ? Faire appel si besoin est à l'armée ? Il doit parler, intervenir à la télévision, le vendredi 24 mai, proposer un référendum qui devrait avoir lieu le 16 juin. Cela sera-t-il suffisant pour dénouer la crise ? Et si les communistes, la seule force véritable, profitaient des circonstances pour tenter de s'emparer du pouvoir ?

D'Escrienne approuve l'analyse. Dans les jours qui viennent, dit-il, le parti communiste aura en main tous les atouts, face au désordre de la rue et à l'impuissance de l'État...

– Oui, murmure de Gaulle, c'est une désagrégation, une dislocation générale.

Parfois, il a l'impression que la vieillesse tombe sur lui comme une masse. Il a du mal à se redresser. Les jambes sont lourdes. Il faudrait marcher d'un pas vif et il avance pesamment. Les idées sont claires, la lucidité aiguë, la mémoire infaillible et pourtant, c'est comme si son esprit flottait, loin du présent, presque indifférent.

Il parle à Averell Harriman, le chef de la délégation américaine aux pourparlers de Paris sur le Viêt-nam, puis avec le chef de la délégation vietnamienne. Les mots se déroulent dans un ordre parfait, sans difficulté, mais comme s'il ne les pensait pas.

Il hoche la tête. Il est présent et pourtant il se sent absent. Une phrase lui vient :

– L'avenir ne dépend pas de nous. Il dépend de Dieu.

Et puis, voici qu'il sent qu'il habite à nouveau son corps.

Il entre dans la salle du Conseil des ministres, ce jeudi 23 mai, jour de l'Ascension. Il dévisage rapidement chacun des ministres. Il lit leur inquiétude sur leurs traits creusés. Et certains dérobent leurs regards comme s'ils voulaient voiler leurs pensées. Il va demander à chacun d'eux de s'exprimer, parce que les circonstances exigent que l'on s'engage individuellement. Il commence : « Je vais vous dire ce que je pense de la situation... Le pays est en mutation... Ce mouvement tient à des causes qui le dépassent : la civilisation technique et mécanique. »

Il lève le menton, comme pour désigner le Premier ministre.

« On aurait pu, depuis longtemps, faire un certain nombre de choses qu'on n'a pas faites. Je passe... De même pour l'ordre public... On aurait pu... »

Il s'interrompt. Pompidou a baissé la tête.

– Votre psychologie a été de laisser faire, de laisser venir... À quoi bon épiloguer, il y a tellement d'arguments...

Et puis, maintenant, l'avenir : ce sera la participation.

« Je dois faire un référendum à ce sujet, demander un mandat public pour mener à bien ces choses-là. » Il s'exprimera demain, vendredi 24 mai, à la télévision.

Maintenant, aux ministres de parler : Edgar Faure, Marcellin, Debré, Billotte, Couve de Murville... Schumann qui, d'une voix forte, dit : « Le réflexe conservateur n'est pas gaulliste parce qu'il est sans lendemain. » Michelet pour qui « le gaullisme, c'est le rajeunissement du pays ». Peyrefitte qui souhaite plutôt des élections générales. Malraux pour qui « le pays devra choisir entre la réforme et la révolution ». Pompidou enfin, qui insiste sur la force du PC et de la CGT et conclut : « Mon Général, nous avons été fidèles à votre personne et nous le resterons. »

Jusqu'à quand ?

Il sait que certains vieux compagnons, Pierre Lefranc, Jacques Foccart, ont commencé à mettre en place des Comités de défense de la République – CDR – mais qu'ils agissent en dehors du gouvernement, scandalisés par les propos entendus ici et là, dans l'entourage du Premier ministre, où l'on dit : « Le Général, c'est fini, il doit s'en aller, c'est le dernier service qu'il puisse rendre à la patrie. Nous avons le cœur serré. Jetons un voile sur la vieillesse du Général. Son erreur historique a été de se représenter en 1965. »

Il n'ignore rien de cela. Mais si, demain, il renoue avec le pays, si son intervention, comme en 1961, au moment du putsch des généraux, change toute la donne, alors tous se rassembleront autour de lui.

Il va répondre à Pompidou, conclure ainsi ce tour de table :

« Je suis très touché. Je vous remercie. Lundi prochain, nous fixerons le projet de loi, le texte, le décret d'organisation, la date du référendum et nous ferons en sorte que le projet de loi en soit un. »

Il se lève. Demain, il parle à la France.

Il connaît le texte du discours par cœur, il sait que sa mémoire ne le trahira pas, mais il a à nouveau, dès les premiers mots qu'il prononce – « Tout le monde comprend, évidemment, quelle est la portée des actuels événements... qui démontrent la nécessité d'une mutation de notre société... » –, le sentiment qu'il s'entend et se regarde, spectateur presque indifférent de la pièce qu'il joue. C'est comme si sa mémoire seule était concernée et que le corps, assis là, dans ce salon de l'Élysée, en face des micros et des caméras, n'était qu'une apparence, une forme morte.

Il hausse la voix.

« Il en résulte que notre pays se trouve au bord de la paralysie... J'ai besoin – oui, j'ai besoin – que le peuple français dise ce qu'il veut... J'ai donc décidé de soumettre aux suffrages de la nation un projet de loi... Au cas où votre réponse serait "non", il va de soi que je n'assumerais pas plus longtemps ma fonction... »

Il parle encore quelques minutes, puis il se lève. Les projecteurs s'éteignent.

Il n'a pas trébuché, les mots sont venus se mettre à leur place. Et pourtant il est mécontent, hargneux. Il sait que l'énergie qu'il aurait dû transmettre est restée en lui, comme une eau croupie, et il a été impuissant à la faire jaillir.

Il regagne son bureau en compagnie de d'Escrienne.

Il ne supporte pas l'immobilité à laquelle il est contraint, pour quelques minutes, dans l'ascenseur. Il étouffe. Il lance :

– Un peuple de veaux, des veaux qui se couchent.

Et il souffre de ce qu'il dit parce qu'il se flagelle, qu'il s'accuse ainsi.

– J'ai mis à côté de la plaque, dit-il.

Il s'isole dans son bureau. Jamais, depuis des années, il n'a éprouvé un tel sentiment d'accablement. Il reste immobile, les coudes sur la table, la tête entre les mains.

Il suffit de quelques dizaines de minutes, après la diffusion de l'allocution, pour qu'il sache, comme il le pressentait, que sa parole a été impuissante.

Des émeutes toute la nuit du vendredi 24 au samedi 25 mai. Des barricades, des manifestations qui se répandent rive droite, des drapeaux noirs anarchistes brandis, le feu à la Bourse. Un commissariat saccagé. Des centaines de blessés, près de huit cents arrestations. Un commissaire de police – Lacroix – tué à Lyon... Et ces cris rythmés qui montent de la foule : « Ton discours, on s'en fout ! » Et ces mains qui se lèvent agitant des mouchoirs par dizaines de milliers, ces voix qui chantent « Adieu de Gaulle, adieu, adieu de Gaulle, adieu ».

Il traverse les salons déserts de l'Élysée, ce samedi 25, ce dimanche 26 mai. Tout semble abandonné et les huissiers, les aides de camp sont les derniers figurants d'un théâtre vide.

Il marche lourdement. Il n'est plus au centre de la pièce. Pompidou joue le premier rôle, intervenant à la télévision, tenant une conférence de presse, annonçant qu'il commence, ce samedi 25 mai, à 15 heures, au ministère du Travail, rue de Grenelle, une grande négociation avec toutes les organisations syndicales et le patronat. Elle durera jusqu'à ce qu'on aboutisse, dit le Premier ministre.

De Gaulle s'isole dans son bureau. Les rapports des préfets, des Renseignements généraux confirment que l'allocution a déçu, ou pire qu'elle a laissé tout le monde indifférent, comme si le peuple avait pris conscience que le chef de l'État avait perdu les moyens d'agir.

Peut-être est-ce en effet le bout de son destin.

Il lit la revue de presse. C'est *L'Humanité* communiste qui l'écrit, mais quel autre journal ne le dit pas ? « Cette fois le charme est rompu. Définitivement. L'homme providentiel tremble sur son socle. Le voici tel qu'en lui-même dix ans de règne l'ont changé. Ce n'est plus qu'un politicien condamné qui manœuvre pour tenter d'obtenir un sursis. Encore un instant, monsieur le bourreau... »

On rapporte les mots des députés qu'on dit gaullistes et qui répètent que « de Gaulle est hors du coup », qu'il s'agit de le laisser dans « son placard » ; que cette intervention, c'est « Waterloo ».

L'opposition exulte : « Nous avons contre nous un pouvoir chancelant, suppliant, qui a bien heureusement capitulé devant la force montante du peuple en colère, dit Mitterrand... La République est devant nous... Il n'y a plus d'État et ce qui en tient lieu ne dispose même plus des apparences du pouvoir. »

Là, on lui conseille d'appeler Mendès France, comme Coty a appelé de Gaulle !

Et les journaux se complaisent à rapporter les mots de tel député : « Être gaulliste aujourd'hui, c'est souhaiter le départ du Général. »

Il sent, à travers ces lignes, monter toutes les rancœurs accumulées, les oppositions dissimulées, qui se démasquent parce que c'est l'hallali.

« On trouvait bon l'antiaméricanisme, eh bien tout se paye ! » dit-on... « Tout cela ne serait pas arrivé si nous avions livré les Mirage à Israël »... « Nous nous sommes mis trop de monde à dos, rapatriés, partisans de l'Algérie française, les syndicalistes, les patrons, les paysans, les notables, l'armée, les européens, les proaméricains, les proisraéliens... »

Il constate à chaque instant que Pompidou ne le consulte plus, même s'il le tient encore informé des décisions qu'il prend, rapprocher de Paris des unités blindées, faire venir au camp de Frileuse des régiments de parachutistes, conduire la négociation sociale en écartant le ministre de l'Économie et des Finances Michel Debré !

De Gaulle marche dans son bureau, s'arrête devant la fenêtre, les mains derrière le dos, puis revient lentement.

Abandonner ? On ne quitte pas le front en pleine bataille.

On frappe à la porte du bureau.

Il n'a pas envie de parler. Il marche du même pas. On frappe à nouveau. C'est Bernard Tricot, l'un des fidèles, qui vient l'inciter à intervenir de nouveau, qui argumente de sa voix calme et résolue :

« C'est une décomposition générale dans laquelle nous nous enfonçons, dit Tricot. À trop temporiser, ne risquez-vous pas de n'avoir plus prise sur rien le jour où vous sortirez de votre silence ? »

De Gaulle soupire, s'assied, la tête sur la poitrine.

– Mais c'est précisément, dit-il, parce que la situation est pour le moment insaisissable que je ne frappe pas un grand coup. Quand je serai au clair sur ce que je veux faire, je le ferai.

Il ne sait pas comment et quand agir. Ce dimanche 26 mai, l'attente du moment, de l'idée, l'accable. Tout est silencieux. Pompidou négocie, rue de Grenelle. Le Premier ministre est le centre et le sommet du pouvoir. Ici, à l'Élysée, tout se vide, le palais, le parc.

La télévision est un écran le plus souvent noir, et la radio publique est muette. La grève générale a été décrétée à l'ORTF.

Il sent qu'on approche de l'instant crucial. Ou bien Pompidou réussit à dénouer la crise au terme des négociations, ou bien il faudra trancher le nœud gordien, et Pompidou y est prêt puisqu'il a ramené des troupes autour de Paris.

Peut-il laisser faire cela ?

De Gaulle reçoit Maurice Couve de Murville. Il n'a rien décidé encore, mais il faut que Couve de Murville se tienne prêt à assumer la charge de Premier ministre.

Après le référendum, fixé au 16 juin ? demande Couve.

De Gaulle hausse les épaules. Qui peut dire ce qui se produira dans les heures qui viennent ?

C'est le début de l'après-midi, ce même dimanche 26 mai. Il est 14 h 25. Michel Debré entre dans le bureau, énergique, tendu, soucieux de présenter des idées qui doivent permettre de faire du référendum un succès. De Gaulle l'écoute quelques minutes et puis il interrompt Debré parce qu'il veut le soumettre à l'épreuve du désespoir et, en même temps, expulser cette boue du pessimisme qui stagne en lui.

– Je ne souhaite pas que le référendum réussisse, dit-il. La France et le monde sont dans une situation où il n'y a plus rien à faire et, en face des appétits, des aspirations, en face du fait que toutes les sociétés se contestent elles-mêmes, rien ne peut être fait, pas plus qu'on ne pouvait faire quelque chose contre la rupture du barrage de Fréjus.

Il lève la main pour empêcher Debré de répondre. Il veut poursuivre.

– Le monde entier est comme un fleuve qui ne veut pas rencontrer d'obstacle, ni même se tenir entre des môles. Je n'ai plus rien à faire là-dedans, donc il faut que je m'en aille, et pour m'en aller, je n'ai pas d'autre formule que de faire le peuple français lui-même juge de son destin...

Il voit Debré pâlir. Il écoute ses arguments de compagnon courageux. Il l'interrompt à nouveau.

– Si le référendum était positif, à quoi bon ! Pour les raisons que je viens de vous dire, on ne pourrait pas agir car on veut à la fois que la société change, mais on refuse les changements. L'inaction suivant ce référendum ne peut pas être de mon fait. Donc, mieux vaut que le référendum soit négatif et que je laisse la place à d'autres.

Il se lève, raccompagne Debré jusqu'à la porte.

– Sans doute, ce ne sera pas éternel, reprend-il. J'ai confiance en la France, mais le jour où l'on pourra agir, il sera trop tard pour moi, ce sera pour d'autres et, en attendant, il faut se résigner.

Se résigner ? Il n'aime pas ce mot. Ce sont des syllabes qui lui écorchent l'âme. Comment ne pas agir quand on entend un Cohn-Bendit dire, avant de s'apprêter à rentrer clandestinement en France, en bernant les services de police : « Le drapeau français est tout juste bon à être déchiré pour qu'il n'en reste que le rouge. Et si nous sommes allés manifester à l'Arc de Triomphe, c'est parce que c'est un monument con » ? Mais comment intervenir ?

« C'est un torrent, dit-il, je ne peux pas le saisir... On ne tient pas un torrent dans ses mains. Je n'ai plus de prise. »

Il écoute, le lundi 27 mai, à 7 h 30, Georges Pompidou annoncer la conclusion des accords de Grenelle. Le SMIC est notamment augmenté de 35 %. Les leaders syndicaux, et d'abord Georges Séguy de la CGT, se félicitent.

Pompidou égrène avec une satisfaction gourmande les différents points de l'accord. La voix est assurée. L'homme parle en patron. Sa stratégie semble avoir réussi.

De Gaulle s'installe à son bureau. Quelques heures passent. Puis, tout à coup, le flot des dépêches. Bernard Tricot, qui parle plus vite qu'à l'accoutumée, explique que les dirigeants de la CGT, Séguy et Frachon, ont présenté les textes des accords de Grenelle aux ouvriers – un simple relevé de conclusions, disent-ils –, dans leur citadelle de Renault-Billancourt. Ils ont été hués. Les ouvriers ont rejeté les accords, répète Tricot. Séguy les a finalement suivis. Les premiers rapports signalent que, non seulement on ne note, en France, aucune reprise du travail, mais que les grèves touchent de nouveaux secteurs. Le pays est entièrement paralysé. Et ce soir, 27 mai, au stade Charléty, doit se tenir un grand meeting en présence de Pierre Mendès France.

De Gaulle se lève.

C'est la croisée des chemins. Les heures qui viennent vont décider de tout : de l'évolution de la crise, de l'intervention dans la mêlée des communistes en vue de la conquête du pouvoir, de la répression par l'armée et donc de la guerre civile, mais aussi du sort de Pompidou. Le Premier ministre a joué la carte de la négociation après celle de l'apaisement, et il n'a plus d'atout, sinon la force des chars ! Ou bien la capitulation devant Mendès France ou Mitterrand qui annonce une conférence de presse pour demain, mardi 28 mai.

Se résigner ?

« J'ai reçu un mandat du peuple, dit-il. Je le remplirai... Je retarderai la date du référendum. Je me battrai. Je ne leur laisserai pas la France... Oui, c'est eux ou nous. »

Il reçoit, à la fin de la matinée, une lettre de Giscard d'Estaing. Le président des Républicains indépendants l'assure de sa fidélité parce que, dit-il, le régime est en jeu.

C'est bien de cela qu'il s'agit. Il va falloir compter ses forces.

Pierre Lefranc et Jacques Foccart tentent d'organiser avec l'aide des CDR une manifestation à Paris, pour le 30 mai, mais à part ce noyau, c'est le raz de marée du « parti de la trouille », ces députés « gaullistes », qui à l'Assemblée se précipitent vers Pierre Mendès France, l'entourent, l'imaginant déjà au pouvoir !

Il va être 15 heures, ce lundi 27 mai. Avant d'entrer dans la salle où va se tenir le Conseil des ministres, de Gaulle veut prendre connaissance des dernières dépêches.

Un cortège de plusieurs dizaines de milliers de manifestants s'est ébranlé des Gobelins et se dirige vers le stade Charléty. Maintenant, ou bien l'on dénoue la crise, ou bien le régime est balayé. À moins que l'on ne tire et que commence la guerre civile !

Il s'assied dans la salle du Conseil.

– Monsieur le Premier ministre, vous avez conduit la négociation sociale de la meilleure manière possible... La note est lourde, il faut bien la payer.

Il faut examiner le texte de la loi soumise à référendum. Il le lit point par point. Il devine les réticences des ministres. Ce texte ne leur paraît pas bon. Il continue. Ce référendum aura-t-il lieu ? Au point où en est la crise, le 16 juin, date du vote, est à des années-lumière ! Tout maintenant, il le sent, va se jouer en quelques heures.

Il se tourne vers le ministre de l'Intérieur :

– Charléty, c'est fini, dit-il. Ce n'est plus acceptable. C'est la dernière fois. On ne défile plus. Qu'on se réunisse dans un endroit clos et qu'on n'en sorte pas. Plus de cortèges... Ça suffit comme ça !

Il regagne son bureau. Les dépêches se sont entassées.

Au stade Charléty, Mendès France pose sa candidature au pouvoir, avec l'aide de ceux qui ont animé les manifestations de mai. C'est une nouvelle force politique qui tente de naître. Et la réaction des concurrents ne tarde pas. Le parti communiste proteste contre cette tentative de mise à l'écart. Il organise une manifestation, le mercredi 29 mai, avec la CGT. Il en fixe déjà l'itinéraire, de la Bastille à la gare Saint-Lazare, sur la rive droite donc. Et Waldeck Rochet déclare : « Il est grand temps d'en finir avec ce pouvoir et de promouvoir une démocratie authentique pouvant ouvrir la voie au socialisme. Il est temps de prévoir la constitution d'un gouvernement populaire et d'union démocratique. »

De Gaulle va vers la fenêtre ouverte. Peu de bruits de moteur en cette fin de lundi 27 mai. L'essence est rare. Paris est paralysé, comme la France.

S'il ne trouve pas l'issue, alors ce sera l'épreuve de force. Le sang versé entre Français. Ou bien l'abandon du pays à ces politiciens associés aux communistes.

Est-ce acceptable ?

Il apprend qu'Yvonne de Gaulle a été insultée par un automobiliste alors que sa voiture se trouvait arrêtée à un feu rouge. « On va vous foutre dehors », a hurlé le conducteur, penché à la portière de sa DS rutilante. Le même jour, Yvonne de Gaulle a été reconnue dans le magasin où elle a l'habitude de faire ses achats. Et elle a été prise à partie par quelques vendeuses. Quant à Philippe de Gaulle, il reçoit des lettres de menaces à son domicile, à Paris. Il craint pour ses enfants.

Tant de haine et de ressentiment accumulés contre eux, les de Gaulle ! Ceux de 1940 et de 1944, puis de 1958 et du temps de la guerre d'Algérie, provoquant les attentats de l'OAS. Et les passions recuites en 1965, au moment de l'élection présidentielle, puis au moment de la guerre des Six-Jours, en 1967, explosant maintenant dans ces injures, ces caricatures déversées chaque jour.

Il n'a jamais plié devant la haine. Il se sent résolu, presque serein.

Il est 19 heures, le 27 mai. Il a convoqué Michel Droit, afin d'envisager, comme en 1965, des entretiens télévisés.

Il s'avance vers lui.

« Alors, c'est l'orage », dit-il, en invitant Michel Droit à s'asseoir.

Il faut que Michel Droit sache, pour conduire l'interview éventuelle, quel est son état d'esprit. Il répond donc aux questions.

« S'il y a une réponse négative au référendum ? Eh bien, je partirai... et croyez que je ne regretterai rien, car je commence à en avoir plus qu'assez... »

Il soupire.

Et si c'est « oui » ? demande Droit.

Alors, je resterai, mais pas pour longtemps. En vérité, voyez-vous, je suis fatigué de tout cela.

Mais il faut faire face puisque certains veulent s'emparer du pouvoir.

– On rêve de faire une longue marche et cela se termine à Charléty, dit-il. Mendès aurait pu être un homme d'État s'il avait été moins politicien et velléitaire...

Il s'interrompt.

– Alors, comment le verriez-vous s'articuler, cet entretien ?

Droit veut y réfléchir vingt-quatre heures.

– D'accord, revenez me voir demain, à la même heure.

Il se lève. Tant de choses peuvent arriver en un jour !

Il a si peu dormi.

Est-ce la fatigue de la nuit qui le fait ainsi passer, ce mardi 28 mai, d'une détermination sereine à la résolution amère, hargneuse ? Et qui le plonge souvent dans l'inquiétude ?

Il prend connaissance au début de l'après-midi de la conférence tenue, à 11 h 30, par François Mitterrand. Le président de la FGDS a choisi pour s'adresser aux journalistes ce salon de l'hôtel Continental où, souvent, au temps du RPF, de Gaulle tenait ses réunions.

Voilà bien l'homme ! Qui se place déjà dans l'hypothèse du départ du président de la République.

« Il convient dès maintenant de constater la vacance du pouvoir et d'organiser la succession », dit Mitterrand.

Si ça n'est pas un putsch, qu'est-ce donc ? Mitterrand fait comme si le gouvernement Pompidou, qui vient d'obtenir la confiance à l'Assemblée, n'existait plus ! Lui-même se voit président de la

République, et il choisit Mendès France comme chef du gouvernement !

La colère saisit de Gaulle. Il est encore là ! Il ne se laissera pas chasser par un « politicien au rancart » qui a d'ailleurs fort à faire avec ses rivaux ! Mendès France, candidat lui aussi, et Waldeck Rochet qui déclare : « Il n'y a pas en France de politique de gauche et de progrès social sans le concours actif des communistes. À plus forte raison, il n'est pas sérieux de prétendre aller au socialisme sans les communistes et encore moins en faisant de l'anticommunisme comme au stade Charléty. »

Et les communistes attendent un million de personnes, peut-être deux, pour leur manifestation de demain, mercredi 29 mai.

Demain, jour décisif. Tous les acteurs sont en place. Les uns marchent vers le pouvoir : Mitterrand, Mendès, les communistes, les « gauchistes ». Quant aux autres, au gouvernement, ils sont saisis par l'effroi ou bien, comme l'entourage de Pompidou, ils ne voient leur salut que dans le départ de de Gaulle. Puis, si besoin est, dans le recours à la force. Les blindés requis par Pompidou sont en place non loin de Paris.

Et la France ? Et le peuple ? Les rapports des préfets commencent à faire état de sa lassitude, de son inquiétude devant les propos des communistes qui réclament un « gouvernement populaire et d'union démocratique à participation communiste ».

C'est demain qu'il faut jouer.

Il marche dans le bureau longuement, lentement. Il faut créer l'événement, se replacer par un coup d'éclat au centre de la crise, comme le tonnerre, d'autant plus inattendu que les autres acteurs ne voient plus qu'eux-mêmes, déjà occupés à se déchirer pour le pouvoir qu'ils imaginent vide.

Mais il faut avant d'agir s'assurer d'une force, non pour l'utiliser, mais pour qu'elle soit comme un sceptre indiquant qui détient la légitimité, comme un glaive pour marquer où est la puissance.

Il faut donc que de Gaulle sache s'il peut compter sur l'armée.

Il se souvient, il l'a écrit : « L'épée est l'axe du monde et la grandeur ne se divise pas. »

Il demande qu'on le mette en communication avec le général de Boissieu, à son PC de Mulhouse.

Il devine, au bout du fil, l'étonnement de son gendre.

— J'ai besoin de vous voir; quand pouvez-vous venir à Paris ?

— Cette nuit par la route, ou demain matin par hélicoptère.

— À quelle heure pourriez-vous arriver demain ?

— 9 heures ou 9 h 30, suivant la météo.

— Alors, à demain matin.

Il se sent calme. La décision est prise : il va quitter l'Élysée demain, en secret. Le palais ne sera plus qu'un bâtiment vide, dont les manifestants, s'ils le veulent, pourront s'emparer.

Il sort du bureau, se rend dans ses appartements. Yvonne de Gaulle lève la tête. Il faut, dit-il, qu'elle prépare les bagages pour un séjour qui ne sera pas l'un de ceux habituels à Colombey. Il faut qu'elle organise le départ de Jeanne, la femme de chambre en service à l'Élysée, que Jacques Vendroux la reconduise dans son village du Nord.

Il verra Philippe, précise-t-il, ce soir, après dîner. Il faut qu'il quitte Paris avec sa famille. Il pourrait être pris en otage, menacé.

Au moment de quitter l'appartement, il se retourne. Yvonne de Gaulle ouvre déjà les armoires.

Il retrouve son bureau. Les événements s'accélèrent. La démission d'Alain Peyrefitte vient d'être rendue publique. Les déclarations se multiplient : les leaders gauchistes annoncent que la situation est prérévolutionnaire, que le pouvoir est à prendre. À l'Assemblée, les députés communistes et ceux de la FGDS ne siègent plus, manière de tenter de bloquer les institutions.

Il est 19 heures. Il appuie sur la sonnette à double timbre. Michel Droit entre, présente les questions qu'il a préparées pour l'éventuel entretien télévisé. D'un geste, de Gaulle les écarte. Il a le sentiment que tout va être bouleversé dans les heures qui viennent. Il bavarde quelques minutes.

– La presse, à travers ces événements, commence-t-il, est bien ce qu'on peut attendre d'elle. Celui qui détient le pompon, c'est évidemment *Le Monde*... Beuve-Méry, je l'appelle « Monsieur faut que ça rate ». Depuis que je suis au pouvoir, il n'a que cela en tête et doit commencer à se frotter les mains.

Il se lève.

– Si les Français de 1968, au paroxysme de la crise, m'obligent à partir, eh bien c'est eux qui seront jugés, pas moi... L'Histoire se chargera de faire le grand balayage et ne restera que ce que j'ai fait pour la France et pour les Français et ce que les Français m'auront fait... Moi, vous savez, trois choses m'intéressent : la pensée qui prépare l'action, l'action tant qu'on peut agir, et ensuite la postérité. Ce qu'il y a entre les deux dernières, pftt !

Il se sent las. Demain, sans doute jouera-t-il la partie la plus difficile de sa vie. Tout était simple finalement, en juin 1940. Il avait la vigueur d'un homme de cinquante ans. Et les choses étaient claires. Il avait la force d'être l'homme d'une foi simple : sauver la France.

Il valait mieux être seul qu'englué comme aujourd'hui.

Il reçoit Foccart. Il soupire.

« Rien n'obéit plus, dit-il. Je n'ai pas de gouvernement. Je dis aux ministres ce qu'ils doivent faire et ils ne le font pas. Je dis au préfet de police de reprendre l'Odéon et on m'explique ensuite que ce n'est pas possible... Foccart, je vous le demande, que puis-je faire ? Y a-t-il encore quelque chose que l'on puisse faire ? Je ne peux pas tenir à bout de bras tout un peuple qui se laisse dissoudre. »

Il faut que Foccart croie à ce désarroi, à cette incertitude, qui sont vrais, mais qui sont l'écume. Au-dessous, il y a la résolution : partir demain. Et n'en rien dire. Approuver d'un hochement de tête les mesures prises par Foccart, en vue de la manifestation qu'il organise avec Lefranc, le 30 mai, sur les Champs-Élysées et place de la Concorde.

Ne rien laisser paraître non plus à Pompidou qui, à 21 heures, dans le bureau, expose les mesures qu'il a prises pour assurer la protection de l'Hôtel de Ville, de l'Élysée, de Matignon.

Il estime que, demain, les communistes ne commettront pas l'irréparable.

– La partie est gagnée, conclut-il.

– Vous êtes bien optimiste depuis le début, dit de Gaulle.

Pompidou veut remporter la mise à son profit. Peu lui importent les grandes réformes de la participation. Il veut accéder au sommet.

De Gaulle le raccompagne, puis attend le dernier visiteur de la soirée.

À 21 h 30, Fouchet apparaît sur le seuil.

Il faut dissimuler au ministre de l'Intérieur ses intentions, parler du maintien de l'ordre.

– Comment cela va-t-il ?

– Pas tellement bien !

– Non, en effet, dit de Gaulle.

Fouchet a l'obsession de ne pas être contraint d'ouvrir le feu sur les manifestants. Et cependant Pompidou, ce soir même, étudie dans quelles circonstances il peut être contraint d'avoir à en donner l'ordre.

De Gaulle bavarde quelques instants encore, puis il met fin à l'entretien.

Tous ses proches collaborateurs, ses vieux compagnons, lui en voudront d'avoir été ainsi tenus à l'écart de ses projets. Mais il n'y a pas d'autre solution.

Il a écrit, dès 1922, puis repris dans *Vers l'armée de métier* : « La surprise, vieille reine de l'art... il faut l'organiser. Non seulement grâce au secret observé dans leurs propos, ordres et rapports par ceux qui conçoivent et décident, ou par la dissimulation des préparatifs, mais aussi sous le couvert d'un voile épais de tromperie... La ruse doit être employée pour faire croire que l'on est où l'on n'est pas, que l'on veut ce qu'on ne veut pas. »

Il se dirige lentement vers ses appartements.

Les longs couloirs de l'Élysée sont obscurs et silencieux, comme les coursives d'un paquebot déjà abandonné par l'équipage.

24

De Gaulle vient d'entrer dans son bureau, ce mercredi 29 mai 1968. Un huissier se précipite, le visage marqué par la surprise. Il n'est pas 9 heures et, habituellement, le Général ne sort de ses appartements qu'une heure plus tard. L'huissier veut fermer la fenêtre. D'un signe de Gaulle l'arrête, s'avance vers la croisée. Le ciel lumineux presque blanc est strié par des rides bleu sombre, les dernières vagues de la nuit qui reflue.

Il fera beau, comme en mai et juin 1940.

De Gaulle va jusqu'à sa table. Il s'assoit. Encore quelques minutes avant de convoquer Xavier de La Chevalerie, le directeur de cabinet. Encore un instant avant d'entrer en scène, déclencher la machinerie dont l'avenir de la France et celui du général de Gaulle vont dépendre.

Il se souvient. C'était il y a vingt-huit ans. Il avait à peine la cinquantaine. La France se défaisait. Il était seul avec seulement la volonté de rassembler les Français autour de lui.

Qu'est-ce qui a changé ?

Du bout des doigts, il fait glisser les journaux qui sont posés sur le bureau. Des lettres noires barrent les premières pages, annoncent la manifestation des syndicats CGT et des communistes pour cet après-midi, 15 heures. Là, on exalte l'« exigence des travailleurs », la nécessité de la participation des communistes au futur gouvernement et, ici, on sent l'effroi qui monte devant le risque de « démocratie populaire », de « coup de Prague », les communistes s'emparant du pouvoir.

Qu'est-ce qui a changé depuis vingt-huit ans ?

Il se sent toujours seul, en face de son destin, comme en 1940, en 1946, en 1958, et en 1961 quand il fallut trancher dans le nœud gordien algérien.

Et la France, comme à chacune de ces crises, est divisée, guettée par le chaos. Les rapports des préfets indiquent que, dans les départements, le pouvoir légal est réduit à l'impuissance, que des comités de grève, ou d'autres groupes, tentent de s'emparer de l'autorité.

Qu'est-ce qui a changé ?

Il doit trancher, lancer un signal, créer les conditions pour que le pays arrête de s'enfoncer ainsi, jour après jour, dans le désordre et l'impuissance.

C'est donc une nouvelle fois, aujourd'hui mercredi 29 mai 1968, l'instant de la décision, du lever de rideau.

Il tend la main. Il va convoquer Xavier de La Chevalerie.

Il hésite une seconde encore. Il ne doit pas oublier, dans cette journée qui commence, que « lorsqu'on veut faire accepter quelque chose à ce pays, il faut le frapper de stupeur et exécuter un mouvement rapide à l'abri d'un rideau... Il faut imiter la seiche qui se dissimule en lâchant un liquide noir ».

Ce qui a changé, depuis 1940, c'est qu'il est vieux, qu'il est au mitan de sa soixante-dix-huitième année.

Il appuie sur le bouton qui permet d'appeler Xavier de La Chevalerie.

Soixante-dix-huit ans ! On peut aussi se servir de l'âge et de la vieillesse comme d'un « liquide noir ».

Il dit au directeur de cabinet, puis il répète à Bernard Tricot, le secrétaire général de la présidence, qu'il ne présidera pas le Conseil des ministres aujourd'hui. Il est fatigué. Il ne dort plus. Il doit se reposer vingt-quatre heures à Colombey, pour essayer de réfléchir et de dormir.

Il devine l'inquiétude de Xavier de La Chevalerie et celle de Bernard Tricot qui, habituellement impassible, ne peut la dissimuler.

Il faut informer immédiatement le Premier ministre de cette décision. De Gaulle se lève. Que Tricot et le Premier ministre se rassurent : le Conseil des ministres sera remis au lendemain, jeudi 30 mai, à 15 heures, et naturellement il le présidera.

Il imagine les commentaires des uns et des autres. Pompidou qui va juger qu'on le laisse seul affronter la manifestation communiste – on estime à un million les personnes qui vont défiler dans Paris – passant devant l'Hôtel de Ville, se terminant à quelques centaines de mètres de l'Élysée. Et les risques de débordement, la tentation « communarde » de s'emparer d'un palais symbolique paraissent grands. Alors, tous ceux qui, parmi les députés, les ministres, les membres du cabinet de Pompidou, veulent en finir avec le « Vieux », le « vieux con », tous ceux qui rêvent, reprenant les slogans des manifestants, de le mettre « au musée », « au placard », « à Colombey », à « l'hospice », « aux archives », vont se déchaîner. Et pourquoi ne pas tenter d'engager une procédure pour constater la vacance du pouvoir, le destituer ?

Ils vont s'engouffrer dans ce vide qu'il vient d'ouvrir, pour vingt-quatre heures. Les masques vont tomber, l'impatience va balayer toutes les prudences, et la peur, l'angoisse, se répandre.

Alors, il pourra surgir à nouveau, cette fois-ci, comme l'acteur principal, statue du Commandeur, au centre de la scène.

Comme en mai 1958, il y a dix ans presque jour pour jour.

Maintenant, la machinerie doit tourner vite.

Il donne des ordres : les hélicoptères prêts à Issy-les-Moulineaux, pour 11 heures. Il faut convoquer Flohic, dont c'est le jour de congé. « Que l'aide de camp se présente au palais d'urgence, en uniforme, muni d'un bagage pour la campagne. »

De Gaulle regarde l'heure. Alain de Boissieu ne devrait plus tarder à arriver de Mulhouse.

Il prend une feuille de papier et commence à écrire.

« Étant le détenteur de la légitimité nationale et républicaine... »

Il s'interrompt. Il achèvera le texte de ce discours qu'il prononcera demain, à son retour.

Il pose le stylo.

S'il rentre... car il doit laisser aussi ouverte, en lui-même s'il veut qu'elle reste possible aux yeux des autres, l'éventualité d'une décision de retrait. Oui, il peut aussi choisir de se retirer. Il y aurait des arguments pour cela. C'est vrai qu'il est las, que l'âge pèse lourd, que même s'il redresse la situation, demain, après son retour, il n'aura peut-être pas les moyens et surtout les hommes pour appliquer les réformes indispensables.

Il soupire.

Voici de Boissieu. Le temps est mauvais sur la plaine d'Alsace, le brouillard enveloppe les Vosges, explique-t-il. L'hélicoptère a dû changer de route pour les franchir. De Boissieu vient de voir Jacques Foccart dans le hall, qui continue d'organiser une manifestation pour demain, jeudi 30 mai, et souhaite que le général de Gaulle soit présent dans la capitale, à ce moment-là.

De Gaulle a un mouvement de mauvaise humeur. De Boissieu sait-il qu'Yvonne de Gaulle a été insultée dans un magasin, à un feu rouge ? Voilà l'état d'esprit du pays.

– Le gouvernement ne réagit pas, il s'incline devant la rue ; certains responsables tremblent à la seule idée d'une épreuve de force... Dans ces conditions – de Gaulle soupire, fait la moue – le peuple français n'a pas besoin de de Gaulle à sa tête ; je ferais mieux de rentrer chez moi, et d'écrire mes *Mémoires*.

Tout à coup, il voit de Boissieu se lever, se mettre au garde-à-vous, dire sur le ton d'un officier au rapport :

– Mon général, ce n'est pas votre gendre qui est devant vous, mais le commandant de la 7ᵉ division. Il a un message à vous transmettre de la part du général commandant son corps d'armée et du général commandant sa région militaire.

De Gaulle se lève à son tour. Il ne quitte pas des yeux de Boissieu qui rapporte toutes les mesures prises dans les unités, décrit l'état d'esprit des officiers, des personnels d'active et des soldats du contingent.

– L'armée ne comprendrait pas que l'État se laisse bafouer plus longtemps, conclut-il.

Voilà la première ouverture dans le jeu qui commence aujourd'hui. Il faudra vérifier si l'on peut compter vraiment sur cette « pièce »-là. Et les unités les plus opérationnelles sont stationnées en Allemagne. Mais ce n'est pas l'essentiel. Il faut surtout s'assurer, non pas de la puissance de feu de cette armée – « le sang ne doit pas couler pour ma défense personnelle » – mais de ce qu'elle représente : l'État. C'est l'unité de l'armée qu'il veut vérifier, car elle s'est si souvent brisée, et à propos de la politique de de Gaulle précisément : en 1940, c'est un tribunal militaire qui l'a condamné à mort et ce sont des officiers qui ont voulu le balayer, le tuer, dans les années soixante. Il doit savoir si cette armée tient, si elle est du côté du président de la République, c'est-à-dire de la légalité.

Il fait le tour du bureau, donne l'accolade à de Boissieu, l'invite à s'asseoir, puis il reprend sa place derrière le bureau.

– Cela devient grave, dit-il. Le mouvement étudiant est totalement dépassé. La chienlit s'installe partout. Les syndicats sont débordés. Les communistes, semble-t-il, poussent en avant quelques hommes de l'opposition. Mendès France, Mitterrand peuvent, couverts par eux, essayer d'aller aux extrêmes... Quelle serait l'attitude de l'armée s'il fallait aller jusqu'à l'épreuve de force ?

Il sait qu'au début du mois de mai, bien des officiers ont contemplé avec satisfaction le désordre. « Bien fait pour de Gaulle ! » ont-ils pensé.

– L'armée attend des ordres, dit de Boissieu. L'état d'esprit sarcastique et narquois d'il y a deux semaines a fait place à l'inquiétude et à la résolution. L'armée ne comprendrait pas que le pouvoir continue de laisser la situation se détériorer sans réagir !

Bien. De Gaulle sourit. Il ne risque donc pas que l'armée elle aussi se fragmente sous l'effet des anciennes querelles. Alors, il aurait été inutile de « jouer ». Et la France aurait sombré. Il n'aurait pas été acteur dans cette partie-là. Mais si l'armée est unie, alors le jeu est possible, nécessaire.

Il faut simplement que personne d'autre, Russes ou Américains, ne s'en mêle directement. Et pour cela aussi, il faut rencontrer le général Massu qui, commandant les troupes d'occupation françaises en Allemagne, est en contact avec les troupes soviétiques et alliées.

Devant de Boissieu, presque toute la machinerie peut être dévoilée.

– Bien, reprend de Gaulle, je vais voir si Massu est dans le même état d'esprit. Ensuite, je parlerai au pays, de Colombey, de Strasbourg ou d'ailleurs... L'État sera là où je serai. Je vais en effet quitter Paris ; si la manifestation communiste de cet après-midi déviait et s'orientait vers l'Élysée, elle n'aurait plus d'objet ; on n'attaque pas un palais vide.

Il pose les mains à plat sur le bureau. Maintenant, ce sont les détails précis de la journée qu'il faut mettre au point. Il a toute la nuit monté ces rouages.

– Vous allez rentrer à Mulhouse en passant par Colombey... Il se peut que nous couchions chez vous, à Mulhouse.

Il faudrait rencontrer Massu au mont Sainte-Odile ; « ce haut lieu frappera les esprits et son choix fera plaisir aux Alsaciens ». Risque de brouillard sur les Vosges ? Alors, rencontre à l'aéroport de Strasbourg-Entzheim. Et s'il n'est pas possible de joindre Massu à temps, on ira jusqu'à Baden-Baden, à sa résidence. Et après, Mulhouse ou la Boisserie.

Il se lève.

– Vous ne devez dire ici quoi que ce soit à qui que ce soit. Je veux plonger les Français dans le doute et dans l'inquiétude, afin de ressaisir la situation.

Il raccompagne de Boissieu.

– Vous ne devez rien dire à personne, ni téléphoner avant d'être à Colombey, insiste-t-il.

Il reprend, durant quelques minutes, le texte du message préparé pour demain. « J'ai envisagé depuis vingt-quatre heures toutes les éventualités sans exception. »

Flohic frappe, entre dans le bureau. Il est, comme demandé, en uniforme.

– Je n'arrive plus à dormir ici, dit de Gaulle. Je vais à Colombey pour me ressaisir. Prenez des cartes, sans que l'on vous voie, allant plus à l'est de Colombey.

Flohic saura plus tard la destination finale. On ne doit jamais tout expliquer. Il téléphone au chef d'état-major particulier, le général Lalande, le charge d'une mission d'inspection des troupes stationnées en Allemagne et dans l'est de la France.

– Puisque vous irez en avion, vous en profiterez pour rendre un petit service à mon fils. Il est en permission. Il avait projeté de se rendre en Forêt-Noire. La grève des trains lui fiche ses vacances par terre. Ayez la gentillesse de le prendre dans votre avion, avec sa femme et ses enfants, jusqu'à Baden.

Il se sent libéré d'un grand poids. La violence, quand l'Histoire bout, ne respecte rien, même pas les enfants. Ils seront à l'abri.

Il faut partir. Il refuse de recevoir Pompidou. Il faut que le Premier ministre soit lui aussi, lui d'abord, dans l'ignorance. Tricot insiste. Le Premier ministre veut au moins joindre le président de la République au téléphone. Soit.

L'angoisse, le désarroi, les incertitudes de Pompidou sont perceptibles. Le chef d'État doit absolument être de retour demain, dit-il.

Il faut d'abord le rassurer.

– J'ai besoin de me retrouver en face de moi-même, de prendre du champ par rapport à l'événement, de réfléchir tranquillement, de ne pas rester dans la fournaise, de retrouver le sommeil, dit de Gaulle. Ici, je n'arrive pas à dormir. Je rentrerai demain, à 15 heures.

Et maintenant, il faut inquiéter Pompidou, lui montrer qu'une autre issue existe et, d'ailleurs, n'est-il pas vrai qu'elle reste ouverte ? Et puisque Pompidou évoque, la voix serrée par l'inquiétude, la possibilité pour le général de Gaulle de rester définitivement à Colombey, pourquoi ne pas lui dire :

– De toute manière, il y aura un avenir. Et vous êtes du côté de l'avenir. Des péripéties peuvent se produire. Ce n'est pas dramatique. Il reste l'avenir... Mais j'ai l'intention de rentrer, vous n'avez pas à vous inquiéter.

Il laisse quelques secondes de silence, puis dit :
– Je vous embrasse.

Il a rempli sa serviette de quelques lettres et documents. Car, après tout, qui sait s'il reviendra ? Il signe le projet de décret rédigé à la demande de Pompidou, que lui tend Bernard Tricot, l'autorisant à réunir le Conseil des ministres et à le présider.

Oui, Pompidou prend ses précautions. Et dans quelques heures, quand on aura perdu la trace du général de Gaulle, ils envisageront toutes les hypothèses et, parmi elles, celles qui permettraient à Pompidou d'accéder vite à la présidence de la République.

À Issy-les-Moulineaux, à 12 heures, les trois hélicoptères décollent, Flohic est assis près du pilote. À l'arrière, de Gaulle sourit à Yvonne de Gaulle, installée près de lui. L'hélicoptère de la sécurité suit à quelques centaines de mètres, précédant celui de la gendarmerie.

Il se penche. Beauté de la France, de ces paysages qui défilent dans la clarté bleutée de ce mois de mai. Histoire de France, inscrite dans ces paysages, dans la marqueterie des terroirs, l'implantation des villages, et ces manoirs, ces églises, comme autant de jalons d'une histoire millénaire. Et il est l'un des maillons de cette histoire-là, le dernier et c'est son devoir, son destin d'agir pour que la chaîne se prolonge, au lieu de se briser, aujourd'hui.

Il répond sur l'enveloppe que lui tend Flohic aux questions qu'a griffonnées l'aide de camp. Faire le plein à Saint-Dizier. Renvoyer à sa base l'hélicoptère de la gendarmerie, puis en naviguant à vue, au ras du sol, en s'aidant des cartes, en silence radio et en profitant du relief pour se garder des faisceaux radars, gagner Baden-Baden, puisqu'un message de de Boissieu vient d'avertir qu'on n'a pu joindre le général Massu à temps pour lui fixer un point de rencontre en France.

Déplaisant de se rendre en Allemagne. Mais il s'agit d'une base française. Et il n'y restera, de toute manière, que quelques heures.

À moins que...

Est-ce la fatigue ou l'inconfort du vol, ce bruit qui fait vibrer la tête tant il est fort et proche, mais tout à coup il se sent las, épuisé même. Il se tourne vers Yvonne de Gaulle. Ils ont l'un et l'autre parcouru un si long chemin. N'est-ce pas le moment du repos puisqu'une partie de ce pays les insulte, les rejette ?

Voici le Rhin. Il est 14 h 15.

Il imagine la panique qui a dû maintenant saisir les membres du cabinet de l'Élysée et, de proche en proche, le Premier ministre et les ministres, et peu à peu, par cercles concentriques, la nouvelle va se répandre, le vide se creuser : de Gaulle a disparu.

On se pose sur le terrain de Baden-Oos. Flohic saute à terre, court vers un hangar, sans doute pour prévenir Massu par téléphone.

Deux Beechcraft français atterrissent. Il reconnaît le général Lalande, qui s'immobilise, ébahi de voir le général de Gaulle. Dans le second appareil, de Gaulle aperçoit Philippe de Gaulle. Les siens sont donc là, comme prévu.

On décolle. Il distingue, au-delà d'un bois touffu qui le sépare du village de Baden-Oos, la résidence de Massu, un pavillon de chasse élégant, placé au centre d'un parc.

Il est 14 h 50, ce mercredi 29 mai 1968. L'hélicoptère se pose sur la pelouse, en face de la résidence. De Gaulle descend.

Il marche vers Massu. Il se souvient de cette algarade, le 23 janvier 1961, dans son bureau à l'Élysée, après qu'il eut limogé Massu de ses fonctions à Alger, et que celui-ci, hurlant, criait que le général de Gaulle était entouré d'une « bande de cons ». Il avait fallu hausser la voix, frapper du poing sur le bureau, brisant du même coup sa montre de poignet !

Massu est un Français libre, compagnon franc et fidèle. Il faut savoir ce que lui et ses officiers pensent. Alors, laisser jaillir les mots de l'autre « issue », et pour cela tout simplement s'abandonner un instant à la fatigue.

« On ne veut plus de moi, commence de Gaulle. Si la France veut se coucher je ne peux pas l'en empêcher ! La France n'a plus besoin de de Gaulle pour la chienlit. »

Il regarde autour de lui. Il découvre, sur l'un des murs du bureau de Massu, une photo de Leclerc et il se reconnaît sur cette photo de l'état-major du 10e chasseurs en garnison à Trèves. C'était il y a quarante ans !

Massu ! Massu qui gronde :

« Pour vous et le pays, vous ne pouvez renoncer de la sorte. Vous allez vous déconsidérer par ce départ et ternir votre image, vous avez affaire à quinze mille individus... Le front est en France et pour vous à Paris. »

Massu fait apporter une collation. De Gaulle chipote, écoute encore Massu. Il se lève, tout à coup, l'interroge sur l'attitude des Soviétiques, puis veut voir les officiers de l'état-major du général.

Avis unanime : de Gaulle doit faire face. Il interroge Flohic :

« De toute façon, le général de Gaulle ne peut descendre de la scène sans combattre jusqu'au bout », dit l'aide de camp.

De Gaulle regarde sa montre. Que les hélicoptères se tiennent prêts à décoller pour Colombey.

Il n'y a qu'une issue pour lui. Il le savait. Mais il n'est pas inutile que d'autres le disent à haute voix.

À 18 h 30, on atterrit à Colombey.

Quelques minutes plus tard, la voiture de la gendarmerie franchit le portail de la Boisserie.

Tout est si paisible ici. Le parfum des fleurs, le parc dans sa verdoyante poussée de printemps.

Il a hâte de pouvoir s'y promener, afin d'oublier cette journée en marchant, en retrouvant le contact avec sa terre.

Il faut téléphoner à Bernard Tricot, lui confirmer que, selon le programme prévu, le Conseil des ministres se tiendra demain, à 15 heures. L'interroger sur les événements. La manifestation communiste ? Immense, cinq cent mille personnes, peut-être un million. Mais pas d'incidents. Une démonstration de force, pour imposer la présence communiste au pouvoir. Et Pierre Mendès France qui s'est dit « prêt à assumer les responsabilités qui pourraient lui être confiées par toute la gauche ».

De Gaulle secoue la tête... Mendès, toujours le même, à contretemps, « un homme qu'on ne peut pas atteler et qui ne peut atteler personne ». Il dit à Tricot, après quelques secondes de silence : « J'ai éprouvé le besoin de me mettre en accord avec mes arrière-pensées et c'est maintenant chose faite. »

Tricot lui fait part des inquiétudes du Premier ministre tenu dans l'ignorance. La rumeur du départ du général de Gaulle s'est répandue. La panique a saisi la plupart des milieux.

Bien. On va téléphoner au Premier ministre.

– Je suis à la Boisserie, lui dit de Gaulle. Je reviendrai demain. Je vous verrai avant le Conseil des ministres.

Il laisse Pompidou dire : « Mon général, vous avez gagné. Après l'épouvante qu'ont les Français de vous voir disparaître, nous allons assister à un retournement psychologique. »

De Gaulle raccroche. Il ouvre les portes du bureau, entraîne Yvonne de Gaulle et Flohic. Il respire longuement. Pompidou a retrouvé sa juste place. Il se penche sur les massifs de fleurs, il marche sous ce ciel qui devient d'un bleu de plus en plus profond. Il n'a envie que de cela, parler de fleurs et d'arbres, réciter des vers écrits autrefois :

Le Rhin triste témoin d'éternelles alarmes
Roule un flot toujours prêt à recueillir des larmes.

Il veut laisser l'esprit vagabonder. Les dés sont lancés. Il faut attendre qu'ils s'arrêtent. Mais il sent en lui une confiance et une détermination qu'il n'avait plus éprouvées depuis des semaines. Il a agi, seul, suivant une stratégie qu'il avait élaborée seul.

Il s'assoit devant le téléviseur. Il est 19 h 30. L'écran reste noir. La grève continue. Mais à 20 heures, les images apparaissent. Les commentaires sont presque tous consacrés à la « disparition » du général de Gaulle. Mendès France et sa déclaration, Mitterrand et ses poses, et les centaines de milliers de manifestants conduits par les communistes ne semblent plus que des comparses du jeu qu'il mène.

Il a agi au moment opportun.

Mais peut-être fallait-il pour cela que Pompidou échoue dans sa tentative de mettre fin, le 11 mai, aux manifestations étudiantes en ouvrant la Sorbonne, qu'il échoue encore dans ses efforts de résoudre les problèmes sociaux par les accords de Grenelle, le 27 mai. Il ne restait plus alors – et c'est ce que Pompidou préparait – que l'épreuve de force, armée contre chaos, guerre civile.

Pourquoi les politiciens ne comprennent-ils pas que les reculades, loin de mener à la paix, conduisent inéluctablement à la violence ?

Il va bien dormir cette nuit. L'air de la Boisserie lui a toujours été bénéfique.

Il entre vers 12 h 30 dans le bureau de l'Élysée, ce jeudi 30 mai. Il est reposé. Il vient de terminer dans l'hélicoptère de rédiger le discours, commencé dès hier matin, et qu'il va prononcer cet après-midi.

Voici Foccart, la voix étranglée par l'émotion et la colère, qui peut-être est dépité de ne pas avoir été tenu au courant de ce qui s'était déroulé hier. Foccart martèle qu'il faut parler fort, maintenant. Le pays attend le langage de l'autorité.

De Gaulle commence à lire quelques lignes de son discours. Foccart est radieux. Puisque la manifestation gaulliste est prévue pour cet après-midi, à 17 heures, sur les Champs-Élysées, il faudrait enregistrer l'émission vers 16 heures, afin qu'elle soit diffusée à 16 h 30.

De Gaulle enregistrera ici, dans son bureau, et seulement pour la radio. Il faut briser le rituel des allocutions traditionnelles.

Il parlera comme au temps de la France libre, d'il y a vingt-huit ans.

Il est 14 h 30. Pompidou entre dans le bureau. Il parle de démissionner.

– Je vous garde, vous restez, nos sorts sont liés, dit de Gaulle.

Il n'y a pas pour l'heure d'autre solution.

– Je ne partirai pas, continue de Gaulle. J'ai un mandat. Je le remplirai.

Pompidou insiste pour que l'on renonce au référendum, et qu'on dissolve l'Assemblée, que des élections législatives aient lieu dans les délais constitutionnels, les 23 et 30 juin.

– Mon général, vous me demandez de rester, je vous demande la dissolution, répète-t-il.

De Gaulle fixe Pompidou. Les raisons qu'invoque le Premier ministre sont bonnes. Personne n'osera, sinon quelques extrémistes, s'opposer à des élections générales. Elles peuvent être le meilleur moyen de mettre fin aux grèves, notamment dans les services publics. Mais, en même temps, elles empêchent le grand débat qu'engage toujours un référendum. Même si les élections sont gagnées, et elles doivent l'être, pourra-t-on, après, entreprendre la politique de réforme, mettre en œuvre cette révolution qu'est la participation ? De Gaulle le sait, ces élections vont se faire sur le thème du retour à l'ordre. Mais le « parti de l'ordre » peut-il vouloir une révolution ?

De Gaulle hésite. Il n'y a guère le choix. Changer de Premier ministre alors que la crise n'est pas dénouée serait aggraver le trouble. Allons pour les élections ! Le sort de Georges Pompidou sera scellé plus tard.

Il est un peu plus de 15 heures, ce jeudi 30 mai. De Gaulle entre dans la salle du Conseil des ministres. Il salue les membres du gouvernement d'un hochement de tête. Combien sont-ils, ici, à avoir souhaité sa retraite ? Afin de pouvoir se ranger derrière un chef plus jeune, plus rassurant, Georges Pompidou ?

Il s'assoit. Il parle d'une voix rude.

« Je reste. Je dissous l'Assemblée nationale : il n'y a plus de majorité. Je consulte le pays. Pour le référendum, je verrai plus tard. Nous sommes en présence d'une entreprise totalitaire. La République ne périra pas. J'ai pris la décision de m'adresser au pays... »

Il prend les feuillets.

« Je compte dire à peu près ceci... »

Il lit. Il n'a pas eu le temps d'apprendre son texte par cœur. Et cela aussi exige qu'il ne parle qu'à la radio.

Il consulte du regard les ministres qui approuvent. Un mot sur son absence d'hier : « Je me suis absenté non seulement pour réfléchir et peser chaque éventualité, mais aussi pour m'assurer sur place qu'en toute hypothèse la sécurité intérieure et extérieure de la France serait assurée... J'ai vu tout ce que je devais voir pour agir. »

Il regarde Georges Pompidou. Il faut tresser ses éloges. C'est un rituel, d'autant plus, et il le dit, haussant la voix, que « Monsieur le Premier ministre doit rester Premier ministre ».

Un temps, puis, abaissant la voix, il ajoute :

– En revanche, après les élections, le gouvernement démissionnera. À ce moment-là, il peut devenir opportun de désigner un *nouveau* Premier ministre...

Mais il ne faut jamais s'enfermer, quant aux moyens, dans une seule option. Il reprend :

– Tout comme la nécessité peut s'imposer de ne pas changer de Premier ministre.

Il sent le désarroi, l'incertitude qui s'emparent de tout le gouvernement qui, d'ailleurs, va être remanié.

Il plie les feuillets posés devant lui.

– Messieurs les ministres, j'en ai terminé.

Il se lève. Il l'a écrit dans *Le Fil de l'épée* : « Il faut garder par-devers soi quelque secret de surprise qui risque à toute heure d'intervenir. »

Dans son bureau, les micros sont installés. Il est 16 h 10. L'enregistrement va commencer pour être diffusé dans une vingtaine de minutes.

Il se souvient. C'était il y a vingt-huit ans, le 18 juin. Il faut que les mots aient la même force, la même efficacité.

« Françaises, Français,

« Étant le détenteur de la légitimité nationale et républicaine, j'ai envisagé depuis vingt-quatre heures toutes les éventualités, sans exception, qui me permettraient de la maintenir. J'ai pris mes résolutions. »

Les mots montent en lui, jaillissent comme des actes, lancés à toute volée.

« Dans les circonstances présentes, je ne me retirerai pas. J'ai un mandat du peuple. Je le remplirai.

« Je ne changerai pas de Premier ministre...

« Je dissous aujourd'hui l'Assemblée nationale...

« Le référendum... j'en diffère la date...

« La France est menacée de dictature. On veut la contraindre à se résigner à un pouvoir qui s'imposerait dans le désespoir national, lequel pouvoir serait alors évidemment et essentiellement celui du vainqueur, c'est-à-dire du communisme totalitaire...

« Eh bien non ! La République n'abdiquera pas ! Le peuple se ressaisira. Le progrès, l'indépendance et la paix l'emporteront avec la liberté.

« Vive la République !

« Vive la France ! »

Plus tard, il se tient sur le balcon du palais. La rumeur monte en vagues successives ; des cris scandés « Vive de Gaulle », puis *La Marseillaise*, comme un immense ressac. Il devine les drapeaux tricolores et les cris de haine et de violence que charrie toute la foule en marche. Et celle-là, les premières dépêches l'annoncent, serait d'un million de personnes, envahissant la place de la Concorde, les Champs-Élysées, submergeant la place de l'Étoile.

Étrange pays qui paraît avachi, prêt à tout accepter et qui, tout à coup, se soulève, mêlant les jeunes aux ouvriers, dans cette révolte de mai, puis rassemblant d'autres parties du peuple, en cette fin de journée du jeudi 30 mai.

Le palais est désert. Flohic s'est mis en civil pour aller manifester. La plupart des collaborateurs ont comme lui rejoint le cortège.

– Mon général, quel succès pour vous ! dit le lieutenant-colonel d'Escrienne, l'aide de camp.

– S'il ne s'agissait que de moi... dit de Gaulle.

Il reste ainsi, dans la lumière rasante du soir, à écouter. La foule parfois, si rarement, c'est la mer, comme ce 26 août 1944, quand il descendait les Champs-Élysées.

Mais il suffit de quelques jours pour que la mer se retire.

Combien, parmi ceux qui crient « Vive de Gaulle », ce soir, sont-ils prêts à accepter les réformes, dans tous les domaines nécessaires ? Combien ne défilent là que parce qu'ils ont eu peur et qu'une fois encore ils veulent de Gaulle comme bouclier !

Combien sont prêts à utiliser les circonstances exceptionnelles nées de ce mois de mai pour bouleverser, trancher, révolutionner les structures de ce pays ?

Ce qu'ils veulent, c'est sans doute ne rien changer.

Il s'assoit à son bureau. Peut-être entre lui et les Français, depuis toujours, quand il voulait en 1945 de grandes réformes et que les partis l'ont chassé, ou bien quand il a mis sur pied une grande politique extérieure indépendante, et aujourd'hui, quand il voudrait par la participation changer l'ordre social, peut-être entre eux et lui n'y a-t-il jamais eu qu'un malentendu, ne cessant que lorsqu'on avait besoin de lui, parce qu'on avait peur ?

Combien de temps encore cela peut-il durer ?

Il l'a emporté. Il lit, ce vendredi 31 mai, les éditoriaux des journaux. Les opposants sont amers : ils dénoncent « l'appel à la guerre civile », un « pouvoir bouffi d'orgueil » ou bien « le vieil homme et sa haine ».

Il hausse les épaules. Il repousse les journaux. Il faut préparer l'avenir, imposer à Pompidou René Capitant – un ardent partisan de la participation, l'ennemi de Pompidou – comme garde des Sceaux, Debré aux Affaires étrangères, et Couve de Murville aux Finances. Pompidou pousse quelques-uns des siens : Ortoli à l'Éducation nationale, Marcellin au ministère de l'Intérieur.

Tout cela n'est que provisoire. Au lendemain des élections, qu'il faut gagner, on avisera. Il est sûr qu'elles seront victorieuses. Dans toutes les grandes villes de province, des manifestations se déroulent au cri de « Vive de Gaulle ».

Il songe que, le 29 mai, il y a deux jours, sous sa détermination, grondait en lui comme un tremblement de terre qui pouvait tout emporter, la tentation, l'idée, avec lesquelles il jouait aussi, de partir. C'était cela ses « arrière-pensées ». Et il avait fallu qu'il aille jusqu'au bout, qu'il quitte l'Élysée pour Baden-Baden, comme pour mimer un départ. Et tant de fois déjà, il avait eu cette pulsion. Et parfois, comme en janvier 1946, il y avait cédé.

Il n'en a pas fini avec elle.

Il le dit ce samedi 1er juin, à Pierre Lefranc, l'un des organisateurs de la manifestation du 30 mai qui a tout balayé.

– Savez-vous que j'ai été sur le point de partir ?

– Non, je ne le crois pas. Le général de Gaulle ne serait jamais parti en abandonnant la France.

De Gaulle hoche la tête.

– Oh, vous savez, la France, elle se passerait volontiers de de Gaulle.

– Oui, quand il fait beau. Mais là, le vent soufflait vraiment.

– Pour remonter au vent, il faut un bon équipage...

Il les a vus ces députés, ces ministres, et le Premier d'entre eux, ne pas résister à la pression des événements. Et pour certains, tenter de le pousser dehors. N'est-il pas vrai que, ce mercredi 29 mai, le Premier ministre a envisagé de faire une déclaration télévisée au pays ? Pour annoncer quoi, sinon la vacance du pouvoir présidentiel ? Afin qu'on en finisse avec de Gaulle ?

Et demain, la peur passée, qu'en sera-t-il ?

Il réunit le Conseil des ministres, le dimanche 2 juin, jour de la Pentecôte.

– Il s'agit, dit-il, que la future Assemblée nationale comporte une majorité indiscutable et homogène.

Mais pour faire quoi, s'il n'est pas suivi dans sa volonté de changement ?

Cette pensée est comme une fêlure dans cette satisfaction, cette émotion d'avoir changé le cours des choses.

C'est la fin de la journée de ce premier week-end de juin. Le jour s'étire, léger.

La télévision s'attarde sur les longues colonnes de voitures qui, l'essence retrouvée, se sont élancées sur les routes. Une hécatombe : soixante-dix morts et six cents blessés.

Mutation du monde. La « révolution de mai » n'a pas été sanglante et les loisirs tuent.

Est-il encore de ce temps nouveau ?

Il lit le dernier « Bloc-Notes » de François Mauriac, un homme de sa génération, son aîné d'à peine cinq ans. Mauriac écrit : « De Gaulle n'aura réussi que par à-coups à rassembler le peuple français éternellement divisé contre lui-même. Il y échouera comme y ont échoué depuis mille ans tant de rois, de politiques, de héros et de saints. Il n'empêche que la France divisée aura duré, telle qu'ils l'ont conçue, qu'elle aura été présente au monde selon une certaine idée, toujours la même, des Valois à de Gaulle.

« À quoi bon ? demandez-vous. C'est une affaire finie.

« De Gaulle, lui, croit qu'elle continue et il la continue avec vous, contre vous, malgré vous... Il entraîne derrière lui les frères ennemis que nous sommes. »

Cela peut-il durer ?

Mauriac cite des vers que, dit-il, « j'ai tant aimés quand ils furent écrits, c'était dans *L'Aiglon* et j'avais quinze ans ».

– Et moi dix...

... Ce drapeau
Plein de sang dans le bas et de ciel dans le haut
Puisque le bas trempa dans une horreur féconde
Puisque le haut baigna dans les espoirs du monde.

Les morts, sur les routes du week-end, sont-ils « une horreur féconde » ?

25

De Gaulle regarde du haut du perron le parc de l'Élysée. Il entend, alors que la nuit tombe, ce lundi 3 juin, la rumeur sourde de la circulation, intense à nouveau sur les avenues voisines. On rentre du « long week-end de la Pentecôte », comme disent les journalistes. Ils ne semblent même plus se souvenir de ce qui se passait, il y a moins d'une semaine, de la peur qui avait saisi une grande partie du pays, le 29 mai, alors que défilaient des centaines de milliers de manifestants, rassemblés par les communistes et la CGT, de son appel du 30 mai et du cortège, sur les Champs-Élysées. Pour eux, la page est tournée.

Il descend lentement les quelques marches, invitant Jacques Vendroux à l'accompagner dans cette promenade d'après-dîner autour du parc. Yvonne de Gaulle et sa belle-sœur sont restées dans le palais.

– Tout cela est bien joli, dit-il en secouant la tête.

Il s'arrête.

Rien n'est fini, il le pressent. Et pourtant tout le laisse penser. Les dernières informations, arrivées en cette fin de journée du lundi de Pentecôte, annoncent que la reprise du travail est amorcée. Elle commencera demain, mardi 4, et se poursuivra tout au long de la semaine, dans les services publics, de la SNCF aux PTT, et dans les différents secteurs d'activité, des mines à l'industrie automobile.

– Tout cela est bien joli, reprend-il, en recommençant à marcher, mais maintenant il va falloir recoudre... d'abord sur le plan social et ce ne sera pas facile... Il y aura ensuite les élections... Selon leur résultat – d'un mouvement de tête, il désigne le palais – je resterai ici encore quelque temps ou bien je retournerai définitivement à Colombey.

Il s'arrête à nouveau, croise les bras, reste ainsi, la tête baissée.

– Dans le premier cas, il faudra changer de Premier ministre. Pompidou a besoin de prendre du champ pendant une certaine période... Il voyagera ! Et puis, il sera nécessaire de remplacer aussi plusieurs ministres : il y aura des pleurs et des grincements de dents, car nombre d'entre eux ne peuvent s'habituer à l'idée de ne plus faire partie d'un gouvernement.

Il regarde Jacques Vendroux.

– Et à Calais, comment cela s'est-il passé ? Que racontent vos électeurs ?

Il marche, les mains derrière le dos. Il a confiance en Jacques Vendroux, qui ne cherche pas à farder la réalité. Et qui connaît sa ville, ses électeurs.

– Ce qu'ils veulent surtout, c'est l'ordre, leur petite tranquillité, dit Vendroux, et qu'on ne les dérange pas dans leurs projets de vacances !

– C'est en partie pour cela que les élections ont été fixées aux 23 et 30 juin.

Il rentre d'un pas lent, secouant la tête.

« Projets de vacances ! » C'est bien là la question ! Sur qui pourra-t-il compter s'il veut entreprendre la transformation profonde du pays ? Les députés ? Il reçoit Jacques Foccart, pour examiner les candidatures aux élections. Il faudrait qu'il y ait dans chaque circonscription un candidat gaulliste. Un homme sûr. Et il n'est pas tolérable de préserver les situations d'élus qui sont des adversaires, ces centristes – Fontanet, Duhamel –, ces Indépendants – Giscard, Poniatowski.

Il s'emporte.

– Je ne vois pas du tout pourquoi on ne met pas quelqu'un contre Giscard. J'ai dit de mettre quelqu'un et puis c'est toujours la même chose : on cède. C'est ridicule ! Si vous ne trouvez personne, c'est parce qu'on ne veut pas trouver !

L'amertume, tout à coup, comme un liquide âcre qui lui emplit la bouche. En qui peut-il avoir confiance ? Dans ces députés qui poussaient Pompidou à se proclamer son successeur, le 29 mai ? Et Pompidou lui-même qui, depuis le début du mois de mai, a mené sa propre politique. Les membres de son cabinet – ainsi Michel Jobert – intervenant pour se débarrasser du « Vieux ».

– Ils m'ont tous trahi, lance-t-il. Ils étaient prêts à me lâcher ! Ils m'avaient déjà enterré tous, vous m'entendez !

Foccart proteste.

– Bon, pas vous... Presque tous.

Il lève les bras.

– Cher ami, j'ai assisté à des retournements de vestes, des salauds !

Puis il hausse les épaules.

Il faut pourtant utiliser ces hommes-là, dit-il.

« Mais – il serre les poings, se baisse un peu, comme un boxeur – mais pour gagner, il faut avoir la masse avec soi. »

Elle a été avec lui en 1944, en 1958, en 1962, et maintenant, ce 30 mai 1968. Mais le reflux peut si vite survenir ! Telle est cette nation, changeante. Mais c'est ainsi : « Notre histoire est vouée aux pires secousses et aux surprenants redressements. Aimons la France, comme elle est ! »

Le vendredi 7 juin, il entre dans le salon des Ambassadeurs. Les caméras sont installées. Il va et vient en attendant que l'enregistrement de l'émission télévisée commence. Ce sera un entretien avec Michel Droit, comme lors de la campagne présidentielle de 1965. Il voudrait faire comprendre à cette « masse » de Français l'enjeu de la réforme, cette participation qu'il souhaite.

Il l'a dit et répété à Pompidou, à Foccart : « Croyez-moi, il est indispensable de la mener à bien. Si nous ne la faisons pas, nous aurons raté notre coup, nous devons la faire maintenant, c'est la dernière grande chose qu'il nous reste à faire, à accomplir, et c'est le plus grand service que l'on puisse rendre au pays. Si nous ne l'instaurons pas, bien sûr cela pourra aller cahin-caha. Jusqu'au jour où il y aura une très grande secousse... C'est une révolution et il faut la faire. »

Mais il a vu dans les yeux du Premier ministre le doute, et même l'ironie, comme si Pompidou pensait qu'il s'agissait là du rêve d'un fou. On rapporte qu'il a même, en privé, posé les doigts sur sa tempe, pour bien marquer ce qu'il pensait des projets du « Vieux ».

Voilà pourquoi il fallait, il faudra, un référendum, pour tourner ces oppositions. Il va dire cela. Mais Michel Droit veut aussi l'interroger sur les changements intervenus dans le gouvernement. Il hausse les épaules.

– Oui, oui, murmure-t-il. On pourra en dire deux mots, cela donnera du ragoût.

On commence à tourner. Il doit vaincre cette incertitude qui tout à coup le submerge. Pourquoi faut-il sans fin redire, expliquer, recommencer ? Est-ce l'âge, ou bien l'accumulation de tant d'événements depuis des décennies, qui l'épuise ?

« Oui, le 29 mai, répond-il à Michel Droit, j'ai eu la tentation de me retirer. Et puis, en même temps, j'ai pensé que si je partais, la subversion menaçante allait déferler... Alors, une fois de plus, je me suis résolu. Vous savez, depuis quelque chose comme trente ans que j'ai affaire à l'Histoire, il m'est arrivé quelquefois de me demander si je ne devrais pas la quitter... »

Évoquer septembre 1940, après Dakar. Mars 1942, l'affaire Muselier. Janvier 1946, le départ. 1954, la fin du Rassemblement. Et puis, 1965, « le soir du premier tour de l'élection présidentielle, où une vague de tristesse a failli m'entraîner au loin ».

Il se redresse.

Comprendront-ils ceux qui le voient et l'écoutent ? Il faut expliquer les événements de mai, aller au fond des choses, parler de la mutation, de cette « société qui a perdu en grande partie les fondements et l'encadrement sociaux, moraux, religieux, qui lui étaient traditionnels ». Où les moyens d'information sont colossaux. Une civilisation « mécanique ».

« Comment trouver un équilibre humain pour la civilisation, pour la société mécanique moderne ? Voilà une grande question de ce siècle ! »

Ni le communisme totalitaire, ni le capitalisme ne peuvent y parvenir. Alors, il faut s'engager dans la participation, une révolution.

Il hausse la voix.

« Et moi, je ne suis pas gêné dans ce sens-là d'être un révolutionnaire, comme je l'ai été si souvent... »

Qu'ils se souviennent : incarner la Résistance, chasser Vichy, donner le droit de vote aux femmes et aux Africains, créer la Sécurité sociale, les comités d'entreprise, et même obtenir le commencement de la libération des Français du Canada...

« Oui, tout cela, c'était révolutionnaire, et chaque fois que j'agissais dans ces différents domaines, eh bien, je voyais se lever autour de moi une marée d'incompréhension et quelquefois de fureurs. Si bien qu'un de mes amis, car j'en ai tout de même quelques-uns... »

Il hésite une fraction de seconde. Puis il décrit ce tableau représentant une foule qui refuse d'écouter un ange, le menace du poing et suit les démons qui la conduisent à l'abîme. Mais au dernier moment, la foule se reprend, courant vers l'ange.

« C'est de la peinture symbolique et figurative, conclut-il en souriant, mais, tout de même, là-dedans, il y a peut-être quelque chose de vrai. »

Peut-être se moquera-t-on ? Qu'importe ! Il dit ce qu'il ressent. Il parle des élections : « Si les résultats sont mauvais, alors tout ça, c'est perdu. » Et du référendum, « qui aura lieu en son temps et sous la forme qui conviendra ». Et puis, il faut l'union des Français autour de leur Président. « Il faut que vive la République et que vive la France ! »

Étrange climat de ce mois de juin. Il lit les rapports des préfets. Il regarde les journaux télévisés. Il y a encore ici et là des violences. Un lycéen qui meurt à Flins, non loin des usines Renault. Une nuit d'émeutes à Paris, le 11 juin. Deux ouvriers tués à Sochaux. Il dit, le 12 juin, au Conseil des ministres : « Il faut que vous sachiez, Messieurs, que le désordre, à partir de maintenant, ne travaille plus pour nous, mais contre nous. »

Il ne s'agit plus de tergiverser. Évacuation du théâtre de l'Odéon le 14 juin, de la Sorbonne, le 16. Et fin de la grève à l'ORTF. Il a la conviction que les élections seront un succès. Qu'on laisse les « enragés » et les gauchistes s'enfermer dans leur ghetto, crier « Élections, trahison ». Le pays veut le retour de la tranquillité. Il veut pouvoir, en effet, comme Vendroux l'a dit, « partir en vacances ».

Il faut que ces élections soient un commencement, un succès indiscutable. Mais pas à n'importe quel prix. Il s'indigne qu'on puisse, afin de gagner des voix, penser qu'il va amnistier les condamnés de l'OAS.

« Cela viendra... mais pour l'instant il serait prématuré d'y faire allusion. J'aurais l'air d'aller quêter les suffrages de ceux qui eussent été ravis de nous voir assassinés, ma femme, mon gendre, mon chauffeur et moi, au Petit-Clamart. Merci bien ! »

Le premier tour des élections est un succès. L'UDR rassemble 43,65 % des suffrages exprimés. Il intervient à la télévision, le 29 juin, à la veille du second tour. Et c'est un véritable raz de marée qui déferle le dimanche 30 juin. Majorité absolue pour l'UDR qui obtient deux cent quatre-vingt-onze élus au lieu de cent quatre-vingt-dix-sept. Les Indépendants, avec soixante-deux élus, gagnent dix-neuf sièges. Recul du PCF, de la FGDS, qui passe de cent dix-huit à cinquante-sept élus. Et Pierre Mendès France est battu à Grenoble par Jean-Marcel Jeanneney.

C'est bien un raz de marée, une chambre « introuvable ». Les députés UDR sont si nombreux que, lorsqu'ils se réunissent le 1er juillet, aucune salle de l'Assemblée n'est assez grande pour les accueillir. Ils se retrouvent au palais d'Orsay.

Il s'étonne de son humeur. Il devrait être satisfait. Et pourtant, il ressent de la lassitude, de l'irritation et même de l'amertume. Les commentateurs, les nouveaux députés, tous proclament que cette victoire est celle de Georges Pompidou que les députés acclament. Et qui s'en va, répétant qu'il a besoin de vacances, qu'il ne veut plus assumer les charges de Premier ministre. « Je souhaite seulement me reposer », dit le Premier ministre.

Se reposer ?

De Gaulle est seul. Les fenêtres du bureau sont ouvertes sur le parc de l'Élysée. Il doit regarder la vérité en face. Qu'est-ce que cette victoire électorale ? « Ce sont les élections de la trouille », dit-il à mi-voix.

Est-ce avec ce sentiment-là qu'on fait une « révolution » comme il en a l'intention ? Est-ce avec Pompidou qu'on peut conduire le changement ?

Voilà des mois qu'il pense que « Pompidou est fini ». Et Pompidou ne croit pas à la « participation ».

Il dit vouloir partir ? Pourquoi ?

De Gaulle le reçoit, le 1ᵉʳ juillet, l'écoute exprimer le souhait d'être déchargé de ses fonctions, s'interroger sur la participation dont il ne comprend pas ce qu'elle signifie. Il faut l'observer encore, recevoir à dîner, le jeudi 2 juillet, Georges Pompidou et Madame, ce « couple moderne » si différent de ceux de la famille de Gaulle. On échange seulement des banalités et des propos courtois.

Que veut-il ? Vraiment partir ? Ou au contraire rester Premier ministre si de Gaulle lui laisse entendre qu'il quittera rapidement la présidence de la République, et fait de lui le dauphin désigné, qu'il veut être, qu'il est déjà dans tant de têtes ?

Mais s'il veut partir, c'est à l'évidence pour prendre date, apparaître comme un recours, quand viendra la prochaine crise, car elle viendra. Et il veut – il l'a dit à ses proches – être candidat à la présidence avant d'être sexagénaire, donc avant 1971.

« Et je suis en charge de l'État jusqu'en 1972. »
Que faire ?

Ce sont les premiers jours d'un juillet pluvieux. De Gaulle marche dans le parc de l'Élysée. Faut-il avoir Pompidou dedans ou dehors ?

Premier ministre, il ne sera pas l'homme de la participation, même si René Capitant le harcèle.

Mais, simple député, il sera l'homme vers qui se tourneront tous ceux qui voudront se débarrasser du « Vieux ». Et Pompidou jouera ce rôle, vite, avant 1971, car il sait qu'il a un concurrent plus jeune, Giscard d'Estaing.

De Gaulle se sent las. Cette révolution nécessaire à accomplir, ce dernier coup de boutoir à donner pour adapter la France à la mutation du monde, et devoir résoudre ces problèmes d'hommes, inévitables, et tenir compte de toutes ces ambitions, de ces rancœurs...

Qui choisir pour remplacer Pompidou ? Couve de Murville ? Chaban-Delmas ? Mais celui-ci est le meilleur candidat à la présidence de l'Assemblée où il va être réélu triomphalement. Messmer ? « Messmer est bien, mais il est plus autoritaire en apparence qu'il ne l'est réellement. Il a tendance au fond, par gentillesse, à répondre oui trop facilement, et je me demande si c'est bien ce qu'il faut. »

Il reçoit à nouveau Pompidou, l'écoute répéter qu'il souhaite se retirer.

Il a le sentiment déplaisant d'un jeu complexe, où ce que l'on dit masque ce que l'on pense. Et il faut s'adapter à ce jeu-là, déjouer la manœuvre de Pompidou qui ne rêve que d'être président et calcule comment le devenir rapidement.

Il faut trancher.

C'est fait, le vendredi 5 juillet. Ce sera Couve de Murville. Mais le samedi 6, Pompidou fait annoncer par Bernard Tricot qu'il a changé d'avis, qu'il est prêt à rester.

Au jeu, Pompidou a peut-être perdu.

– Ah dommage, c'est trop tard, dit de Gaulle à Tricot. J'ai vu Couve, je lui ai proposé et il a accepté. Dites à Pompidou que, maintenant, c'est trop tard.

Il imagine la rancœur de Pompidou, qui va se présenter en sacrifié, en victime de l'ingratitude du

« Vieux ». Il a gagné les élections n'est-ce pas, et maintenant de Gaulle le renvoie. Voilà ce qu'il va faire dire par les siens.

Il faudrait qu'il écrive une lettre de démission, mais il s'y refuse, préférant se présenter comme congédié.

De Gaulle marche dans le bureau, ce lundi 8 juillet. Foccart est assis. Il sert d'intermédiaire avec Pompidou. Il pourrait y avoir un échange de lettres, insiste de Gaulle. « Il pourrait me dire qu'après six ans et tant de mois passés à la tête du gouvernement, il estime qu'il doit passer la main pour prendre du repos, etc. Je lui répondrais que je le comprends. Je rendrais hommage à son action... Je comprends qu'il veuille prendre du champ pour pouvoir se consacrer à des tâches très importantes. »

Il s'arrête devant Foccart. Il fronce les sourcils, croise les bras.

– Voyez-vous, je voudrais savoir si c'est vraiment de la lassitude ou si Pompidou ne joue pas la comédie, et si cela n'a pas été une tactique, du calcul pour la suite.. pour prendre une position plus confortable. Parce que cela, je ne l'admettrais pas.

Il reste silencieux, fait quelques pas, revient.

– La tactique, ça existe, il faut la pratiquer, mais c'est à moi de la pratiquer, ce n'est pas à lui d'en faire le choix. Et j'ai peur que ce ne soit cela.

Il reçoit la lettre que Pompidou a finalement écrite. Il la parcourt d'un coup d'œil.

« Mon Général,

« Vous avez bien voulu me faire part de votre intention, au moment où va se réunir l'Assemblée nationale élue les 23 et 30 juin, de procéder à la nomination d'un nouveau gouvernement, et conformément aux dispositions de l'article 8 de la Constitution.

« J'ai l'honneur en conséquence... de vous présenter la démission de mon gouvernement.

« Je vous prie d'agréer, mon Général, les assurances de mon profond respect. »

Pas un mot sur le besoin de repos. C'était donc bien de la « tactique ». Pompidou veut se présenter comme l'homme qu'on renvoie, le sauveur qu'on prive de la victoire, la victime du général autoritaire !

Pompidou sera donc l'homme qui attend l'occasion, avec impatience, pour bondir.

Soit.

De Gaulle relit la réponse qu'il vient d'adresser à Pompidou :

« Mon cher ami,

« Mesurant ce qu'a été le poids de votre charge à la tête du gouvernement pendant six ans et trois mois, je crois devoir accéder à votre demande de n'être pas, de nouveau, nommé Premier ministre...

« Votre action a été exceptionnellement efficace et n'a cessé de répondre entièrement à ce que j'attendais de vous...

« Là où vous allez vous trouver, sachez, mon cher ami, que je tiens à garder avec vous des relations particulièrement étroites. Je souhaite enfin que vous vous teniez prêt à accomplir toute mission et à assumer tout mandat qui pourrait vous être un jour confié par la nation.

« Veuillez croire, mon cher Premier ministre, à mes sentiments d'amitié fidèle et dévouée.

Charles de Gaulle »

Il le sait, Pompidou est une force désormais, poursuivant ses propres buts.

De Gaulle interroge Jacques Vendroux à la fin d'un déjeuner, le 11 juillet.

– Que dit-on autour de ce changement ?

Vendroux hésite, puis dit rapidement :

– Je ne vous cache pas qu'un certain clan Pompidou, qui a su s'entourer d'une importante clientèle à l'Assemblée et dans la haute administration, se montre un peu surpris de sa mise sur la touche...

De Gaulle baisse la tête. La tactique de Pompidou a donc réussi. L'ancien Premier ministre va consolider son image dans l'opinion. Il sera le recours rassurant pour tous ceux que la « trouille » des changements fait trembler.

De Gaulle lit le dernier article de François Mauriac qui, une fois de plus, a saisi l'âme des choses. « Georges Pompidou rentré dans le rang saura se rendre inoubliable », écrit Mauriac.

« Et pour cela, il doit me faire oublier. »

Huitième partie

13 juillet 1968 – 28 avril 1969

*Je serai heureux et soulagé si le « non »
l'emporte... Oui, ce serait une fin. J'aurai fait
ce que j'aurai pu pour mon pays... L'Histoire
dira que les Français ne m'ont pas suivi et
l'Histoire jugera.*

Charles de Gaulle à Jacques Foccart,
23 avril 1969.

26

De Gaulle entre lentement dans la salle du Conseil des ministres, ce samedi 13 juillet 1968, à 10 heures. Il s'arrête, salue d'un hochement de tête ce gouvernement qui se réunit pour la première fois.

Il s'assoit. Pour combien de temps encore présidera-t-il aux destinées de la nation ? Cette question le taraude depuis ce matin. Elle est comme une eau souterraine qui sape sa volonté. Il a tenté de se reprendre. Il y a toutes les raisons d'être confiant. À l'exception de quelques brèves manifestations d'étudiants qui ont décroché ici et là des drapeaux tricolores mis en place pour la fête nationale, le pays est calme. Et pourtant, il a le sentiment que le temps est compté, que l'avenir est semé de pièges. Il regarde quelques secondes François-Xavier Ortoli et Jacques Chirac, le ministre et le secrétaire d'État à l'Économie et aux Finances : ce sont deux proches de Pompidou. Et ce dernier s'est fait désigner comme président d'honneur du groupe UDR à l'Assemblée. Il s'est installé dans de vastes bureaux, avenue de La Tour-Maubourg, et il répète avec complaisance, même si, selon les témoins, sa mine est attristée : « Je suis devenu un autre homme. Depuis les événements, j'ai pris une dimension nationale. On me connaît, on me salue partout où je passe. Hélas, la présence du Général aura une fin, qu'y pouvons-nous ? Nous devons penser à la suite... »

De Gaulle se tourne. Malraux est toujours assis à sa droite, Michel Debré, ministre des Affaires étrangères, à sa gauche. Quelques places plus loin, il voit Guichard, ministre du Plan et de l'Aménagement du territoire, Jeanneney, ministre d'État chargé des Réformes, Maurice Schumann, ministre des Affaires sociales, à la droite de Malraux, et Edgar Faure, ministre de l'Éducation nationale.

Parmi ceux-là et tous les autres – Frey, ministre d'État, chargé des relations avec le Parlement, Capitant, le garde des Sceaux, Messmer, ministre des Armées, Chalandon, de l'Équipement et du Logement –, qui le soutiendra quand il voudra pousser les feux des réformes, transformer le Sénat en le fusionnant avec le Conseil économique et social, créer de vraies assemblées régionales, promouvoir la participation dans les entreprises ? Combien seront décidés à affronter les difficultés ? Faure, déjà, suscite la grogne des députés UDR. Ne propose-t-il pas de rencontrer les syndicalistes du SNES-Sup, ceux qui manifestaient en mai, et d'autoriser l'expression politique dans les universités !

Il commence à parler. Pas de faux-fuyants, pas de complaisance, dire les choses telles qu'elles ont été et sont. « Les événements n'ont pas été perçus, ni maîtrisés, comme ils le devaient. Le résultat est que nous avons abouti à une crise grave. »

Voilà son diagnostic, quoi qu'en pensent les laudateurs de Pompidou qui en font un triomphateur, comme si l'ancien Premier ministre avait pu gagner les élections de juin sans la disparition du général de Gaulle, son intervention du 30 mai, puis la manifestation immense des Champs-Élysées.

Il reprend.

– Ordre public : les abus, c'est fini. Il sera maintenu partout immédiatement. C'est la condition de tout. Dans l'ordre économique, la difficulté reste immense. Ce qui s'est passé coûte très cher aux finances publiques... Quant aux rapports sociaux, ils doivent être réorganisés... De tout cela devra sortir une modification fondamentale des rapports entre les hommes, de manière que tous coopèrent à une grande œuvre.

Il pose ses deux mains à plat sur la large table du Conseil.

« Ce que je veux, c'est que l'on sente, dans tout le pays, dans ce gouvernement, une manifestation de vitalité. Nous ne devons pas douter de nous-mêmes... »

Et s'il doutait de lui ? Si la fatigue et la lassitude rongeaient sa résolution ?

Et pourtant, le corps se plie aux contraintes de la fonction.

Il descend en voiture, sous la pluie, les Champs-Élysées, ce dimanche 14 juillet, et jamais la foule n'a été aussi nombreuse, aussi enthousiaste. Il peut rester debout sur la tribune plus d'une heure, puis recevoir dans le salon Murat, à l'Élysée, les invités, pendant près de deux heures. Il fait face, le corps résiste. Et la mémoire a toujours la même viva-cité. Il se souvient des noms, des circonstances dans lesquelles il a rencontré ces personnalités, il y a parfois trente ans ! Et d'un mot, il conteste les renseignements qu'on lui donne à leur sujet. Il sait qu'il ne se trompe pas. Quant à ceux qui établissent les fiches, il hausse les épaules : « Ils n'entrent jamais dans le détail des choses. Ils répondent au hasard. »

Peut-être sa morosité vient-elle de là. De ce sen-timent qu'il est plus que jamais seul, qu'on l'attend en embuscade pour le faire basculer. Et cela ne vient plus de l'opposition. Et pourtant, c'est d'elle que ses proches lui parlent. Mitterrand, annonce Foccart, a démissionné de la présidence de la FGDS. « Je m'en fous », bougonne-t-il.

Telle personnalité gaulliste veut écrire une lettre ouverte au même Mitterrand. « Fichez-moi la paix, avec ces histoires de corne-cul ! »

C'est d'ailleurs que viennent les vraies menaces, et non d'une opposition en lambeaux. C'est dans la majorité, et au gouvernement, qu'on s'oppose à ce qu'il veut entreprendre.

Pourquoi la note qu'il adresse, le 30 juin, au Conseil des ministres, au sujet d'un projet constitutionnel instaurant un Sénat économique et social et des conseils régionaux, se retrouve-t-elle, le 29 août, publiée dans *Le Figaro* ? Qui l'a communiquée et dans quel but, sinon pour inquiéter ?

Il se sent atteint par ce manquement au devoir d'État. Et si ce ne sont pas des adversaires, ils sont pusillanimes.

Jeanneney, lui, est déterminé. Il met sur pied avec diligence et acharnement les projets de réforme, afin que le référendum sur le Sénat et la régionalisation puisse se dérouler en décembre 1968, dans la foulée des élections victorieuses. Mais le Premier ministre et Olivier Guichard sont réticents. Et il le sent, il le découvre chaque jour dans la presse, on s'évertue à créer le doute et la peur autour de ces projets de réforme. Il lit dans *Le Figaro* : « On attend dans les milieux patronaux et à la Bourse, avec une impatience mêlée d'inquiétude, des précisions sur ce que sera la "participation" dans les entreprises. »

Naturellement, on n'en veut pas ! Et les capitaux commencent à fuir, comme ils l'ont déjà fait en mai.

Il va et vient dans son bureau. Il lit les notes du Service de documentation extérieure et de contre-espionnage ou des Renseignements généraux. Les grandes entreprises qui ont obtenu du gouvernement des crédits à des taux minimes pour relancer leurs activités placent ces capitaux à l'étranger, ou développent leurs filiales dans d'autres pays que la France. Le contrôle des changes a été levé dès le 4 septembre, alors, que peut-on faire ? Tout est prétexte à cette fuite des capitaux, à ce début de panique monétaire. Que le gouvernement envisage d'augmenter les droits de succession, et c'est une houle de protestation qui soulève la majorité des députés UDR, et il faut en partie reculer, mais le mal est fait.

De qui peut-il être sûr ?

Les projets d'Edgar Faure, la loi d'orientation sur l'enseignement supérieur qu'il élabore, sont contestés par l'UDR. Mais ne voit-on pas qu'on ne peut pas laisser les choses en l'état ? Il intervient, soutient Edgar Faure, dont la loi est finalement votée par l'Assemblée nationale, avec quatre cent quarante et une voix pour et trente-neuf abstentions – les communistes, six UDR dont Christian Fouchet, ancien ministre de l'Éducation nationale. Il a donc eu raison de soutenir Faure !

Et cependant, il ressent de plus en plus souvent des accès de lassitude, de fatigue.

Il surprend dans les regards d'Yvonne de Gaulle et de Philippe, ou d'Alain de Boissieu, l'inquiétude. Et il devine que les ministres, ses proches, l'observent, le guettent. Et comment ne s'interrogeraient-ils pas ? Il aura soixante-dix-huit ans dans quelques semaines, et la lassitude parfois submerge tout.

Il devrait lutter pied à pied pour imposer ce référendum dès décembre, il le sait. Et il laisse « filer », il accepte de le remettre au printemps 1969. Et il est persuadé qu'il commet une erreur. En mai déjà, il n'a pas eu les réactions qu'il fallait.

– Si j'avais eu quinze ans de moins, dit-il, je n'aurais pas réagi ainsi, j'aurais pris les affaires en main directement.

Il secoue et baisse la tête.

– C'est parce que je suis trop vieux. Je ne veux pas devenir un nouveau Pétain, il faut que je m'en aille. J'ai pourtant encore un certain nombre de choses à réaliser : il y a la participation, la réforme du Sénat, la régionalisation. Tout cela, il faut que je le fasse. Il faut que j'organise un référendum, après quoi je m'en irai.

Mais le référendum en décembre, ce n'est déjà plus possible, avec cette fuite des capitaux, cette peur sourde. Quel meilleur moyen d'empêcher la mise sur pied de la participation ? Il lit les articles de John L. Hess, le correspondant du *New York Times* à Paris, qui écrit : « Il n'y a que la France pour se payer le luxe d'une "panique monétaire" avec vingt milliards de réserve, un gouvernement fort et aucune dette étrangère. » Mais Raymond Aron confie à qui veut bien l'écouter, et ses propos sont recueillis par des informateurs : « De Gaulle n'existe plus. Il est le seul à ne pas le savoir. Il ne gouverne plus. »

Voilà les adversaires ! Et, il en est sûr, il l'éprouve, bien plus menaçants que les « opposants ».

Alors combattre, empêcher Giscard d'être le président de la commission des Finances à l'Assemblée ? Mais même pour obtenir cela, il faut convaincre les « gaullistes » prêts une nouvelle fois au compromis.

« Ils ne se rendent pas compte que Giscard est un adversaire, dit-il. D'ailleurs, cela apparaîtra au grand jour plus tard. »

Puis, la colère suscitée par cette incompréhension des proches retombe et la satisfaction d'avoir eu gain de cause – Taittinger a été élu contre Giscard – s'efface vite. « Il fallait absolument que cela se fasse... Tant pis pour Giscard qui a voulu jouer contre nous. »

Et l'accablement revient tout recouvrir.

– Ça devient chaque jour plus difficile, dit-il, au lieutenant-colonel d'Escrienne, son aide de camp.

Il y a trop de gens qui freinent ou qu'on traîne ! Parmi ceux dont c'est la carrière, la vocation et l'honneur de servir l'État, il y a trop d'eunuques. On s'en aperçoit trop tard, ce n'est pas écrit sur leur figure !

La nuit tombe sur le parc de la Boisserie. Il marche lentement, malgré la pluie fine de cette fin de mois d'août.

À chaque pas, une question. Quels sont les ressorts de ce pays ? Peut-on encore lui parler de sa grandeur, de son passé ? Il y a un peu plus d'un mois, le 18 juillet, il se trouvait à la Butte-Chalmont, dans l'Aisne. De là, il y a cinquante ans, l'offensive victorieuse de juillet 1918 s'était élancée. Il se souvient des mots qu'il a prononcés, exaltant « l'union, la cohésion des combattants » et au contraire stigmatisant les « abandons, les chimères et querelles » qui « bouchent la voie du salut ». Mais la jeunesse peut-elle écouter quand on lui parle de cette guerre d'autrefois ? Se préoccupe-t-elle encore du sort de la nation ? Ne dit-elle pas : « Comment voulez-vous que je m'intéresse à ces histoires, moi qui suis née en 1945 ? »

Ce sont ces jeunes-là, ceux de l'après-Seconde Guerre mondiale, qui ont lancé les pavés dans les rues du Quartier latin, et élevé des barricades. Ceux-là qui, brandissant les drapeaux noirs et rouges, ont encore manifesté, les 13 et 14 juillet, contre le drapeau français.

Que peut-il faire, dire, pour toucher cette génération sans mémoire ? Celle qui semble ne pas se soucier de la patrie ?

Il rentre.

À 2 heures du matin, ce mercredi 21 août, il entend la sonnerie du téléphone, dans le hall de la Boisserie. Il descend lentement, décroche, reconnaît la voix de Bernard Tricot. Le secrétaire général vient de recevoir à sa demande l'ambassadeur soviétique, Zorine, qui lui a annoncé que les troupes du Pacte de Varsovie avaient envahi la Tchécoslovaquie, à l'appel de « personnalités tchécoslovaques ».

De Gaulle n'est pas surpris. Voilà des semaines que les services de renseignement français lui ont annoncé cette invasion, seule manière de bloquer le processus de libéralisation engagé par le communiste Dubček. Il a immédiatement fait prévenir le chef de l'État tchécoslovaque, le général Svoboda, qu'il connaît. Celui-ci avertit Dubček qui répond que « le général de Gaulle, étant un officier capitaliste, ignore tout de la mentalité marxiste, que les communistes soviétiques n'oseront pas envahir la Tchécoslovaquie ».

De Gaulle a un geste de mépris. Cette invasion est un temps d'arrêt sur la voie de la détente. Et il faut condamner durement cette violation des droits nationaux.

– Dès demain, je réagirai, dit-il à Tricot. Prévenez tout de suite M. Couve de Murville. Demandez-lui de me rappeler au début de la matinée afin que j'arrête avec lui les termes d'un communiqué ; quant au reste, ne nous affolons pas. Bonsoir.

Il reçoit, le lendemain, Couve de Murville et Michel Debré. Il insiste sur la nécessité de condamner la « politique des blocs qui a été imposée à l'Europe par l'effet des accords de Yalta ».

Chacun des Grands écrase les pays qui sont sous sa domination. Et c'est cela qu'il faut briser pour parvenir à l'indépendance de l'Europe.

Mais tout dépendra des Tchèques.

« En Pologne, en Roumanie, dit-il, le déferlement national est évident. »

Il se souvient des foules qui l'ont acclamé dans ces pays, manière pour elles d'exprimer leur personnalité. Mais la Tchécoslovaquie ? Il fait la moue, secoue la tête.

– C'est une république de professeurs, dit-il. Si la Tchécoslovaquie veut prendre son indépendance, nous y sommes favorables. À elle de décider. Nous n'avons pas à tout casser. La Tchécoslovaquie, c'est un pauvre diable de pays. Ce n'est pas une nation.

Il écarte les bras.

– C'est un pays artificiel, mal foutu. Nous pouvons le dire puisque c'est nous qui l'avons fabriqué.

Une dépêche arrive, annonçant que le général Svoboda s'est rendu à Moscou.

De Gaulle secoue la tête.

– Svoboda, c'est Pétain, dit-il.

Il se redresse. Il ne sera jamais cela. Et il se battra jusqu'au bout pour que le peuple français comprenne ce qui est en jeu.

Il est 15 heures, le lundi 9 septembre. Il dit en s'adressant aux journalistes – plusieurs centaines – dans la grande salle des fêtes de l'Élysée : « Mesdames et Messieurs, je me félicite de vous voir. »

La chaleur est effroyable. Il respire mal.

« Nous sommes devant une actualité qu'on peut qualifier de foisonnante », continue-t-il.

Il va parler des événements de mai, il va dénoncer la « mise en condition de l'opinion publique – n'est-ce pas Messieurs les journalistes ? ».

Il se moque de ce murmure qui enfle. Il va fustiger « l'étrange illusion qui faisait croire que le néant allait tout à coup engendrer le renouveau, que les canards sauvages étaient les enfants du bon Dieu... ».

Il évoque la transformation du Sénat en Sénat économique, la création à l'échelle de chaque région d'une assemblée analogue. La référence, dit-il, d'une voix forte, c'est l'esprit de « juin 40 », l'esprit de résistance, et les institutions nouvelles de la Ve République, « l'antidote nécessaire à la propre fragilité de notre peuple ».

La chaleur l'accable. Il a la sensation d'étouffer. Il commence à tousser, des quintes qu'il a du mal à arrêter. Elles reviennent, irritantes, au moment où il condamne l'invasion de la Tchécoslovaquie. Il boit un peu d'eau à plusieurs reprises, mais la toux est toujours là. Et il sait qu'on va dire qu'il était épuisé, qu'il a dû écourter la durée de la conférence, alors qu'il n'a pas dévié d'un mot par rapport au texte écrit, appris par cœur.

Il se lève.

Il interroge Foccart. Était-ce bon ?

– C'était excellent, extrêmement dense. Je crois que tout le monde a été fixé sur vos intentions.

Il a envie de dire à Foccart que, comme presque tous les ministres, il a somnolé dans l'atmosphère étouffante de la salle des fêtes.

– J'ai été très net, dit-il seulement. Mais j'ai été embêté par cette toux.

Foccart répète qu'il faut faire « ventiler davantage cette salle ».

– On le dit toujours et on ne le fait jamais, répond de Gaulle, en regardant, immobile, le parc de l'Élysée.

– Il faut absolument le faire, ajoute-t-il.

Puis tout à coup, une pensée.

Et si cette dix-septième conférence de presse était la dernière ?

Cette intuition qu'il quittera bientôt ses fonctions, il lui semble même qu'à chaque instant elle est présente. De plus en plus souvent, il éprouve le besoin de l'évoquer, comme s'il voulait l'apprivoiser, s'y accoutumer. Elle ne l'affecte pas, au contraire. Il aperçoit enfin le terme du chemin. Et quand il le suggère, Yvonne de Gaulle paraît soulagée, apaisée, comme si elle voulait préserver pour eux, pour les siens, encore quelques années de bonheur intime.

Il est heureux dans ces journées de la mi-septembre, après la conférence de presse. Il peut enfin retrouver à la Boisserie ses petits-enfants ou sa nièce Geneviève Anthonioz, accompagnée de son mari. Les de Boissieu et les Vendroux sont là. Il regarde Alain et Jacques disputer une partie de tennis. À l'exception d'un peu d'équitation jusqu'en 1939, il n'a jamais pratiqué de sport. Mais la vie est si brève ! Et son destin a tant exigé de lui ! Comment y aurait-il eu place pour le sport ?

Il s'éloigne, est rejoint bientôt par Vendroux. On marche. On examine les conditions de la réforme du Sénat, de la régionalisation, de la participation. Il faudra vaincre l'hostilité des « modérés », des « marxistes » et sûrement aussi celle d'une partie de l'UDR. Mais cette réforme est nécessaire.

Il continue de marcher, silencieux, puis, sans regarder Jacques Vendroux, il dit :

– Quand tout cela sera en place, je pourrai me retirer satisfait de ce que « nous » avons accompli... Il ne me restera alors qu'à terminer mes *Mémoires*. Et ce ne sera pas non plus un mince travail.

Il est 6 h 45, ce jeudi 12 septembre. Il passe sa robe de chambre. Il descend lentement l'escalier de la Boisserie. Il sourit devant la confusion de Jacques Vendroux et de sa femme, qui vont quitter la Boisserie et qui avaient fait leurs adieux hier soir, afin de ne déranger personne de bon matin. Vendroux se répand en excuses. Il est gêné.

Mais il faut respecter les usages. La courtoisie exige qu'on ne doive pas laisser partir ses invités sans les saluer au moment de leur départ.

Une règle est une règle. Et une civilisation commence à mourir quand on néglige ce que l'on croit être des détails.

Il regagne Paris, sans entrain. Il faut préparer le voyage officiel en Turquie, qui doit se dérouler du

25 au 30 octobre. Il faut recevoir Alain Poher qui vient d'être élu président du Sénat.

Et tout à coup, cette pensée : c'est Poher qui assurerait l'intérim de la présidence de la République si de Gaulle cessait ses fonctions avant terme.

Poher !

Il consulte les comptes rendus de la réunion des députés UDR à La Baule. Il faut les morigéner, eux qui ont changé le titre de leur parti ; l'Union pour la défense de la République est devenue l'Union des démocrates pour la République. Ils se déchirent en clans opposés.

– C'est toujours la même chose dit-il, tout le monde se bat, se chamaille, c'est une espèce de déballage sur la place publique.

Il le dit à Pompidou, d'une voix plus calme, au cours du dîner qu'il offre, le vendredi 4 octobre, à l'ancien Premier ministre et à Mme Claude Pompidou. Il veut que l'atmosphère soit cordiale, et c'est pourquoi il a proposé ce dîner à quatre dans les appartements privés de l'Élysée. Il veut que Pompidou comprenne que, quelles que soient ses ambitions futures, il doit se tenir à l'écart des petites batailles de la vie politique. N'a-t-il pas dit, à la conférence de presse, que Pompidou est « placé en réserve de la République » ?

Il observe attentivement Pompidou dont la santé a été préoccupante. Mais l'ancien Premier ministre semble reposé par ses vacances.

L'homme est assuré. « Aux yeux de l'opinion, il a pris une dimension nouvelle, mais c'est dans la négociation, auparavant il n'a guère agi... C'est encore un peu un professeur qui ignore que l'autorité de l'État doit être appuyée sur les moyens de la force publique et, le cas échéant, sur la force armée, je ne doute pas que la crise lui ait servi de leçon. »

Encore faut-il qu'il ne s'imagine pas qu'il peut dicter sa conduite au général de Gaulle, ou bien tenter de faire « oublier » que le Président incarne la légitimité.

De Gaulle se lève. S'il y avait vacance du pouvoir, évidemment mieux vaudrait Pompidou que Poher !

– Il faut vous préparer, dit de Gaulle, en raccompagnant Georges et Claude Pompidou.

Il faut qu'on « voie » l'ancien Premier ministre.

C'est le rituel des voyages officiels : le Bosphore, une promenade sur le yacht d'Atatürk et, succédant aux troupes, le défilé des janissaires. Il est touché par ce surgissement de l'Histoire, comme si le présent était effacé par le rythme syncopé de ces guerriers qui font un pas en faisant face vers la droite, un autre en se tournant vers la gauche. Il se souvient de ce que l'on disait, au début du siècle : « La Turquie, c'est une armée et une dette. » Et bien avant – et il va le rappeler dans ses discours – des liens unissaient « vos sultans et nos souverains, Süleyman et François Iᵉʳ, Sélim et Napoléon, Abdül-Aziz et Napoléon III ». Et c'est la République qui reconnut la première le gouvernement d'Ankara, après la Première Guerre mondiale.

Il pense à l'action d'Atatürk, cet homme qui modela ce pays.

Le long des routes, dans la banlieue d'Ankara, la foule est dense et chaleureuse, elle applaudit. Ici aussi, comme en Pologne, en Roumanie ou au Québec, il a la conviction de raviver l'image de la France. Et cela refoule la fatigue.

Mais quand, à 15 h 30, le mercredi 30 octobre, il retrouve à Orly les membres du gouvernement venus l'accueillir, le malaise s'installe. Il serre les mains des ministres, se contentant d'un « Bonjour cher ami » car il n'a plus en mémoire les visages de certains secrétaires d'État.

Dans son bureau du palais de l'Élysée, il est écrasé de sommeil. Mais il veut lire les dépêches, parcourir la revue de presse. Les journaux laissent entendre que ce voyage était inutile. Ont-ils donc tous une si médiocre ambition pour la France ? Pourquoi ne devrait-elle pas tenir sa place dans un pays avec lequel, depuis des siècles, elle est liée ?

Il lutte contre l'envie de s'affaisser, de dormir. Il se redresse quand Foccart entre dans le bureau pour l'audience du soir.

– On ne les voit pas, dit-il, mais les Américains sont partout. Les Turcs m'ont fait un très bon accueil. J'ai été obligé d'aller à Ankara bien sûr, puis à Istanbul et, étant là, j'ai dû faire un peu de visites.

Le sérail de Topkapi, Sainte-Sophie, la Mosquée bleue... Il s'est adressé aux Turcs dans une allocution télévisée. Et il a prononcé quelques phrases en turc.

– Au total, reprend-il en soupirant, mon voyage a peut-être duré un jour de trop. Enfin, pour la francophonie, pour le rayonnement de la France, cela a été un succès.

Il feuillette les dossiers qui contiennent les notes des différents ministères. Des incidents se sont encore produits au Quartier latin... Qu'on propose la dissolution du mouvement d'extrême droite Occident, qui les a provoqués !

Le courrier maintenant. Un livre du colonel Branet, un ancien des Forces françaises libres, de la 2ᵉ DB, un compagnon de la Libération, aujourd'hui infirme.

Si amère et si dense la vie !

Il écrit vite quelques lignes.

« Ma pensée est bien souvent auprès de vous et mon souvenir vous reste très fidèle. Ce que nous avons fait en servant notre pays justifie et éclaire notre existence. »

27

De Gaulle entend le bruit saccadé du moteur. Il lève la tête et aperçoit, dans le ciel gris de ce jeudi 1er novembre 1968, l'hélicoptère qui approche de Colombey-les-Deux-Églises.

Pourquoi donc Bernard Tricot a-t-il sollicité cette audience à la Boisserie ? Nouvelle grave, inattendue, décision urgente à prendre ? Sans doute un peu de tout cela, car le secrétaire général de la présidence n'est pas homme à s'affoler.

De Gaulle se voûte, remonte lentement vers la Boisserie. Du bout de sa canne, il écarte les feuilles mortes qui jonchent le chemin.

Novembre. Il n'aime pas ce mois où la vie s'enfuit. Mois qui ouvre les portes sur une autre année de vie. Soixante-dix-huit ans bientôt. Il baisse la tête. Tant de fois déjà il a franchi ce seuil d'un anniversaire, en se demandant si ce n'était pas l'ultime passage. Et les vers de Verhaeren, si souvent récités, lui reviennent à nouveau.

Oh ! tous ces morts là-bas, sans feu, ni lieu,
Oh ! tous ces morts cognant les murs opiniâtres

Il accueille Bernard Tricot dans son bureau. Un coup d'œil suffit pour lire sur le visage de Tricot, habituellement impassible, l'inquiétude.

Mais point de hâte. On ne doit jamais se précipiter sur l'événement. Il vient vers vous toujours assez tôt.

Tricot reste maître de lui, présente les parapheurs contenant le courrier à signer, comme s'il n'était venu que pour cette besogne rituelle et banale. De Gaulle signe silencieusement, puis se tourne, regarde l'horizon vaste et vide.

Il n'aime pas ce mois de novembre. Toute la vie semble s'y dissoudre, y devenir poussière morte. Et cette année peut-être plus que jamais.

Il a, depuis des semaines déjà, l'intuition que, derrière le voile gris de l'automne, montent les tempêtes. Le franc est toujours attaqué. Les capitaux fuient à l'étranger, en Allemagne et en Suisse. Les Allemands parlent haut et fort de la valeur du mark. C'est comme si enfin, profitant de la crise qui a secoué et affaibli la France, ils tombaient le masque, et s'apprêtaient à exiger la dévaluation du franc, pour bien marquer, après des années d'apparente modestie, qu'ils détiennent la vraie puissance, celle de la monnaie. Et que la France orgueilleuse, avec la bombe H qu'elle a fait exploser au mois d'août, cette France qui veut dicter sa loi dans le Marché commun, doit plier le genou.

En politique intérieure, la situation est délétère. Dans les rangs de la majorité UDR, ça grogne, ça hurle même, contre l'« anarchie », le « bluff » de la loi d'orientation de l'enseignement supérieur d'un Edgar Faure qu'on dit entouré de « gauchistes ».

Novembre gris.

Oh! tous ces morts là-bas, sans feu, ni lieu.

De Gaulle fait face à Bernard Tricot, puis s'assoit.

– Eh bien, que se passe-t-il ?

Il écoute Bernard Tricot et il a l'impression que chaque mot prononcé le salit, l'humilie. Le cadavre d'un garde du corps d'Alain et Nathalie Delon, Stéphan Markovic, a été retrouvé dans une décharge publique des Yvelines. Markovic a laissé une lettre accusant du crime Alain Delon et un « truand retiré des affaires », Marcantoni.

De Gaulle lève la main dans un mouvement d'impatience. Faut-il qu'il soit tenu au courant, chez lui, un 1er novembre, d'un sordide fait divers, où l'on évoque des « partouzes », le suicide mystérieux d'un autre garde du corps de Delon, un chantage ?

Tricot parle plus vite.

Un jeune Yougoslave, Akow, détenu à la prison de Fresnes, a adressé des lettres à Delon. Elles ont été saisies. Il y déclare avoir participé à une soirée organisée dans une villa des Yvelines. « Soirée particulière, fort gaie. » Akow affirme que Markovic possédait des photographies compromettantes pour l'épouse de l'ancien Premier ministre, Claude Pompidou. Akow, interrogé, aurait affirmé avoir vu Claude Pompidou, lors de cette « soirée particulière ». Georges Pompidou lui-même serait mis en cause par ce témoignage. Hier, explique Tricot, Capitant, le garde des Sceaux, lui a indiqué qu'une « note annexe » au procès-verbal d'audition d'Akow faisait état de ces faits. La note avait été vue par plusieurs personnes. Elle ne pouvait donc être détruite. Elle allait être versée au dossier d'instruction. Et les avocats y auraient accès.

« Il faut avertir Pompidou sur-le-champ, conclut Tricot, sans quoi il serait en droit de nous faire les plus grands reproches. »

Le dégoût et la colère envahissent de Gaulle. Tout est possible, tout, toujours. Cette « affaire » est-elle une manipulation ? Et de qui ? D'un service de police, ou bien de quelques policiers, comme au moment de l'affaire Ben Barka ? Dans le but d'éliminer Pompidou de la vie politique ?

Capitant le hait et n'a sûrement rien fait pour étouffer l'affaire.

De Gaulle regarde l'horizon, que déjà la nuit envahit. Il connaît Pompidou et sa femme. Il n'imagine pas qu'ils aient pu participer à ces soirées sordides.

– Je ne pense pas, dit-il, que rien de grave ait été commis, mais il est bien possible qu'il y ait eu une imprudence.

Il se lève. Que le juge d'instruction fasse son métier et vérifie ce qui s'est passé et qui était là.

Il hésite. Il pourrait charger Tricot de prévenir aussitôt Pompidou. Ou bien il pourrait lui-même appeler l'ancien Premier ministre et l'avertir. Mais, en lui, quelque chose l'arrête. Il ne se sent pas capable – il lui est impossible – physiquement et moralement de parler de ces sortes d'affaires, lui président de la République, lui Charles de Gaulle, piétinant dans ce cloaque, prononçant des mots de faits divers, avec l'ancien Premier ministre de la France. Non, cela ne se peut pas.

Que Couve de Murville prenne contact avec Georges Pompidou, et lui indique que le général de Gaulle est au courant et que l'instruction ne sera pas arrêtée.

Il raccompagne Tricot, s'arrête sur le seuil de la Boisserie.

– Il n'y a rien de très sérieux derrière tout cela.

Il secoue la tête.

– Il est bien léger, continue-t-il, de se mettre dans le cas de prêter le flanc à de telles allégations.

Il marche à nouveau dans le parc.

Depuis le 18 juin 1940, il n'est pas un jour, une heure, où il ait oublié qu'il devait prendre garde, se tenir loin de ceux qui pouvaient, par leur simple proximité, le compromettre.

Incarner une nation, la diriger, c'est renoncer à bien des aspects de la vie, pour ne pas donner prise aux calomnies. Et cela équivaut à s'imposer des règles aussi strictes que celles d'un homme voué au service d'un idéal plus grand que lui. Un moine ? Un prêtre ? Un mystique. Il y a de cela.

Le pouvoir est une ascèse qui oblige à renoncer aux « jouissances ». C'est ainsi qu'il l'a vécu et qu'il le vit.

Et qu'en est-il pour les Pompidou ?

Il rentre à l'Élysée. On lui rapporte l'indignation, la fureur de Georges Pompidou, qui s'estime victime d'une manipulation ignoble, d'une opération politique, conduite par des policiers, acceptée par Capitant. Pompidou est ulcéré. Personne ne l'a averti. Couve de Murville a tardé à exécuter les ordres de de Gaulle. Où sont donc les amitiés ? Il se vengera, dit-il. Il portera toujours sur lui un carnet, où seront inscrits les noms de ceux qui ont voulu le détruire, tuer moralement sa femme qu'il adore. On peut s'attendre, a-t-il ajouté, à une « affaire Caillaux », quand l'épouse de ce ministre a abattu le directeur du *Figaro*, qui menait, en mars 1914, une campagne de calomnies contre son mari.

De Gaulle, les mains à plat, tapote du bout des doigts son bureau.

– Oui, mais voyez-vous, dit-il, les Pompidou se lancent trop avec les artistes, et cela donne un genre douteux. Alors il est facile de se laisser entraîner dans des réceptions organisées par les artistes lorsqu'on veut se donner un genre. Et puis, c'est plein d'embûches et de dangers de toutes sortes...

Mais il veut voir Pompidou. Et d'ailleurs, ajoute-t-il, du point de vue politique, « tout cela n'a pas d'importance ».

Est-ce sûr ?

Il reçoit Pompidou, le vendredi 8 novembre, à 12 heures. L'ancien Premier ministre est arrivé par la discrète entrée de la grille du Coq, au bout du parc de l'Élysée.

Il est gêné, mécontent.

Il le devine, voilà déjà une conséquence politique de cette affaire : leurs relations ne seront plus jamais les mêmes.

Pompidou parle, la voix altérée par la colère et l'amertume.

« Mon général, vous savez pourquoi j'ai demandé à vous voir. J'ai trois choses à vous dire. Je connais assez ma femme pour savoir qu'il est impensable qu'elle se trouve mêlée si peu que ce soit à cette affaire. On cherchera peut-être à me "mettre dans le coup". Nulle part, on ne me trouvera. Je n'en dirai pas autant de tous vos ministres. Ni place Vendôme, chez M. Capitant, ni à Matignon, chez M. Couve de Murville, ni à l'Élysée, il n'y a eu la moindre réaction d'homme d'honneur. »

Cette indignation, ces menaces voilées contre certains ministres. De Gaulle a le sentiment que Pompidou, désormais, est plus qu'un rival un peu impatient qui aspire au poste suprême, c'est un homme blessé, donc un adversaire résolu.

– Mais moi, je n'ai jamais cru à tout cela, dit de Gaulle. J'ai demandé qu'on vous prévienne.

– Je ne mets bien sûr pas en doute votre attitude personnelle, mon général.

De Gaulle se lève.

– Vous savez, vous pouvez me téléphoner quand vous voudrez.

– Oui, mon général, mais je ne veux pas vous déranger.

– Non, non ! Vous pouvez bien sûr m'écrire, cela va de soi. Vous pouvez venir me voir quand vous voudrez, vous n'avez qu'à le demander. Et s'il y a quoi que ce soit, vous m'appelez au téléphone.

Il est accablé. Pourquoi faut-il ainsi patauger dans ces marécages ?

Pompidou a raison de se défendre contre ces attaques, ces rumeurs, ces photographies sordides – des photomontages – qui ont été envoyées dans les rédactions. De Gaulle repousse ces notes des Renseignements généraux, ces rapports qui indiquent que telle personnalité gaulliste s'est précipitée chez Chaban-Delmas pour l'inviter à se considérer comme successeur du Général car « Pompidou, c'est fini, l'affaire Markovic l'a tué ». Les journaux à chantage multiplient les calomnies. On se sert de l'affaire Pompidou pour affaiblir, par ricochet, le gaullisme, présenté comme une « boîte à vipères » que déchirent les ambitions des différents clans.

Climat détestable, alors que la victoire législative n'est vieille que de cinq mois !

De Gaulle a le sentiment qu'en fin de compte, c'est lui qui est visé, même si la cible apparente est Pompidou. Car Pompidou, à l'évidence, estime que les derniers liens de fidélité sont rompus. Il s'est confié ; et ses propos sont là, sur la table. Il a dit : « Vous comprenez ce que je n'admets pas, c'est quand le Général lui-même me déclare sur un ton doucereux : "N'est-ce pas, Mme Pompidou, elle est si gentille, si bonne qu'elle a pu, peut-être, sans voir de mal à cela, se rendre à telle ou telle invitation de gens qui étaient mal intentionnés, qui fréquentaient des gens pas recommandables." »

Et il a dit aussi : « Le Général jalouse ma notoriété... Allons, les sentiments ne sont pas de mise. La succession est ouverte. Il s'agit de savoir si ce seront des gaullistes, c'est-à-dire nous, c'est-à-dire moi, qui gagneront ou les autres, c'est tout. Le reste c'est du romantisme. »

Comment accepter de tels propos, de telles intentions, et donc une telle stratégie !

De Gaulle est amer. Il se sent las. A-t-il trop vécu ? Quel est ce pays ? Il feuillette les journaux. « La presse est basse », murmure-t-il.

Il voudrait, à cet instant, se retirer. Il dit en se penchant vers son aide de camp : « Cela ne durera plus longtemps. »

Il a participé à tant d'événements !

Il dit, dans la cour des Invalides, pour la cérémonie du souvenir, sous le ciel bas du 10 novembre : « Un demi-siècle s'est écoulé sans que le drame de la Grande Guerre se soit effacé de l'âme et du corps des nations, et tout d'abord de la nôtre. »

Il n'a rien oublié des combats d'août 1914 et des morts du pont de Dinant, et de la joie, le 11 novembre 1918.

Il prie, dans Notre-Dame, pour le *Te Deum* du 11 novembre, alors que des voûtes le froid tombe sur ses épaules qui lui semblent si lourdes, ce matin-là.

Un demi-siècle, c'est cela et ce n'est que cela.

Oh ! tous ces morts cognant les murs opiniâtres
Et repoussés et rejetés
Vers l'inconnu de tous côtés...

Le soir, il est à l'Arc de Triomphe, debout, face au tombeau du soldat inconnu. Devant lui, cette avenue qui fut, il y a si peu, comme envahie par la marée des hommes venus l'acclamer, c'était le 26 août 1944 ; rassemblés pour le soutenir, c'était le 30 mai 1968.

Il n'a pu faire face aux événements, agir, que parce qu'il a, aux moments cruciaux, été accompagné par ce peuple immense de morts et de vivants.

Mais le reflux vient si vite. Et il se sent si seul dans la nuit glaciale.

Il rentre à l'Élysée. Comme chaque jour, il consulte la note qui donne le volume des sorties de capitaux au cours des vingt-quatre heures précédentes. Car l'hémorragie se poursuit. La spéculation contre le franc s'accentue même.

Il s'emporte contre ces possédants qui placent leur argent en Suisse. Et ce sont des petites sommes qui sont déposées !

« Tous ces boutiquiers, dont j'ai sauvé les magasins ! » lance-t-il.

Et naturellement les grosses fortunes ont donné l'exemple.

Il s'emporte.

« Les bourgeois n'aiment pas la France... Ils font passer ce qu'ils possèdent avant la France. Le peuple aime la France. En juin 1940, ceux qui n'avaient rien à perdre se sont tournés vers moi. »

Et maintenant, les possédants voudraient qu'on dévalue le franc. Ce sont eux qui spéculent contre la monnaie nationale. Ils ont dû consentir en mai des hausses de salaire parce qu'ils avaient peur, et ils veulent les éponger avec la dévaluation. Ils s'opposent à toute idée de participation, de relèvement des droits de succession. Et naturellement, ils trouvent des appuis dans ce groupe parlementaire UDR qui se rassemble peu à peu autour de Pompidou.

– C'est toujours la même chose : soi-disant, ils sont gaullistes, on leur donne des responsabilités, et puis ils nous trahissent.

Mais il ne cédera pas.

Le mercredi 13 novembre, il écoute l'exposé de Couve de Murville qui, de sa voix posée, le visage lisse, présente, en Conseil des ministres, la situation économique et monétaire. Le Premier ministre est partisan d'une restriction des crédits qui ont été distribués abondamment depuis le mois de mai pour relancer la production.

« Cela était justifié, conclut Couve de Murville. Maintenant, il s'agit de passer à la stabilisation. »

De Gaulle approuve.

– Nous avons fait beaucoup, nous avons fait peut-être trop... Accepter la dévaluation de la monnaie serait une absurdité.

Voilà la ligne qu'il faut tenir. Et naturellement, elle est attaquée de toutes parts.

Il a la sensation étrange d'avancer sur un sol qui se dérobe. Tout paraît stable, de prime abord. Comment ne pas avoir confiance quand on va, dans les salons de l'Élysée, au cours de la réception offerte aux députés par le président de la République, d'un parlementaire à l'autre ? Même Poher, le président du Sénat, est présent, ce jeudi 14 novembre. Seuls les députés socialistes et communistes se sont abstenus de paraître à l'Élysée. Comment pourrait-on être menacé avec une si imposante majorité ?

Et pourtant.

Il consulte à nouveau le chiffre des sorties de capitaux. Des dizaines de milliards de francs. Et l'accablement le saisit.

– Je vais vous dire, c'est provoqué par les Allemands, s'exclame-t-il. Leur représentant Franz-Josef Strauss, au cours de la réunion des ministres des Finances européens, qui doit se tenir à Bonn, à l'intention de déclarer, affirme-t-on, qu'il faut dévaluer le franc. Mais, bien sûr, c'est au gouvernement français de fixer le taux de la dévaluation.

De Gaulle va et vient dans son bureau.

– Ce sont des cochons qui font courir des bruits de réévaluation du mark. Alors, les spéculateurs se précipitent. C'est provoqué aussi par le patronat qui est incapable, qui n'a pas conscience, qui n'est pas travailleur, qui n'a qu'une idée : spéculer. Ils pleurnichent pour avoir des crédits et aussitôt, avec les emprunts qu'ils ont faits, soi-disant pour rénover leurs entreprises, ils spéculent contre le franc. Et puis, bien sûr, il y a la presse qui se pose tout le temps des questions. Et les trafiquants de toutes sortes.

– Ce sont les petits porteurs qui spéculent, précise Foccart. Avant-hier, on me disait que, dans les banques suisses, on voit maintenant des gens arriver avec vingt mille ou cinquante mille francs, ce qui ne s'était jamais produit auparavant.

De Gaulle retourne s'asseoir à son bureau. Il baisse la tête.

– Qu'est-ce que vous voulez que j'y fasse, je n'y peux rien si les Français sont comme cela.

Il se sent impuissant. C'est une situation qui est aussi « insaisissable » qu'aux pires jours du mois de mai. Et il en a la conviction : ce sont les mêmes qui, de leur balcon, applaudissaient les étudiants. Les mêmes qui, de leur DS, insultaient Yvonne de Gaulle à un feu rouge, en criant « On va vous foutre dehors ». Les mêmes qui, aujourd'hui, achètent des marks et de l'or, se précipitent chez les joailliers de la place Vendôme ou du quartier de l'Opéra et paient les bijoux en argent liquide. Les mêmes qui réclamaient l'armistice en 1940 et acclamaient Pétain.

Il est abattu, avec des bouffées de désespoir, parce qu'autour de lui il n'entend que des voix favorables à la dévaluation. C'est comme si on voulait le contraindre, à quelques jours de distance, à se renier. Il a dit « la dévaluation serait une absurdité », et tous viennent affirmer qu'il faut suivre le conseil donné par le ministre des Finances allemand, lors de la réunion de Bonn, qu'il n'y a pas d'autre issue : une dévaluation de 10 %. Et Michel Debré dit même que cela ne suffit pas, ne servira à rien, qu'il faut une dévaluation plus forte, de 20 %, pour en tirer de réels avantages, et mettre le dollar et la livre dans le bain et avoir une explication générale.

Mais il en est sûr, s'il y a dévaluation, c'est la défaite politique, la fin du projet de participation. Et c'est sans doute cela que l'on veut.

Que risque-t-on puisque le successeur, Georges Pompidou, est déjà prêt ? Et qu'il rassure ?

Le mercredi 20 novembre, le gouvernement décide de fermer la Bourse jusqu'au lundi 25. Mais rien n'y fait. La panique s'amplifie. La dévaluation est donnée pour assurée, son taux fixé à 10 %.

Amertume, tristesse, sentiment insupportable d'impuissance.

— Et voilà, maintenant, à nouveau, ce manque de civisme, dit-il, les gens qui se précipitent dès lors qu'il y a quelque argent à gagner ; qu'importe si la monnaie en meurt, ils se pressent à spéculer.

Il parcourt les journaux, ce samedi 23 novembre. Quelle satisfaction dans les articles des uns ou des autres ! Quel triomphe sur le désastre de la monnaie ! « Déconfiture », titre un journal, « De Gaulle dévalué », précise un autre, et Lecanuet se lamente en cachant mal son sourire : « La catastrophe est survenue. »

Et Pompidou ajoute sa note au concert : « On ne peut pas ne pas dévaluer, nos partenaires nous le demandent. »

Jean-Marcel Jeanneney, ministre d'État, a sollicité audience. De Gaulle l'estime, comme il avait du respect pour Jules Jeanneney, l'ancien président du Sénat qui, en 1944, est entré dans le gouvernement provisoire, avec comme directeur de cabinet précisément son fils Jean-Marcel.

— Mon général, commence le ministre, avant même de s'asseoir à l'invitation de de Gaulle, je viens vous demander de ne pas dévaluer.

— Qui douterait que de Gaulle soit autant que vous pour le maintien de la monnaie, si c'était possible ? – Il soupire. – Mais si cette dévaluation est utile à la France, il faut néanmoins la faire.

Il écoute Jeanneney exposer ses arguments. Déjà, Goetze, le directeur du Crédit foncier, reçu quelques instants plus tôt, s'est montré réservé quant à la dévaluation imposée par l'étranger et les spéculateurs ; elle ne rétablira pas la confiance dans un gouvernement qui sortirait humilié de cette défaite.

De Gaulle se redresse. Peut-être en est-il en cette fin novembre, sinistre – hier, n'était-ce pas le jour de ses soixante-dix-huit ans ! –, comme en juin 1940, quand tous, à une poignée d'hommes près, se prononçaient pour la capitulation. Et céder, capituler, se coucher devant l'ennemi n'avaient servi à rien.

Il interrompt Jeanneney.

– En matière d'affaires étrangères, en matière d'affaires militaires, dit-il, je sais à qui m'adresser, à quels généraux, à quels ambassadeurs. Mais pour la monnaie, pour l'économie, pas de rouages consistants. Il n'y a jamais un personnage précis à qui m'adresser. On dirait que les choses dégringolent d'elles-mêmes, selon la pente qu'elles veulent.

Un bruit de porte. Il lève la tête. Un huissier entre. Est-ce possible pendant une audience ? L'huissier tend une feuille à Jeanneney, puis se retire.

– Qu'est-ce que c'est que ça ?

Il regarde Jeanneney déplier le papier, et son visage s'illuminer. Le ministre explique qu'à Bruxelles le représentant de la France, Raymond Barre, qui fut son chef de cabinet, et qui est hostile à la dévaluation, vient d'avoir confirmation que la France obtiendrait des différentes banques centrales des prêts, même si elle ne dévaluait pas. Or le ministre des Finances Ortoli et tous les experts, et même Couve de Murville, prétendaient que les prêts ne seraient accordés qu'en échange de la dévaluation.

De Gaulle se lève. Il a l'impression que la brume se dissipe.

– Monsieur le ministre d'État, je mets fin à cet entretien... Il faut que vous fassiez une note. Tout ce que vous venez de me dire vous pourrez le répéter, cet après-midi au Conseil des ministres.

– Non, mon général, votre Conseil des ministres est une passoire, je ne veux pas y tenir de tels propos.

– Vous ferez ce que vous voudrez.

Il faut décider seul maintenant. Et s'il y a une voie autre que la capitulation, il la prendra. Mais il veut d'abord que chaque ministre s'exprime. Il ouvre la séance du Conseil des ministres. Il donne la parole à Malraux.

« Il y a un risque. Mon général, avez-vous hésité le 18 juin ? Choisir la dévaluation serait le contraire du gaullisme. »

Edgar Faure, après un exposé technique argumenté, conclut : « Vous ne ferez jamais admettre que les Allemands aient le droit de décider de l'avenir de la France. » À l'exception de Jacques Chirac, de Chalandon et de Raymond Marcellin – proches de Pompidou –, les ministres s'expriment contre la dévaluation.

De Gaulle laisse quelques minutes de silence avant de dire :

« Tout bien pesé, j'ai décidé que nous devons achever de nous reprendre sans recourir à la dévaluation. »

On rétablira le contrôle des changes. On élaborera un plan de rigueur budgétaire. Et il expliquera cela aux Français, demain, dimanche 24 novembre, dans une allocution télévisée.

« Ce qui se passe pour notre monnaie, dit-il, nous prouve, une fois de plus, que la vie est un combat, que le succès coûte l'effort, que le salut exige la victoire. »

C'est le soir. Il est las. Qu'est devenue l'entente privilégiée avec l'Allemagne ? Elle a joué sa carte, contre nous.

« Les Boches sont les Boches, murmure-t-il. Vous savez, c'est un peuple servile lorsqu'il est affaibli, arrogant lorsqu'il retrouve sa force. »

Il fallait bien résister, prouver que le pouvoir politique en France est capable de faire pièce au pouvoir économique allemand. Et ne se laisse pas dicter une dévaluation.

Mais il se sent écrasé de fatigue. Et il éprouve, malgré le succès remporté, une sensation d'accablement et de dégoût.

« Je ne pourrai pas éternellement me substituer à tout un peuple », dit-il à son chef d'état-major, le général de Lalande.

Il feuillette la presse. Il a un sentiment d'écœurement. Voilà ce qu'on écrit : « De Gaulle n'a pas son pareil pour donner l'illusion de nous tirer du pétrin, où nous ne serions pas évidemment s'il ne nous y avait mis lui-même ! »

De Gaulle est donc responsable de 1940, de 1958, de l'échec de la IIIe et de la IVe République. « La presse est basse » et celle-là – *Le Nouvel Observateur* – a des prétentions à la magistrature morale !

Et puis, il y a ces nouvelles batailles qui s'annoncent. Jean-Marcel Jeanneney vient de présenter ce projet de référendum sur le Sénat et la régionalisation, et déjà les opposants se dressent. Les sénateurs, naturellement, mais aussi les Républicains indépendants. Giscard d'Estaing annonce qu'il votera « non » et qu'il ne faut point de consultation électorale en 1969.

La prudence voudrait que l'on suive ce conseil. Mais à quoi bon gouverner si c'est pour remettre l'essentiel au lendemain ?

Il est entré dans sa soixante-dix-neuvième année. Il faut accomplir cette dernière réforme avant... le départ, la mort.

À penser cela, il éprouve un sentiment curieux, fait de détermination, de fatalisme et de fatigue. Il répond au comte de Paris qui lui présente ses vœux.

« Comme vous avez bien voulu me l'écrire, Monseigneur, 1968 pèse lourd sur la France. Ainsi que cela lui est arrivé maintes fois, à mesure que nos rois l'ont faite et dans les temps qui ont suivi, la fonction de l'État consiste tout à la fois à assurer le succès de l'ordre sur l'anarchie et à réformer ce qui n'est plus conforme aux exigences de l'époque. Faute parfois qu'il l'ait rempli, le malheur national s'est installé. Mais parce qu'il a su souvent s'en acquitter, la nation a pu survivre. »

Voilà ce qu'il veut faire avant de quitter ses fonctions.

Il pose sa plume. La fin de l'année est là. Il va partir passer les fêtes de Noël à la Boisserie, puis, le mardi 31 décembre, il viendra enregistrer ses vœux de fin d'année.

Il va dénoncer « la joie odieuse des spéculateurs de la finance, de la politique, de la presse qui jouaient notre déconfiture », à l'occasion de la crise monétaire. Et puis, il va s'écrier – il récite ce passage plusieurs fois, pour trouver la bonne intonation : « Portons donc en terre les diables qui nous ont tourmentés pendant l'année qui s'achève ! Laissons à leurs complices et à leurs partisans la tristesse et la déception ! Car le fait d'avoir, une fois de plus, heureusement surmonté les épreuves nous donne les meilleures raisons d'être confiants en nous-mêmes. »

Oui, « portons donc en terre les diables », répète-t-il.

Il hausse les épaules. Il se sent morose, désabusé en ces derniers jours de décembre 1968.

Il est assis dans le bureau, les avant-bras appuyés à la table. Les dossiers sont là, remplis de notes et de rapports. Une bonne partie des députés de la majorité est hostile à l'idée de référendum et de régionalisation. Mais, il le craint, ce n'est là qu'une manifestation de plus de la pusillanimité du pays.

– On ne peut pas sauver les Français malgré eux, dit-il. J'ai là le sentiment de perdre mon temps. Je fais tout ce que je peux pour sortir ce malheureux pays d'où il est, mais aussitôt il retombe. Il est au fond étonné de la position qu'il occupe dans le monde et il n'a aucune volonté pour la maintenir. Il n'a aucun sens civique, c'est l'abandon. Mais s'il y a longtemps qu'il a abandonné, on en voit les signes plus évidents.

Il se lève. Il a besoin d'aller jusqu'au bout de ces pensées noires, pour les extirper de lui autant que faire se peut. Il faut agir, mais sans illusion, avec le désespoir au cœur, même s'il faut garder l'espérance.

– Le peuple réagit quand il a peur, reprend-il. Mais aussitôt ce moment passé, le reste lui est égal.

Il marche dans le bureau, regarde le parc de l'Élysée enseveli sous la nuit de décembre.

– Alors bon, je suis là, continue-t-il. J'essaie de donner à la France un certain visage mais à peine je serai parti...

Il hausse les épaules, s'arrête.

– Non, voyez-vous, j'ai l'impression de perdre mon temps.

Il recommence à marcher.

– Quel que soit le successeur, immédiatement on ira se mettre à la remorque des Américains et des Anglais, en disant : « Qu'est-ce qu'on peut faire ? »

Il hoche la tête.

– C'est d'autant plus ridicule que la situation n'est pas si mauvaise, que les choses se redressent... Si on voulait faire un effort, si les Français sentaient... Tout cela c'est parce qu'ils n'ont pas de volonté.

Il fixe Jacques Foccart, son confident du soir, celui auquel on peut dire l'extrême de ses pensées.

– Mon général, on ne perd jamais son temps quand on travaille pour son pays, dit Foccart.

– Travailler pour son pays? Oui, mais sans résultat et sans succès!

Il quitte lentement son bureau. Il va être 20 heures. Demain, il reprendra sa tâche.

Qui peut imaginer ce combat qui le déchire, entre le désespoir et l'espérance!

28

De Gaulle entre, ce mercredi 1er janvier 1969, dans la grande salle des fêtes de l'Élysée. Il lui faut quelques secondes avant de reconnaître, tant la lumière est glauque, poussiéreuse, le visage de tel ou tel ambassadeur. Le nonce apostolique, monseigneur Bertoli, s'avance. C'est le doyen du corps diplomatique. Il lui revient de présenter les vœux de ses collègues.

De Gaulle lève la tête, les yeux mi-clos.

Cela fait tant de fois déjà qu'il participe à ce rituel. Il pourrait se laisser glisser dans les habitudes, répondre par quelques phrases banales sur la guerre et la paix. Il se raidit. Il ne le faut pas. Peut-être est-ce la dernière fois qu'il s'exprime ici. Qu'en sera-t-il dans une année ? Alors, il faut que chaque mot compte. Et d'ailleurs, la colère est là, en lui, maîtrisée mais dure.

Il vient de lire, dans son bureau, les dernières dépêches qui décrivent la situation sur l'aéroport de Beyrouth. Treize avions civils libanais ont été détruits au sol par l'aviation israélienne, utilisant des appareils français, frappant un pays ami de la France, bombardant des avions appartenant à une compagnie libanaise dans laquelle Air France a des intérêts. Et cela en représailles à l'acte terroriste de deux Palestiniens contre un avion israélien qui faisait escale à Athènes. On ne répond pas à un acte de banditisme, à un crime, par une agression d'État contre un État souverain.

Il parcourt lentement des yeux cette assemblée de diplomates qui forme comme une couronne sombre autour de la salle. Ici et là, il y a les couleurs vives des tenues africaines traditionnelles, les éclats brillants des décorations, les lignes blanches des cols et des plastrons.

Il a un moment d'hésitation et de lassitude, peut-être la chaleur, la fatigue, ces cérémonies qui se succèdent. Il y a quelques instants, c'était les vœux des corps constitués. Demain, ce seront ceux de la presse. Et voilà dix ans, dix ans déjà, qu'il est au cœur de ce cérémonial.

L'année prochaine...

Il s'étonne lui-même de cette pensée lancinante, de cette sensation étrange qui sans cesse reviennent. Il a, presque à chaque moment, l'intuition qu'il vit pour la dernière fois les événements. Et c'est sans doute pour cela qu'ils lui paraissent plus graves qu'à l'habitude, qu'il veut moins que jamais se contenter de dérouler des phrases creuses. Il a, en réponse au général Fourquet, qui présentait les vœux de l'armée, évoqué la journée du 29 mai 1968, sa visite à Massu. Il a dit : « C'est dans l'armée même, mais ma décision était à peu près prise en fin de compte, dans l'armée et en m'imprégnant de ce qu'elle représentait, que je me suis confirmé à moi-même ce que je devais faire durant la crise de mai. »

Plus tard, ceux qui s'interrogeront trouveront ces mots comme autant de pierres sur le chemin de la vérité historique.

Oui, puisqu'il s'agit peut-être de la dernière fois, que chaque mot soit encore plus lourd de sens.

Il commence à parler. Il condamne « les actes exagérés de violence comme celui qui vient d'être commis par les forces régulières d'un État sur l'aérodrome civil d'un pays pacifique, et traditionnellement ami de la France ».

Il sent, chez ces diplomates pourtant impassibles et blasés, une tension tout à coup extrême.

Ces mots vont, il le sait, déclencher la fureur et faire scandale. Et d'autant plus qu'il est décidé à proclamer l'embargo total sur les armes à destination d'Israël.

Il serre quelques mains, puis regagne son bureau.

Il suffit de quelques heures pour que les dépêches s'accumulent. Protestations de toutes parts. Même les députés UDR s'insurgent : on livre Israël à ses bourreaux. Cet embargo est un assassinat. Et pendant ce temps, l'armée israélienne accomplit un nouveau raid en territoire étranger, en Jordanie.

– C'est incroyable, insensé, lance-t-il. Ils se croient tout permis ! Une vraie démence ! Si on ne fait pas attention, ils finiront par précipiter le monde dans un cataclysme qu'ils ne paraissent même pas soupçonner.

Mais c'est la tempête dans l'opinion française.

« Tout le monde est en ébullition, avec cette histoire d'Israël, c'est tout à fait lamentable », dit-il.

Il est indigné. Il a, durant des années, soutenu l'État d'Israël, et il continue d'en défendre l'intégrité, mais doit-on pour cela accepter toutes les violations du droit international ?

« C'est dans le propre intérêt des Israéliens que je fais cela. Je pense à tous ces Arabes qui s'organisent, à tous ces commandos, à tous ces fedayin, à tous ces gens qui fomentent des complots. »

Il a un geste de colère. Il repousse les journaux remplis de protestations, de pétitions, de déclarations où se mêlent les noms d'opposants et de gaullistes. Le bureau politique de l'UDR a même manifesté pour la première fois son désaccord.

Il est révolté par tant d'aveuglement. Alors qu'il tente de mettre sur pied une conférence à quatre sur le Moyen-Orient, que Soviétiques et Américains donnent leur accord, il faudrait soutenir une politique qui conduit, il le rappelle en Conseil des ministres, le Moyen-Orient à un chaos sanglant.

Il faudrait céder à des campagnes d'opinion organisées. L'ambassade française aux États-Unis reçoit chaque jour des communiqués d'organisations juives américaines dénonçant la politique française et menaçant de soumettre les produits français au boycott.

On ne cède pas.

Il dicte lui-même une phrase qui sera lue à la sortie du Conseil des ministres du 8 janvier : « Il est remarquable et il a été remarqué que les influences israéliennes se font sentir dans les milieux proches de l'information. »

Il ne décolère pas.

« Alors tous les Poniatowski et tous les Juifs qui excitent tout le monde, et tous les rabbins qui en rajoutent, ne réalisent pas que c'est Israël même que nous défendons. »

Et naturellement, tous les opposants surenchérissent ! Et les gaullistes se lamentent.

« Il s'est mis une affaire Dreyfus sur les bras », disent-ils.

Ils comptent les bulletins de vote qui vont leur manquer dans les urnes ! Ils conseillent le silence et la prudence. Comme l'écrit Mauriac : « Tel est le risque aujourd'hui de passer pour antisémite, que les vérités les plus évidentes doivent être tues. »

Eh bien, non !

« Je me moque de tous ces gens ! De toute façon, je continuerai à faire ce que j'ai à faire. »

Pour combien de temps ?

Il a peut-être, pour la première fois de sa vie, la sensation qu'un fossé le sépare du pays. La faille s'est ouverte en mai. Il a la certitude qu'elle ne s'est pas refermée. Il découvre chaque jour dans les dossiers des notes rapportant des manifestations d'étudiants qui se déroulent ici et là. On saccage le rectorat. On souille, dans ses locaux, le portrait de Richelieu par Philippe de Champaigne.

Il reçoit Michel Debré, l'écoute dresser un sombre tableau de la France : « Il n'y a plus de hiérarchie, il n'y a plus d'ordre, dans ces conditions, il ne peut plus y avoir d'autorité », affirme Debré qui dénonce l'influence de la télévision, la destruction de la vie familiale, la chute démographique. Il est temps de réagir, insiste Debré.

De Gaulle reste seul.

C'est bien une autre époque qui se met en place. Peut-il encore y jouer un rôle ? La France y pèsera-t-elle ?

Il est soucieux. C'est un mélange de fatigue et d'irritation. Il ne supporte plus, certains soirs, ces dossiers qu'on lui soumet, ces décisions qu'il faut prendre, ce harcèlement de Foccart qui vient chaque jour rendre compte de ce qui se passe en Afrique.

Il se sent agacé, préoccupé, impatient.

– Écoutez, une fois de plus, une fois pour toutes, fichez-moi la paix avec ces histoires, cela ne m'intéresse en aucune façon, dit-il.

Il a l'impression, à ces moments-là, de ne pouvoir compter sur personne. Le gouvernement se dérobe.

– J'ai des ministres qui ont des couilles molles, c'est toujours la même chose... La réalité, c'est que personne n'a de courage dans ce gouvernement, pas plus que dans le précédent.

Il a de plus en plus souvent l'impression que s'organise autour de lui une conjuration pour le conduire peu à peu à quitter le pouvoir avant terme. Et naturellement Pompidou, dans cette perspective, joue le premier rôle.

De Gaulle reprend la lettre que l'ancien Premier ministre lui a adressée, le 3 janvier.

« L'année 1968 m'aura laissé un goût de cendres », écrit Pompidou.

Il évoque à nouveau les attaques, les ragots, « la campagne menée contre moi à travers ma femme ».

Il imagine l'action de certains agents des services secrets français et peut-être aussi étrangers.

Il faut lui répondre.

« Ce que vous m'écrivez au sujet de votre état d'âme ne peut manquer de me toucher. Mais je voudrais beaucoup que vous ne vous laissiez pas impressionner par les ragots, même s'ils sont grotesques et infâmes, que l'on a dirigés contre vous. À un certain plan, rien ne compte, que l'essentiel, c'est-à-dire ce que l'on a fait et ce que l'on a conscience d'être. »

Il reçoit Pompidou, le 9 janvier. L'ancien Premier ministre est-il sincère dans ses démonstrations de fidélité ?

De Gaulle l'observe. On distingue mal les yeux, dans la fente étroite des paupières et cachés sous les sourcils. Le visage a grossi. La voix est un peu éraillée, presque goguenarde quand il dit : « Dans notre pays, tout est toujours à refaire, et malheureusement, notre génie national veut qu'à peine arrivés au sommet nous aspirions à retomber. »

Pompidou s'interrompt.

« Puissiez-vous pour autant ne pas vous décourager, c'est ce que je souhaite de tout mon cœur. »

Cette sollicitude est humiliante.

« Me décourager ? »

De Gaulle se lève, reconduit Pompidou, l'invite à voyager, à se rendre en Italie, à porter un message du président de la République au président du Sénat Fanfani, à voir les autorités italiennes, à se rendre ensuite en Espagne.

434

Il ajoute : « Vous voyez bien que la calomnie ne résiste pas à l'épreuve des faits. »

Mais il le sait bien, on ne peut pas effacer l'ambition du cœur d'un homme. De Gaulle relit le texte du message que Pompidou adresse à ses électeurs du Cantal, mais que son secrétariat diffuse dans toute la France.

« Je remercie tous ceux qui m'ont écrit pour me dire leur confiance quant à mon action nationale. Qu'ils soient certains de ma volonté de ne jamais les décevoir. »

De Gaulle referme le dossier.

Qu'est-ce que cela signifie sinon que Pompidou se tient prêt à répondre à cette volonté du peuple qu'il suggère ? C'est irritant de savoir qu'il y a ainsi quelqu'un, qui fut si proche, et qui guette le moment pour s'emparer de la place qu'on occupe. C'est la première fois que de Gaulle éprouve cela. À Londres, pouvait-il s'inquiéter d'un Muselier ? À Alger, d'un Giraud ?

Mais Pompidou est d'une autre stature. Il est habile et il a su se tailler une image de « sauveur » dans l'opinion, d'homme qui décide, alors qu'il a toujours temporisé !

Ce samedi 18 janvier 1969, à Colombey, le temps est clair, la terre gelée.

De Gaulle rentre de la promenade dans le parc de la Boisserie. Il ouvre la radio. Les journalistes avec jubilation se renvoient les phrases. Pompidou, disent-ils, a fait acte de candidature à la présidence de la République. Il a déclaré, à Rome : « Pour succéder au général de Gaulle, il faut deux conditions : qu'il ait quitté la présidence et que son successeur soit élu. Ce n'est, je crois, un mystère pour personne que je serai candidat à une élection à la présidence de la République lorsqu'il y en aura une. Mais je ne suis pas du tout pressé. »

De Gaulle serre les dents. Il reste immobile. Pompidou vient, en quelques mots, de l'affaiblir, de le renvoyer dans le passé. Pour se rendre « inoubliable », il veut faire oublier de Gaulle.

« Je ne suis pas encore mort ! » murmure-t-il.

Les journaux arrivent. La déclaration de Pompidou fait les gros titres de tous les quotidiens.

Qui craindra désormais de voter contre de Gaulle, de s'abstenir lors du référendum prévu puisqu'il y a Pompidou déjà candidat, successeur de de Gaulle ?

Cela, de Gaulle ne le pardonne pas. On ne succède pas à de Gaulle. On est candidat à une élection présidentielle, mais on ne remplace pas le général de Gaulle.

Il relit la déclaration de Pompidou. Pas un mot d'hommage, pas un souhait pour marquer qu'on espère – comme il l'a dit lors de leur entretien – que de Gaulle continuera sa tâche. Inacceptable. Insupportable.

Il rentre à Paris, le lundi 20 janvier.

On dit maintenant que Pompidou est tombé dans le piège tendu par un journaliste de l'AFP, qui fut proche de l'amiral Muselier, à Londres, qui est un antigaulliste farouche.

De Gaulle balaie d'un geste ces explications. Et même si cela était ? Où est la référence à de Gaulle, le souhait qu'il demeure aux affaires, le soutien à sa politique ? Pompidou ne parle que de succession !

« Mais je suis encore là ! Il va faire croire que je veux m'en aller, ce qui n'est pas le cas. J'ai bien l'intention de finir mon septennat. »

De Gaulle parle d'une voix chargée d'amertume. Pompidou, son directeur de cabinet, l'homme anonyme qu'il a sorti de l'ombre, veut maintenant le remplacer en le poussant à quitter le pouvoir.

– J'ai bien l'intention de finir mon septennat, reprend-il, sauf si je me sens tout à coup diminué ou sauf si je suis souffrant.

Il s'assoit.

« D'ailleurs, rien ne prouve que ce sera lui mon successeur. »

Il prend une feuille, il écrit vite, la plume courant rageusement sur le papier. Il fera cette déclaration au Conseil des ministres du mercredi 22 janvier. Il faut qu'il conserve son autorité. Il faut qu'il affirme qu'il n'est pas le « passé », Pompidou étant l'avenir. Il y a cette bataille du référendum qu'il veut conduire.

Il relit les quelques lignes qu'il vient de tracer.

« Afin d'obvier à toute équivoque concernant l'exercice de la fonction de chef de l'État, le général de Gaulle déclare :

« Pour l'accomplissement de la mission nationale qui m'incombe, le peuple français m'a, le 19 décembre 1965, réélu pour sept ans président de la République.

« C'est dire qu'à moins que ne vienne à me manquer, soit la vie, soit la force, soit la confiance directe du pays, je remplirai ce mandat jusqu'à son terme. »

Il est d'abord satisfait, mais l'accablement vient vite. Il se sent pris au piège. Pompidou et les journalistes tiennent les cordes de ce piège où on l'enferme.

S'il se tait, il accepte d'être un président diminué, en sursis. Et si, comme il vient de le faire, il réaffirme son intention de gouverner jusqu'au bout, alors il fait de Pompidou son égal, son rival. Et Pompidou, il le sait, va répondre, faire monter les enchères d'un cran pour bien marquer, dans l'opinion, son statut de successeur proclamé.

Voilà, c'est fait. Le 13 février, à Genève, Pompidou déclare : « Je ne crois pas avoir ce qu'on

437

appelle un avenir politique. J'ai un passé politique. J'aurai peut-être, si Dieu le veut, un avenir national, mais c'est autre chose. »

Les *choses* sont dites brutalement. Pompidou jouera sa carte. Il est, contrairement à ce qu'il affirme, « pressé ».

Et il n'est pas seul. Il y a ceux qui attaquent ouvertement. Que Poniatowski et Giscard d'Estaing et d'autres Républicains indépendants proclament que « depuis "Vive le Québec libre", le Général a perdu le contact avec la réalité, et que le décalage s'accentue entre le monde et son rêve... Que son intransigeance n'est plus de saison », soit ! Ce sont des adversaires. Mais il y a tous les autres, les députés UDR et même les ministres qui parfois, en sortant du Conseil, déclarent qu'ils sont en désaccord, par exemple avec l'embargo des armes à destination d'Israël. Il le sait. Sa résolution, sa volonté de défendre une politique internationale indépendante dérangent. On dit : « De Gaulle veut défier le monde. Son intransigeance n'est plus de saison. Nous ne sommes plus en 1940. »

Et naturellement ceux-là, et sans doute Pompidou, ont l'oreille de l'étranger. Et il a la conviction que les grandes capitales européennes, Bonn, Londres, Rome, jouent contre lui.

Il lit les télégrammes des ambassadeurs, les notes et rapports de Michel Debré. L'Allemagne s'éloigne. Il l'a vu au moment de la crise monétaire. Quant à l'Angleterre, Michel Debré indique que l'ambassadeur britannique à Paris, Christopher Soames, le gendre de Churchill, sollicite une audience.

Il accepte, déjeune avec Soames. L'homme est ouvert. Pourquoi ne pas envisager, dans l'hypothèse où le Marché commun se dissoudrait, une entente franco-britannique ? Soames déclare qu'il va consulter le Foreign Office. Pourquoi ne pas ouvrir des conversations anglo-françaises ?

Le déjeuner est cordial. Il se souvient de Winston Churchill, de Londres, durant ces années noires mais pleines d'espérance.

Et puis tout à coup, quelques jours plus tard, dépêches, communiqués de Londres, compte rendu de l'entretien confidentiel avec Soames, transmis par les Anglais à la presse et rédigé de telle manière qu'il semble que de Gaulle a la volonté de détruire le Marché commun.

C'était donc un piège que cette rencontre ! Une manœuvre pour l'isoler, le déconsidérer, en finir avec lui.

Il marche dans le parc de l'Élysée. Le temps est, à l'image de ses pensées, désagréable. Cela aussi, d'une certaine manière, est la conséquence de la prise de position de Pompidou à Rome. Londres le sait contesté. Il faut donc prendre acte, frapper un de Gaulle affaibli. Et probablement le « successeur » donnera-t-il toutes les garanties, acceptera-t-il l'entrée de la Grande-Bretagne dans le Marché commun.

Il est amer. Il a le sentiment d'un traquenard tendu par tous ses adversaires, en France et à l'étranger.

« Leur ambassadeur pleurait pour être reçu et demandait que des conversations aient lieu... Je lui ai dit venez vous expliquer. »

Voilà le résultat.

Peut-être n'a-t-il jamais eu si fort le sentiment de l'isolement depuis l'automne de 1940. Peut-être même l'impression d'abandon est-elle plus forte encore.

Comment sortir de cette situation malsaine, où peu à peu il se sent réduit à l'impuissance ? Un seul moyen : retrouver le lien intime personnel avec le peuple par le référendum.

Il se rend en Bretagne.

Il arpente les rues de Quimper. La foule est là, toujours enthousiaste, mais au loin quelques cris hostiles. On dit même que le siège de la station régionale de l'ORTF a été attaqué par trois cents jeunes gens brandissant des drapeaux rouges et des drapeaux bretons.

Il parle, place de la Résistance, à Quimper, dans l'aigre vent atlantique qui fait claquer les drapeaux.

« Que de fois, au long de cette épreuve de courage et de fidélité, s'écrie-t-il, je voulais dire aux hommes et aux femmes d'ici que ma pensée volait vers eux, comme il y a cent cinq ans l'écrivait à leurs ancêtres, en vers bretons, mon oncle Charles de Gaulle. »

Il récite en breton quelques vers de celui qu'on appelait le barde de Gaulle. « *Va c'horfzo dalc'het...!!* »

Ici, il peut parler de la régionalisation, annoncer que « nous devons soumettre le projet au peuple qui, par la voie du référendum, en décidera souverainement... Enfin, puisqu'il s'agit d'ouvrir une espérance nouvelle, nous le ferons au printemps. »

Il regagne Paris. Il ressent la fatigue. Et vient le doute. Maintenant qu'il a publiquement annoncé le recours au référendum et la date, il a l'intuition que les conditions ne sont pas favorables pour une consultation populaire. Tant d'opposants qui se rassemblent déjà, radicaux, FGDS, communistes, indépendants, modérés, Giscard et Lecanuet, sénateurs bien sûr, et les amis d'Israël, et la presse.

– Il faut tout le temps se battre, dit-il.

Mais est-ce le bon terrain ? En quoi les Français vont-ils être mobilisés par un référendum sur la régionalisation et la réforme du Sénat ?

Il se sent hésitant. Et le doute le taraude. Il interroge jour après jour ses proches, les ministres, Jeanneney qui a préparé les textes, les questions à poser au peuple. Il est assis à son bureau, les mains à plat, puis il croise les bras.

– Je crois bien que je ne vais pas le faire, dit-il.

– Mon général, ce n'est pas possible maintenant que la date est arrêtée.

Il hausse les épaules. Bien sûr au cours du conseil du 19 février, on a fixé le scrutin au dimanche 27 avril. Peut-être d'ailleurs est-ce trop loin, permettant aux adversaires de se mobiliser, de déclarer qu'il s'agit d'une « opération plébiscitaire ». Mais pourquoi ne pas différer la consultation ?

– Je le sens mal, vous comprenez, les Français n'agissent que quand ils ont peur ou bien ils se passionnent lorsqu'ils ont quelque chose à défendre. Mais la régionalisation, cela ne leur dit rien, quant au Sénat, ils s'en moquent éperdument et je ne sens pas bien l'affaire. Alors, on pourrait peut-être le repousser... Oui, on peut très bien enterrer cela.

Mais ils disent « ce ne serait pas gaulliste ». Ils répètent qu'on peut gagner. Ils martèlent : « De Gaulle ne peut pas reculer. »

Le doute, insupportable.

Il faudrait pourtant que le référendum ait lieu et soit gagné pour renouer le lien avec la nation, contraindre Pompidou et les impatients à retourner dans l'ombre, et de Gaulle retrouverait ainsi l'autorité nécessaire afin de mener jusqu'au bout la réforme des institutions.

Mais si le référendum est un échec ? Et il ne perçoit aucun élan dans l'opinion.

– Je suis devant un piège à cons, dit-il. Alors, il ne faut pas y tomber.

– Mon général, il ne fallait surtout pas le tendre ; maintenant qu'il est tendu...

– Ce n'est pas une raison pour sauter dedans et se faire coincer ! Ce référendum est ridicule. Il tombe on ne peut plus mal.

Et puis, il y a ces arguments opposés, toujours les mêmes. Chaban qui aurait dit : « Si on recule, c'est la fin du gaullisme. Le gaullisme, c'est la netteté dans les positions. Bon, le père de Gaulle a choisi son truc. Il ne peut pas ne pas le faire... »

Et cependant, il faut explorer jusqu'au bout la possibilité de renoncer. Jeanneney se dit prêt à endosser seul la responsabilité du référendum.

– Ne vous engagez pas, dit le ministre, laissez-moi le défendre. S'il est repoussé, ma carrière politique sera terminée, ce qui ne serait pas grave, et vous resterez aux commandes.

De Gaulle lève les bras.

– Vous pensez que je vais vous laisser aller vous battre tout seul ?

C'est le moment de la décision. Il veut rester seul. Il a recueilli tous les avis, les réticences de Couve de Murville et de Michel Debré, inquiets des résultats du référendum, et les opinions contraires de presque tous les autres.

Il se promène dans le parc de la Boisserie, en cette fin du mois de février. Le Conseil des ministres du mercredi 27 février doit approuver l'avant-projet de référendum. La machine est en route. Certes, il pourrait encore l'arrêter. Mais à quoi bon ? Pour ne pas tomber dans ce « piège à cons » ? Et que lui resterait-il comme pouvoir, s'il renonçait à consulter le peuple, à se faire appuyer par lui ?

Il faut affronter l'épreuve. Il l'a déjà tant de fois dit : « Il faut tout le temps se battre. »

Il attend Alain de Boissieu qui le rejoint, sur le chemin qui longe la clôture du parc de la Boisserie.

Il n'est pas surpris quand Alain de Boissieu lui indique qu'on estime que les « oui » au référendum ne représenteront pas plus de voix que celles rassemblées au premier tour des élections présidentielles de 1965.

– Dans ces conditions, je m'en irai, dit de Gaulle en s'arrêtant. Je cesserai aussitôt mes fonctions et, voyez-vous, dans l'émotion de mon départ, jamais, vous m'entendez, jamais M. Pompidou n'aura une occasion aussi favorable d'être élu à ma suite...

De Gaulle se remet à marcher.

– Je veux savoir si les Français sont encore capables de construire quelque chose ou s'ils sont définitivement voués aux démagogues, à la politique des ronds-de-cuir ou à celle du chien crevé au fil de l'eau.

Il se tourne, regarde vers la Boisserie.

– Si le vote est négatif, je reviendrai à Colombey, et je me remettrai à écrire d'autres *Mémoires*.

29

De Gaulle est assis, en face du notaire, dans le salon des appartements privés de l'Élysée. Il voudrait écouter la lecture des actes, mais il ne peut suivre la voix monocorde de Me Bailly. Son esprit s'évade. Il regarde Philippe et Élisabeth, puis Yvonne de Gaulle, assis près de lui.

Il a voulu cette réunion familiale pour que soit estimée précisément la valeur des appartements qu'autrefois il a offerts à son fils et à sa fille. Il veut qu'entre ses enfants soit établie une égalité parfaite et qu'il soit donc prévu qu'Élisabeth touchera une somme de deux cent cinquante mille francs afin de compenser la valeur moindre de son appartement. Tout doit être en ordre, avant...

« Avant ma mort. »

Il tourne la tête. Il regarde les arbres du parc de l'Élysée enveloppé déjà dans le halo vert du printemps.

Mois de mars, mois de la vie et du dieu de la guerre.

Dans quelques semaines, à la fin avril, quand tomberont les résultats du référendum, il quittera ces lieux. Il sent qu'il va perdre, et il a beau lutter contre cette pensée, elle revient, lancinante.

Il le dit, il le répète à ses collaborateurs les plus proches.

« Vous vous faites des illusions... Nous avons absolument tout contre nous et tout le monde. »

Et quand il ne veut pas les désespérer, qu'il voit le désarroi et la peine s'inscrire sur leurs visages, il dit : « Ce sera très, très juste. »

Il jette un coup d'œil à Philippe.

Il aurait voulu que son fils, un jour, plus tard, s'engage dans la vie politique avec l'autorité que lui aurait donnée son nom, cette légitimité d'une tradition. Et c'est pour cela qu'au moment du putsch des généraux, en 1961, il a rédigé un testament secret lui confiant, au cas où il serait empêché d'exercer ses fonctions, l'intérim du pouvoir au côté de Michel Debré et Jacques Foccart. Mais Philippe a refusé fermement : « Non, j'ai trop connu ce milieu politique, a-t-il dit, il me dégoûte. Je ne veux pas. Et puis vous, c'était différent, parce que vous aviez gagné la guerre. Moi, bien sûr, j'ai fait la guerre, mais je ne l'ai pas gagnée. Par conséquent, il n'y a aucune raison pour que les Français me suivent. Et puis, non, je n'ai pas le goût de cela. »

Il comprend Philippe. Il l'approuve. Si décevante, cette vie politique, quand tout à coup on a le sentiment que les efforts accomplis, les résultats obtenus sont oubliés, que le peuple s'éloigne. Et c'est ce qu'il éprouve en ce début de mars.

Yvonne de Gaulle lui a rapporté les impressions de l'une des bonnes, originaire du Pas-de-Calais. La jeune femme connaît bien les habitants de la région. En 1951, elle avait dit : « Les gros n'ont pas peur, ils vont voter contre vous. » En 1968, elle avait annoncé : « Ils ont peur que les communistes viennent prendre leur place, alors ils vont voter pour vous. » Et maintenant, elle dit : « Ils n'ont plus peur de rien, alors ils ne vont pas voter du tout. »

Il se lève. Mᵉ Bailly a terminé sa lecture. Il faudra qu'il envoie la note d'honoraires. Il la réglera aussitôt. Tout doit être en ordre.

Il regarde longuement Philippe et Élisabeth. Il se souvient de ces vers qu'il avait écrits en 1924, peu après la naissance de sa fille :

Quand un jour, tôt ou tard, il faut qu'on disparaisse,
Quand on a plus ou moins vécu, souffert, aimé,
Il ne reste de soi que les enfants qu'on laisse
Et le champ de l'effort que l'on aura semé.

Il avait trente-quatre ans et il est dans sa soixante-dix-neuvième année.

Peut-être partir, si le référendum est perdu, ce sera le moyen d'éviter le naufrage qui menace à tout instant les vieillards.

Il regagne son bureau. Et il sent en lui la révolte sourdre contre cette éventualité.

Pourquoi quitter ses fonctions, alors qu'il n'a jusqu'à présent jamais ressenti de défaillance ? La mémoire est intacte. Et la vieillesse parfois loin d'être un naufrage est une apothéose. Mauriac, à quatre-vingt-quatre ans, vient de publier un roman, *Un adolescent d'autrefois*. De Gaulle l'a lu. Il a dit à Mauriac que ce « roman est admirable et que ne dépasse rien de ce que vous avez écrit ».

Il prend une feuille de papier à lettres. Il note : Hugo, à quatre-vingt-deux ans, écrivait *Torquemada* et, à quatre-vingt-trois ans, achevait *La Légende des siècles*. Le Titien peignait *La Bataille de Lépante* à quatre-vingt-quinze ans et *La Descente de croix* à quatre-vingt-dix-sept ans. Sophocle a écrit *Œdipe à Colone* à quatre-vingt-dix ans. Et Michel-Ange et Voltaire n'ont pas sombré.

En 1972, au terme de ce septennat, il n'aurait lui que quatre-vingt-deux ans.

Mais il faut gagner le référendum du 27 avril.

Est-ce possible ? Parfois, il a des bouffées d'espoir. Le président Nixon est en visite officielle à Paris. L'opinion française va ainsi se rendre compte que la France n'est pas isolée, que les États-Unis, par la voix de leur président, approuvent ou acceptent les prises de position françaises sur le Moyen-Orient, sur l'OTAN, sur la crise monétaire mondiale. Et mieux encore, que Nixon célèbre « de Gaulle qui est devenu un géant parmi les hommes parce qu'il a le courage, parce qu'il a la vision et parce qu'il a la sagesse que le monde recherche à présent pour résoudre ses problèmes difficiles ; de Gaulle, ce géant qui a su conduire son pays, le relever ».

Et pourtant, ce dithyrambe en même temps l'inquiète. C'est comme si Nixon avait parlé devant une statue, célébrant un géant du passé, prononçant une oraison funèbre.

Il répond à Nixon d'une voix claire et forte : « Vous avez très bien fait de venir... Vous voici donc en train d'échanger vos vues avec les nôtres, afin de servir ce que nous voulons vous et nous, je veux dire les progrès de la paix. »

Il parle et la morosité, le doute se dissipent. Et dans la voiture qui le reconduit à l'Élysée, après qu'il a raccompagné Nixon à Orly, il dit : « D'une façon générale je suis satisfait. Je n'ai pas de raison de ne pas l'être car, mon Dieu, il s'est rangé à mes vues ! »

Mais qui fait écho à cette réalité ? Il feuillette les journaux, lit les éditoriaux. Il attend, avant de partir pour la fin de la semaine à Colombey, qu'on lui apporte la première édition du *Monde*, vers 13 heures. Mais on ne prête même pas attention aux propos de Nixon. Il y a quelques semaines, on a, jour après jour, glosé sur les communiqués du Foreign Office et monté à partir des positions anglaises une « affaire Soames », en donnant naturellement raison à Londres contre de Gaulle.

Maintenant, on passe sous silence l'accord entre la France et les États-Unis.

Il replie les journaux. Il regarde la campagne qui commence à verdir et que l'hélicoptère survole à basse altitude.

Peut-être est-il temps en effet qu'il rejoigne les autres « géants », ceux de la guerre, Staline et Churchill, morts, Eisenhower qui agonise dans un hôpital de Washington. Peut-être les Français le rejettent-ils tout simplement parce qu'il est un « survivant », qui par sa seule présence rappelle les temps héroïques, l'homme qui exige un effort de volonté. Et qu'on préfère le marécage de la vie politique quotidienne.

Il s'en persuade. Il y a, comme l'écrit Mauriac, un « attrait de la médiocrité : ce que tant de Français détestent dans de Gaulle, c'est qu'il les confronte sans cesse à une France qui, croient-ils, n'existe plus que dans l'idée qu'il s'est faite d'elle ».

Le doute et même la certitude de l'échec s'insinuent à nouveau.

Il sent que l'opinion se dérobe, indifférente ou hostile.

Il n'est pas amer. Il secoue la tête, hausse les épaules. C'est l'ordre des choses.

Le président du Sénat, Alain Poher, déclare qu'il ne laissera pas assassiner son assemblée « dans l'ombre blafarde d'un référendum ». Les communistes, le PSU, la FGDS, les radicaux, tous les syndicats dénoncent, dans des termes voisins, le plébiscite et le pouvoir personnel. Et pourquoi pas la dictature ! Les juristes du Conseil d'État affirment que la procédure du référendum est anticonstitutionnelle quand elle concerne la réforme du Sénat.

Il a un haut-le-corps, levant les bras. Comment ne pas s'indigner contre cet avis ! « Étant moi-même le principal auteur de l'actuelle Constitution, puisque c'est moi qui étais chargé de l'élaborer avec mon gouvernement et de la soumettre au pays... » dit-il. Il sait ce qu'il a voulu en rédigeant l'article 11 de la Constitution qui permet le référendum. Mais les « juristes » du Conseil d'État ne se résolvent pas à la pratique de la consultation populaire. Ils soutiennent le « non » comme les centristes, MM. Lecanuet ou Duhamel, ou Giscard d'Estaing qui lance la flèche la plus acérée, annonçant qu'il votera « non avec regret mais certitude » !

Comment l'emporter dans ces conditions ?

Il ouvre les classeurs contenant les dernières dépêches. Les commerçants ferment leurs boutiques pour protester contre la politique gouvernementale. Les syndicats annoncent un « arrêt national du travail », le 11 mars, précisément le jour où il veut s'adresser au pays pour expliquer le sens du référendum.

Il va relever le défi, dénoncer les « mêmes assaillants » qu'en mai, soutenus par les « mêmes complices, utilisant les mêmes moyens et menaçant encore de faire crouler la monnaie, l'économie et la République ». Il va expliquer ce qu'est cette révolution de la participation, l'impératif de la régionalisation, de la réforme du Sénat...

Il parle avec conviction. Et pourtant, c'est comme si sa propre voix lui paraissait être celle d'un ventriloque. Il s'entend. Il se voit. Il regarde l'émission qu'il vient d'enregistrer. Tout est parfait. Il n'a pas eu une seule hésitation. Et cependant, il sent que les mots n'accrochent pas. Les phrases glissent. Les arguments retombent. Peut-être est-ce le moment de partir.

Peut-être ce référendum est-il la moins mauvaise occasion de se retirer ?

Il laisse monter cette idée en lui, il la sent s'étaler. Elle occupe de plus en plus souvent toute sa pensée. Il écoute à peine ses collaborateurs qui continuent, chaque jour, à lui présenter les dossiers afin qu'il prenne une décision. Il examine. Il signe. Il interroge. Et tout à coup il s'interrompt. Il parle des derniers sondages qui montrent que le pourcentage des « non » augmente. Il dit :

– Vous savez, au total, je vais vous le confier à vous personnellement, je ne serais pas si fâché que cela de tomber sur cette affaire, parce qu'il faut bien que je m'en aille un jour. Comment partir ?

– Eh bien, à la fin d'un mandat.

Il se lève, va jusqu'à la fenêtre, regarde le parc de l'Élysée où jamais il n'a éprouvé cette impression exaltante de liberté et ce sentiment d'être enraciné dans sa terre, chez lui, comme il le ressent chaque fois qu'il marche dans le parc de la Boisserie.

Ici, il n'est que de passage. Et d'ailleurs, Yvonne de Gaulle n'a jamais aimé ce palais, n'y transportant que le minimum d'affaires, ne retrouvant sa sérénité qu'à Colombey.

Quitter ce palais à la fin d'un mandat ?

– C'est un départ bien banal. Partir de cette façon, après avoir proposé au pays quelque chose de valable ou quelque chose qui va dans le sens du progrès et qui sera forcément adopté un jour ou l'autre, cela me permet de tirer des conclusions, en disant : « J'ai fait ce que j'ai pu pour vous, vous n'avez pas voulu me suivre, alors ça va bien. »

Il hausse les épaules, il écarte les bras en signe d'impuissance et d'indifférence. Et à cet instant même, il se rebelle contre cet abandon. Il va se battre, encore, jusqu'au bout. Mais qui le soutient ?

Il sait par Jacques Vendroux qu'au sein du groupe des députés UDR, on murmure que « le Général a fait son temps ». On se tourne vers Pompidou. Et celui-ci, habilement, se tait. Ou bien laisse éclater sa colère contre ceux qui continuent, dit-il, de comploter contre lui et sa femme, pour l'abattre.

Les avocats de Marcantoni, Mes Isorni et Ceccaldi, n'ont-ils pas, dans le cadre de l'affaire Markovic, demandé début mars que le couple Pompidou soit entendu ? Peu importe que le motif de la convocation ne soit qu'un prétexte, ils introduisent une nouvelle fois le doute.

De Gaulle lit le communiqué publié par Pompidou : « Le secrétariat de l'ancien Premier ministre du général de Gaulle fait connaître que M. Pompidou et son épouse ignorent tout des causes et des circonstances de ce fait divers. »

Il n'est pas satisfait de ces lignes. On mêle son nom à cette affaire sordide ! Il faut en finir, tenter de colmater cette brèche dans le camp de la majorité.

Le 12 mars, il reçoit à dîner, à l'Élysée, Georges et Claude Pompidou, M. et Mme Michel Debré, M. et Mme Bernard Tricot. La presse et l'opinion sauront ainsi que rien n'oppose le président de la République à son ancien Premier ministre.

À table, il place à sa droite Claude Pompidou. Mais le malaise écrase les convives. Debré est grippé, fait des efforts pour parler, mais son visage est couvert de sueur. Le dîner n'en finit plus, sinistre. Mme Tricot parle à tort et à travers. Debré sollicite l'autorisation de se retirer car la fièvre le terrasse.

De temps à autre, de Gaulle jette un coup d'œil à Mme Pompidou, puis observe son mari.

« Ce n'est pas très brillant. Mme Pompidou est complètement malade. C'est même inquiétant. Elle a été très touchée par ces histoires sordides. Quant à lui, il est en bonne forme, mais contracté, il n'a pas l'air à son aise. »

De Gaulle se lève, prend Georges Pompidou à part. Pourquoi avoir fait ces déclarations à Rome ? Pompidou plaide l'« accident ».

– Oui, mais après Rome, vous avez recommencé à Genève.

– Mon général, le gouvernement et vous-même aviez pris une position qui m'obligeait, pour ma dignité même, à ne pas me démentir. Mais chacun sait que ce n'est pas actuel.

Pompidou ne baisse pas les yeux.

– Il y a une réalité politique, poursuit-il. Je ne veux pas me coucher parce que j'ai été grondé. Vous ne m'avez pas habitué à cela.

De Gaulle s'écarte. La soirée se termine.

Il le savait. Non seulement il ne pourra pas compter sur Pompidou, mais l'ancien Premier ministre se comporte de telle manière qu'il rassure tous ceux qui veulent s'abstenir ou voter « non ».

Pire. Quand, au bureau politique de l'UDR, le député Hébert annonce qu'il va voter « non », démissionner parce qu'il ne peut suivre ce « vieillard, sa sénilité, cet homme qui n'est plus en possession de ses moyens », Pompidou répond seulement : « On est quelquefois dans l'obligation d'obéir à des chefs même s'ils vous paraissent vieillis, fatigués, même si vous ne comprenez pas toujours leur but, même s'ils vous paraissent critiquables, enfin c'est une question de fidélité et de discipline. »

Quel soutien !

Il éprouve un sentiment de tristesse mêlé d'amertume. Il se sent entraîné par une machinerie contre laquelle il ne peut rien. Tout se ligue.

Le texte qui va être soumis au référendum, et que Jeanneney a rédigé, doit être précis. Il comporte plusieurs dizaines de pages, près de neuf mille mots et alors les Français ne le liront pas !

Et puis, il y a le cours inexorable du temps qui sonne le glas.

Le 28 mars, il apprend la mort d'Eisenhower. Il pose les mains à plat sur la dépêche comme s'il voulait la cacher, empêcher le flot de l'émotion de jaillir.

« Je garderai toujours le souvenir de celui qui fut un grand soldat, un éminent homme d'État, un ami sincère de la France, et à qui je portais une profonde affection. »

Il se rend à Washington pour deux jours. Il marche derrière l'affût de canon sur lequel a été posé le cercueil d'Eisenhower, recouvert de la bannière étoilée. Il est au premier rang des personnalités. Il a revêtu sa longue capote de général. C'est un compagnon d'armes qu'on enterre dans le cimetière d'Arlington.

Il était né lui aussi en 1890.

Il ne peut dormir dans l'avion du retour, durant cette nuit du lundi 31 mars au mardi 1er avril.

Dans vingt-sept jours, le destin aura décidé.

Il arrive à Orly, à 9 h 40. Il serre les mains des ministres venus l'accueillir. Ils ont les traits creusés par l'inquiétude. Eux aussi, ils pressentent la défaite.

Elle est là, dans chaque nouveau sondage, s'avançant maintenant à visage découvert. Mais qu'on se rassure, il fera ce qu'il doit, un entretien avec Michel Droit, le 10 avril, une intervention télévisée le vendredi 25, dernier jour de la campagne électorale.

Après les Français décideront.

Il est assis, penché en avant, dans son bureau de l'Élysée, répondant aux questions de Michel Droit qui veut préparer l'émission du 10 avril.

Mais elle se déroulera au fil des phrases. Il a envie de parler plutôt de ce qu'il ressent, de cet échec qu'il envisage.

Est-ce si grave pour lui ? En mai 1968, « il ne pouvait pas avoir l'air d'être renvoyé à Colombey par toute cette chienlit ».

Il se redresse.

– Là, ce serait différent. Je céderais au suffrage universel, au peuple qui m'a toujours dit « oui » et qui, pour la première fois, me répondrait « non ».

Il sourit.

– Soyons logique, reprend-il. Si le peuple dit « non » à de Gaulle, de Gaulle ne peut pas dire « non » au peuple ! Or, qu'est-ce qui se passerait d'autre si je restais en place malgré ce camouflet ? Je n'ai pas restauré la République pour m'entêter à faire comme si j'avais raison alors qu'elle me donne tort par les voies d'expression que je lui ai rendues.

Il soupire longuement, rejette brusquement la tête en arrière.

– D'ailleurs, c'est probablement ce qui est nécessaire afin que, dans trente ans, les Français mesurent leur erreur. Et je serai alors davantage pour la France – autrement dit mon souvenir pourra davantage pour elle – que si j'étais parti par l'issue banale d'un mandat arrivé à son terme et d'une passation de pouvoirs avec échange de collier, discours et poignées de main et tout le bataclan !

Et puis, quel pied de nez ! Quelle leçon à tous ces Mitterrand qui proclament depuis des années que de Gaulle est un dictateur, qu'il pratique le « coup d'État permanent », alors qu'en mai 1968 ces censeurs ont voulu se servir de la rue et de l'émeute pour renverser la représentation nationale !

Le jeudi 10 avril, quand, à 9 h 25, il commence à enregistrer son entretien avec Michel Droit, il veut que ce soit cela que les Français comprennent.

« De la réponse que fera le pays à ce que je lui demande va dépendre, évidemment, soit la continuation de mon mandat, soit aussitôt mon départ », dit-il.

« Me voici convaincu que la création des régions et la rénovation du Sénat sont ensemble une réforme essentielle... Si donc par aventure, c'est bien le mot qui convient, le peuple français s'y opposait, quel homme serais-je si je ne tirais pas sans délai la conséquence d'une aussi profonde rupture et si je prétendais me maintenir dérisoirement dans mes actuelles fonctions ? »

La réponse sera « non », il le sait. Il le dit à ses proches.

Il a la voix enrouée, sans doute est-ce le chagrin. Et pourtant, il se sent serein et maître de lui.

Il reçoit Foccart, chaque soir de ces jours d'avril. Il l'écoute tenir des propos qui se veulent optimistes. Comment Foccart ne voit-il pas que Pompidou mène son jeu ambigu, n'appelant pas, bien sûr, à voter « non », mais montrant qu'il est « la réserve de la République », soutenant le « oui » par fidélité, et refusant bien sûr de dire la seule chose qui compterait ?

De Gaulle interrompt Foccart.

« Si Pompidou avait vraiment voulu faire les choses convenablement, il aurait dit : "Je ne succéderai pas au général de Gaulle, je ne serai pas candidat." »

Mais il ne prononcera pas ces mots-là.

De Gaulle écoute les propos que l'ancien Premier ministre a tenus à Strasbourg, à Lyon, se contentant de dire : « Je ne suis l'homme d'aucune déloyauté, d'aucune trahison. » Mais il a refusé de prendre la parole, le mercredi 23 avril, au palais des Sports, à Paris, applaudissant la harangue de Malraux qui lance : « Il est grand temps de comprendre qu'il n'y a pas d'après-gaullisme contre le général de Gaulle », mais restant impassible quand Malraux poursuit : « On peut fonder un après-gaullisme sur la victoire du gaullisme mais on ne pourrait en fonder aucun sur la défaite du gaullisme. Il ne s'agit pas de rassurer ceux qui ont toujours eu besoin de l'être. Il y a un poids de l'Histoire plus lourd que celui de l'ingéniosité. Et aucun gaulliste d'avant-hier, d'hier ou de demain ne pourrait maintenir la France appuyée sur les "non" qui auraient écarté de Gaulle. »

De Gaulle ferme les yeux. L'enregistrement du discours de Malraux vient de se terminer. Il y avait, interrompant les propos de Malraux, ces vagues enthousiastes d'applaudissements. Le palais des Sports était plein et la foule qui n'avait pu entrer dans la salle occupait les rues avoisinantes.

Mais pas d'illusion. « Ce n'est pas la masse. »

On apporte, ce mercredi 23 avril, le dernier sondage de la Sofres, qui donne 55 % de « non ».

C'est fichu !

« Vous savez »... commence-t-il d'une voix lente parce que les mots ont du mal à venir, comme si l'aveu était douloureux et nécessaire, telle une confession qui ne veut rien dissimuler.

– Vous savez, tout à fait de moi à vous, je dois vous le dire, et ce n'est pas une phrase en l'air, au bout du compte, figurez-vous, je serai heureux et soulagé si le « non » l'emporte. Je peux vous le dire à vous.

Il regarde Foccart qui paraît accablé.

– Mon général, je l'avais bien senti car vous me l'avez pratiquement dit.

– Oui, ce serait une fin. J'aurai fait ce que j'aurai pu pour mon pays. Je l'aurai mis en face d'une réforme importante qui va dans le sens du progrès et qui sera un jour adoptée. L'Histoire dira que les Français ne m'ont pas suivi et l'Histoire jugera.

Il se dirige vers la salle du Conseil des ministres. Il sait que c'est pour la dernière fois. Des mots lui reviennent. Il les a écrits, il y a quelques jours, au fils d'Edmond Michelet, ce vieux compagnon. Claude Michelet lui a fait parvenir son roman *La*

Grande Muraille. Et cette histoire d'un effort, d'un combat pour la terre, l'a touché.

Ainsi vont les vies.

Il va entrer dans la salle du Conseil. Il a écrit à Michelet :

« Nous avons tous à bâtir notre grande muraille. Certes, aucun de nous n'achèvera jamais la sienne. Mais avoir toujours voulu le faire, y avoir travaillé, n'est-ce pas la seule chose qui vaille la peine ? »

Il serre les mains de ces hommes réunis autour de lui, qu'il ne reverra plus ensemble. C'est le dernier Conseil des ministres qu'il préside.

Il écoute la communication de Michel Debré, qui parle du rayonnement de la France.

« Si le résultat du référendum devait être défavorable, tout cela se verrait compromis. »

C'est ainsi.

Il s'efforce de ne rien laisser paraître. Il faut rester impassible, dire d'une voix calme : « Nous nous réunirons en principe mercredi prochain. Nous avons en effet l'espoir de nous retrouver la semaine prochaine. »

Il s'interrompt quelques secondes, puis reprend.

– S'il n'en était pas ainsi, ce serait un chapitre de l'histoire de la France qui serait terminé.

Il s'éloigne en compagnie de Joël Le Theule, chargé de l'Information. Il s'arrête un instant avant d'entrer dans son bureau.

– L'Histoire jugera sévèrement les Français, s'ils votent « non », car historiquement j'aurai eu raison.

Mais on ne répond pas « non » à un peuple qui dit « non ».

Il faut vivre ces dernières heures, recevoir à déjeuner quelques proches, sentir le poids de la tristesse, s'efforcer de ne rien trahir de ses sentiments et deviner parfois les larmes qui montent aux yeux de certains. Reprendre les audiences de l'après-midi. Répondre « on verra bien... » à ceux qui assurent que le résultat ne peut être que favorable, et réserver aux proches collaborateurs, le jeudi 24 avril, les dernières directives, comme lorsqu'il faut organiser des obsèques.

Et il a bien un goût de cendre et de mort dans la bouche.

– C'est bien évident, c'est fini, dit-il. Les Français ne veulent plus de moi. Les Français en ont assez d'une France debout, mais je n'y peux rien. Alors, je vais partir.

Il voit des signes d'affolement sur le visage de Foccart.

– Je vais enregistrer demain comme si de rien n'était, je vous le promets. Je vais partir ensuite pour Colombey, et puis voilà, ce sera terminé. Je ne donnerai plus signe de vie à qui que ce soit. Alors, je voudrais vous parler des dispositions à prendre.

Les dossiers à déménager, rue de Solférino. Le communiqué à publier dès l'annonce des résultats.

D'un geste, il arrête Foccart qui continue de dire : « Je maintiens que ce n'est pas une bonne sortie. Aux yeux de l'étranger, vous aurez été désavoué par votre pays, ça vous portera un coup. »

– Je sais bien, mais qu'est-ce que vous voulez, je n'y peux rien !

Le plus difficile, c'est de passer ces derniers jours, ici, dans ce palais.

Il repousse les dossiers, il interrompt ses collaborateurs qui lui soumettent encore des questions.

– Écoutez, je ne suis plus rien, ce n'est plus la peine, c'est fini, par conséquent d'autres feront la politique qu'ils voudront.

Il reçoit Couve de Murville. Il parle déjà d'« après », de la « suite ».

– Je ne prendrai position sur rien, dit-il. Personne ne pourra se prévaloir de moi, je n'interviendrai plus en rien...

Il accorde une brève audience à Michel Debré. Il s'arrête de corriger le texte de l'intervention qu'il enregistrera demain matin, vendredi 25 avril, et qui sera diffusée à 20 heures.

– Il y a un désaccord entre le peuple français et moi, dit-il. Il est clair, il est net. Je m'en vais et croyez-moi, notre œuvre s'en trouvera mieux éclairée au regard de l'Histoire.

Il écoute Michel Debré, qui veut encore se battre. De Gaulle rejette la tête en arrière.

– Tout cela se serait passé différemment, dit-il, si l'attitude de Pompidou avait été différente.

Ce sont les forces économiques, les hommes d'affaires, ajoute-t-il, qui ont appuyé les efforts de certains opposants, Giscard, Poher.

– Pompidou, en fin de compte, s'y est prêté.

– Tout n'est pas joué, dit Debré.

De Gaulle se lève, raccompagne le ministre.

– Je suis un vieil homme. J'ai fait mon temps. J'ai donc une optique différente de vous.

Il déjeune avec Jacques Vendroux, dans les appartements privés de l'Élysée. Vendroux s'obstine. Il voudrait que Pompidou déclare qu'il ne sera pas candidat en cas d'échec au référendum.

De Gaulle hoche la tête. Pompidou ne dira rien. Et les Français ont déjà choisi.

Il hausse les épaules.

– S'ils n'en veulent pas, tant pis pour eux! J'aurai fait tout ce que j'ai pu.

C'est le dernier effort, inutile il le sait. Mais il se prête à ce rituel de l'intervention télévisée. Et il a la gorge nouée pour dire :

« Vous à qui si souvent j'ai parlé pour la France... votre réponse va engager le destin de la France parce que si je suis désavoué par une majorité d'entre vous, solennellement sur ce sujet capital, et quels que puissent être le nombre, l'ardeur et le dévouement de l'armée de ceux qui me soutiennent et qui, de toute façon, détiennent l'avenir de la patrie, ma tâche actuelle de chef de l'État deviendra évidemment impossible et je cesserai aussitôt d'exercer mes fonctions... Jamais la décision de chacune et de chacun d'entre vous n'aura pesé aussi lourd.

« Vive la République.

« Vive la France. »

Il se lève.

C'est la dernière fois qu'il prononce ces mots qui tant de fois ont empli son cœur et sa bouche.

Il serre les mains de chacun des techniciens et il est touché par l'émotion qu'ils manifestent.

Il sort lentement de la salle des fêtes, il murmure : « Tout ça ne servira à rien, c'est foutu... »

Il garde la tête baissée, puis se tourne vers l'aide de camp Flohic.

« Pensez-vous que ça ira comme sortie... Cette allocution ne servira à rien, mais il fallait la faire... »

Il reçoit Bernard Tricot qui donne les résultats d'un sondage de l'IFOP : 53 % de « non ».

– Vous voyez bien.

Il regagne ses appartements. Il marche lentement, c'est la dernière fois qu'il parcourt ces couloirs, la dernière fois qu'il regarde ce parc de l'Élysée. Le déjeuner, le dernier ici, est bref. Tout est prêt pour le départ. Yvonne de Gaulle a terminé les bagages dans la matinée.

On apporte la première édition du *Monde*. Le journal ne reprend pas l'information fausse donnée en titre par *France-Soir*, selon laquelle « le général a décidé de ne tenir compte dans les résultats que des voix de la métropole ». Coup de poignard de Pierre Lazareff, le directeur du journal – un proche de Pompidou –, qui sait que les suffrages d'outre-mer seront sans doute favorables à de Gaulle. Lazareff donne déjà des gages.

Quelle importance maintenant ?

Il est 13 h 10.

De Gaulle traverse, en compagnie d'Yvonne de Gaulle, le salon d'Argent, celui où Napoléon Ier a signé son abdication.

Foccart s'avance, annonce que, dans les ultimes sondages, les « non » reculent. Pourquoi répondre ? Les jeux sont faits. Il secoue la tête, fait une moue. Il descend lentement les marches du perron.

La DS noire est là.

L'aide de camp Flohic ouvre les portières, avant de s'installer près du chauffeur, Paul Fontanil.

De Gaulle regarde le palais, pendant que la voiture roule vers le portail qui donne sur l'avenue Marigny.

Il est heureux d'avoir dû renoncer à l'hélicoptère, à cause du vent. On va donc refaire cette route de Colombey, celle des premières années de la présidence. La boucle se ferme.

Il se tourne.

Il voit descendre lentement, au mât du palais de l'Élysée, le drapeau. Il en est sûr, on le hissera, lundi 28 avril, pour M. Alain Poher, président par intérim.

Un autre chapitre de l'histoire de France commence.

Il a hâte d'arriver à la Boisserie.

30

Enfin! De Gaulle, d'un geste, écarte l'aide de camp et referme lui-même la porte de la Boisserie. D'une inclination de tête, il salue l'une des employées de maison. Il dit, tout en se dirigeant vers son bureau : « Nous rentrons définitivement cette fois-ci, Charlotte. »

Il s'arrête sur le seuil.

Enfin! Il éprouve à découvrir l'horizon dans la lumière un peu grise d'un ciel changeant que le soleil parfois, par brèves séquences, illumine, un sentiment de libération et d'apaisement. Il a ressenti cela, il s'en souvient, quand, après la douleur d'une opération et le gouffre de l'anesthésie, il reprenait pied, se réappropriait son corps encore endolori.

Oui, il a mal. Il se sent blessé, atteint au plus profond, mais en même temps il est serein.

Il a touché le terme. Il n'y a plus que quelques heures à attendre.

Une pensée comme la foudre tout à coup le traverse. Et si les Français, dans les heures qui les séparent du scrutin, dans le silence qui suit le brouhaha de la campagne électorale, changeaient d'opinion? Si une part d'entre eux basculait, décidait de voter « oui »... Il reste ainsi quelques minutes, imaginant, mesurant combien il ressent durement cet échec qui s'avance, combien il voudrait... Mais à quoi bon ?

Il se tourne. Il regarde longuement et silencieusement Flohic. Il ne veut pas inviter son aide de camp, comme il le fait presque chaque fois, à dormir à la Boisserie cette nuit. Il suffira que Flohic se présente dimanche matin, pour assister à la messe, puis pour l'accompagner à la mairie puisqu'il faudra bien voter.

Il veut être seul avec Yvonne de Gaulle, seul dans sa demeure, avec la rumeur des pensées.

C'est toute une vie qui s'achève. Sa vie, telle qu'il l'a voulue dès l'adolescence, au service de la nation, telle que sa volonté et le destin l'ont faite.

Et maintenant, pour la brève durée qu'il reste, il sera, avec Yvonne de Gaulle à ses côtés, en face de lui-même. Et il faudra qu'il reprenne sa tâche, pour les générations à venir. Écrire le récit, l'analyse de ces dernières années de vie publique.

Il marche dans le parc, ce samedi 26 avril. Souvent, il s'arrête. Il pense à ces commentaires des journaux sur son intervention d'hier soir. « Le mendiant » a titré *Combat*.

Voilà la traduction qu'ils font de ses pensées !

Est-ce possible ?

Comment a-t-il pu tant d'années gouverner cette nation, alors qu'il a toujours été encerclé par l'incompréhension et si souvent par la haine ?

Il reprend sa promenade, puis s'installe à son bureau.

Il relit la lettre que Bernard Tricot remettra dès les résultats connus, dimanche soir, à Couve de Murville.

« C'est du fond du cœur que je tiens à vous remercier et à vous donner témoignage du concours tout à fait éminent et à tous égards excellent que vous m'avez apporté comme Premier ministre pour le service de notre pays, après l'avoir fait pendant dix ans comme ministre des Affaires étrangères. »

Il parcourt rapidement le deuxième paragraphe : « Tous les membres du gouvernement... peuvent être assurés de ma profonde estime et de mon cordial attachement. »

Il reste ainsi, longtemps assis. Les visages et les années défilent. Tant d'efforts, tant de crises surmontées, et la France tirée de l'abîme où elle était tombée en 1940.

Et maintenant, ce peuple qui va dire « non », cette ingratitude, et ces injures, depuis mai.

Il se souvient brusquement d'un passage des *Mémoires d'outre-tombe* qui l'avait autrefois si fortement marqué qu'il l'avait appris, comme une mise en garde contre les illusions de la popularité. Il retrouve le volume de Chateaubriand. Il lit lentement, à mi-voix :

« Qui prévoirait l'esprit français, les étranges bonds et écarts de sa mobilité ? Qui pourrait comprendre comment ses exécrations et ses engouements, ses malédictions et ses bénédictions se transmuent sans raison apparente ? Qui saurait deviner et expliquer comment il adore et déteste tour à tour, comment il dérive d'un système politique, comment la liberté à la bouche et le servage au cœur, il croit le matin à une vérité et il est persuadé le soir d'une vérité contraire ? »

La France est ainsi.

Il aperçoit, le dimanche 27 avril, la meute qui se presse contre les grilles du portail. Ils sont là, les photographes, une bonne cinquantaine, avec leurs appareils pendant à leur cou, comme des laisses.

Il n'ira pas à la messe à l'église de Colombey. On dressera l'autel dans le salon de la Boisserie.

Il prie.

Que le temps lui soit laissé de finir ses *Mémoires*, qu'ainsi l'action accomplie soit reprise tout entière par la pensée.

Que Dieu lui accorde cette grâce, Dieu qui l'a, tout au long de sa vie, tant protégé. Il pense à cette journée du 15 août 1914, quand les corps tombaient, morts, autour et au-dessus de lui, recevant à sa place les balles qui auraient dû le tuer.

Il est un peu plus de 11 heures. Il va falloir sortir et affronter la foule des photographes, parce qu'il faut voter.

Il entre dans la salle de la mairie. Le maire et les conseillers municipaux se lèvent. Il serre la main du maire, puis il se dirige avec Yvonne de Gaulle vers les isoloirs. Les appareils photo crépitent. Il reste impassible. Il s'enferme dans le silence. Et il veut être seul.

Il libère Flohic tôt dans l'après-midi.

La douleur est une affaire personnelle. Elle s'affronte seul. Et il est bien que Philippe soit à Istanbul, en mission, et Alain de Boissieu, à Mulhouse.

Il n'y a plus que quelques heures à attendre. Il lit, tassé sur lui-même, jusqu'à ce que la nuit tombe.

Voici les premières images de la soirée électorale, les premières estimations. Il n'y a pas eu de retournement de l'opinion. À la douleur qu'il ressent, à ce vide comme une plaie, il mesure à quel point il l'avait espéré.

La sonnerie du téléphone.

Il va lentement jusqu'au hall d'entrée où se trouve l'appareil.

Bernard Tricot confirme les chiffres. Le « non » l'emporte en métropole avec un peu plus de 53 %. Il rassemblera autour de douze millions d'électeurs. Le « oui » recueille une dizaine de millions de votants, et 47 % des suffrages exprimés.

Si Pompidou, si Giscard...

C'est une pensée fugace qu'il écarte. Pourquoi faudrait-il attendre demain matin pour rompre, puisque tout est joué !

Il fallait bien qu'un jour il en finisse. Autant que ce soit maintenant et ainsi. À 22 heures, comme prévu, Bernard Tricot rappelle, donne de nouveaux résultats plus précis.

Il faut, dit-il à Tricot, publier la déclaration de cessation de fonctions, quelques minutes après minuit, et transmettre au même moment la lettre au Premier ministre.

La sonnerie du téléphone. C'est Michel Debré, ému, accablé. Que lui répondre ?

« Eh bien, voilà, dit de Gaulle après un silence, nous avons battu les Allemands, nous avons écrasé Vichy, nous avons empêché les communistes de prendre le pouvoir et l'OAS de détruire la République. Nous n'avons pas pu apprendre à la bourgeoisie le sens national. »

Inutile de poursuivre. Il est un peu plus de minuit.

C'est donc déjà le 28 avril 1969.

D'un ton solennel, un journaliste annonce, à la radio, qu'à 0 h 10, l'Agence France-Presse a diffusé le texte suivant :

« Le général de Gaulle communique :

« Je cesse d'exercer mes fonctions de président de la République. Cette décision prend effet aujourd'hui, à midi. »

Neuvième partie

28 avril 1969 – 9 novembre 1970

Je veux que mes obsèques aient lieu à Colombey-les-Deux-Églises... Ma tombe sera celle où repose déjà ma fille Anne et où un jour reposera ma femme. Inscription : « Charles de Gaulle 1890-.... » Rien d'autre. ... Je désire refuser d'avance toute distinction...

Charles de Gaulle, « Pour mes obsèques »,
16 janvier 1952.

31

Voilà. Tout arrive.

De Gaulle fait quelques pas dans son bureau, puis s'immobilise devant la fenêtre. L'horizon sort peu à peu de la brume. La lumière, en ce début de matinée du lundi 28 avril 1969, est encore grise. La frontière entre le ciel et la terre est floue.

De Gaulle demeure immobile, bras croisés.

Il éprouve une étrange impression. C'est comme si tout ce qu'il a vécu n'avait jamais eu lieu. Est-il sorti de ce bureau ? Tout est songe. Ce qu'il a fait, cette accumulation d'actes, de bruit et de fureur, est derrière lui.

Il tend la main. Il effleure du bout des doigts les reliures des volumes de ses *Mémoires de guerre*. Il faut qu'il les complète pour tenter de fixer ces années, depuis 1958. Sinon, tout sera poussière, et d'autres, les adversaires, achèveront de les disperser, pour effacer ce qu'il fut, ce qu'il a voulu et réalisé.

Il sort dans le jardin. Il entend le brouhaha des voix. Ils sont encore là devant le portail, et ils doivent aussi se dissimuler dans les fourrés, dans les arbres, tout autour du parc, pour le guetter, prendre quelques clichés au téléobjectif, pour vendre et répandre l'image du vieux roi déchu et solitaire. Il éprouve tout à coup violemment un sentiment fait de désespoir, de révolte, d'amertume.

Qu'on le laisse puisqu'on l'a rejeté !

Il faudra quitter vite la Boisserie, se réfugier plus loin. Ne revenir qu'après les élections, les abandonner à leurs « grenouillages » qui ne le concernent plus.

Il va et vient dans le petit jardin, devant la maison, lentement, les yeux tournés vers cette ligne imprécise des grands plateaux encore indistincts, qui se confondent avec le ciel.

Que le temps ne change pas, que se prolonge cette grisaille humide ! Que la ligne qui sépare la tristesse et le chagrin de la sérénité et du soulagement reste vague. Il oscille d'un côté à l'autre. De l'accablement de la blessure profonde à la satisfaction d'être sorti de scène avec éclat, tranchant dans ce qui était encore vif, faisant couler un sang clair, accomplissant un acte de volonté, choisissant son terrain pour livrer la dernière bataille. Et ne se laissant pas ensevelir sous les médiocrités sordides des fins de règne.

Il a été vaincu debout.

Et il mourra debout.

Et tout à coup, à nouveau, ce désespoir qui le recouvre. Il n'y a plus que la mort, en effet, au bout du chemin. Et que signifie donc cette vie, ce destin tenu à poing serré, brandi comme un glaive ?

Nietzsche a-t-il donc raison ?

> *Rien ne vaut rien,*
> *Il ne se passe rien,*
> *Et cependant tout arrive,*
> *Mais cela est indifférent !*

Toute la nuit, ces mots sont venus le harceler et le calmer.

Bruit de moteur. Il est 10 h 15. C'est Flohic qui arrive au milieu des aboiements des photographes.

Il le voit s'avancer, le visage tiré, la tristesse inscrite dans chacun de ses gestes, dans ses premières phrases prononcées, la grandiloquence un peu maladroite avec laquelle il récite des vers de Shakespeare.

O Julius Caesar! Thou are mighty yet,
Thy spirit walks abroad and turn our swords
In our own entrails [1].

Il se dirige vers le bureau et il entend Flohic murmurer :
« Vous êtes César et vous êtes en vie. »
Allons, il faut quitter la tragédie, Nietzsche et Shakespeare, et reprendre pied dans le réel.
Il fait signe à Flohic de s'asseoir.
– Au fond, je ne suis pas mécontent que cela se termine ainsi, commence-t-il. Car quelles perspectives avais-je devant moi ? Des difficultés qui ne pouvaient que réduire le personnage que l'Histoire a fait de moi et m'user sans bénéfice pour la France.
Il parle. Les mots se mettent seuls en place presque sans qu'il ait à réfléchir et il s'écoute analyser froidement les raisons de l'échec, la situation :
« Dès l'instant que Giscard et Duhamel faisaient voter contre moi, cela suffisait à déplacer les quelques voix qui m'assuraient la majorité. Et puis, pensez à tous ceux que j'ai vaincus et qui se sont trouvés de bonnes raisons de voter contre moi en sachant bien qu'ils faisaient une mauvaise action contre la France !... Radicaux, socialistes, commu-

1. « Ô Jules César ! Tu es toujours puissant, Ton âme nous hante et nous contraint à tourner nos épées, Dans nos propres entrailles. »

nistes, notables de la IIIe et de la IVe, vichystes, OAS et ceux que choquait l'embargo des armes à destination d'Israël, et tous les autres ! Et malgré cela, il y a de toute évidence 47 à 48 % de voix gaullistes irréductibles !... C'est sur elles que l'on doit compter pour bâtir un régime et un gouvernement. »

Il écarte les bras, les laisse retomber en signe d'impuissance et d'indifférence.

« Il est possible que l'on se prête à des manœuvres et que l'on reconstitue avec un Pompidou quelconque la IVe République sans le dire. Alors, tout ira cahin-caha... »

Il se lève.

– Pour l'instant, ajoute-t-il, regardant l'horizon, je ne verrai personne, je ne dirai rien. Qu'on me laisse en paix.

Il ne recevra pas Pompidou qui a sollicité une audience. Que Flohic prenne toutes les dispositions pour qu'en quelques jours soient réglées avec les proches collaborateurs les questions en suspens. Qu'on transmette au gouvernement son refus de toute dotation accordée à un ancien président de la République, du traitement de membre de droit du Conseil constitutionnel. Mais il accepte, pour un certain temps, des bureaux avenue de Breteuil, qui, avec ceux de la rue Solferino, seront les lieux où on recevra le courrier, qui s'annonce considérable.

Brusquement, il se sent las. En finir vite, avec ce qui appartient déjà au passé.

– J'aimerais, dit-il, faire un tour en Irlande, où se trouve le berceau d'une partie de mes ancêtres maternels, les McCartan, qui sont originaires de Killarney.

C'est le début de l'après-midi, après le déjeuner. Il écoute quelques instants la radio. Puis, il y a cette déclaration du directeur de *L'Express* :

« Pour la première fois, un homme de ma génération a le droit d'être fier de son pays. »

Il va lentement vers la radio. Qui pourra dire le mépris qu'il éprouve pour ces hommes-là ? Yvonne de Gaulle n'a pas levé la tête, continuant de tricoter. Depuis hier soir, il la sent partagée entre le soulagement et presque de la joie de le savoir loin du pouvoir, près d'elle, tout à elle enfin, et la tristesse parce qu'elle s'inquiète pour lui.

Il retourne s'asseoir à la table de jeu et commence une réussite.

Voici Jacques Vendroux, arrivé sans prévenir. Il lui donne l'accolade. Yvonne de Gaulle embrasse son frère. Jamais, habituellement, ils ne se comportent ainsi. De Gaulle s'écarte. Ne pas céder à l'émotion.

– Alors... voilà, dit-il.

Vendroux a démissionné de la présidence de la commission des Affaires étrangères de l'Assemblée. Il annonce que Capitant a quitté le gouvernement, renonçant à son poste de garde des Sceaux.

Quelques mots encore, et puis le désir, plus fort que tout, d'être seul en face de soi. Il raccompagne Jacques Vendroux :

– Vous viendrez nous voir, dès notre retour d'Irlande, au début juillet, comme d'habitude ?

Et puis, avant de le quitter, à mi-voix :

– Malheureusement, les Français ne sont pas toujours la France.

Déjà le rythme d'une nouvelle vie qui devient une habitude. Et cela l'apaise. Il faut des repères. Ils encadrent la vie. Ils aident à rester debout.

Au fil des jours, il reçoit ses proches collaborateurs, Bernard Tricot, Xavier de La Chevalerie. Ils apportent les lettres qui arrivent par milliers. Il faut répondre à celles des chefs d'État, de certains anonymes dont l'émotion est si grande qu'elle ébranle l'âme.

Il lit alors et relit ces lettres, en montre certaines à Alain de Boissieu venu lui rendre visite, dès le mercredi 30 avril.

Et il s'étonne : pourquoi le général de Boissieu a-t-il quitté son commandement à Mulhouse ? Le service de la France continue.

Il s'installe à son bureau.

Les lettres sont là. La première de Couve de Murville, qui reste Premier ministre : « Émotion... Tristesse infinie... Rien n'est jamais terminé, aussi longtemps que l'on vit, mais rien ne sera plus jamais comme avant », écrit Couve de Murville. Michel Debré : « J'éprouve un sentiment de lassitude comme je n'en ai jamais éprouvé... Que tant de Français aient renoncé à vous soutenir... C'est une tache qui salit une page de notre histoire. »

Il est ému. Ces lettres sont comme un onguent qui cicatrise et un acide qui brûle et qui remet à vif la blessure.

Mais il y a cette lettre du comte de Paris, peut-être la plus proche de ce qu'il ressent.

Il la lit à de Boissieu :

« L'ingratitude des peuples est la consécration définitive des hommes qui ont dominé de grands événements et qui déjà appartiennent à l'Histoire, écrit le prince. Vous le saviez, mon général, pour l'avoir éprouvé une première fois, mais le choix des Français, s'il est profondément attristant et s'il me peine personnellement plus que je ne saurais le dire, ajoute encore et beaucoup à la grandeur du général de Gaulle... Un jour, les Français retrouveront les chemins où vous avez voulu les engager car on aura beau faire et dire ils se souviendront du général de Gaulle. »

Il ferme à demi les yeux.

Si ce que dit le comte de Paris se réalise, si un jour « ce qui a été fait à mon appel doit devenir le ferment d'un nouvel essor national... je n'aurai depuis l'autre monde qu'à remercier Dieu du destin qu'il m'a fixé... ».

Il voudrait s'en tenir là, ignorer le « grenouillage effréné qui règne à Paris » ! La candidature de Georges Pompidou à la présidence de la République, et celle de Poher, le président par intérim. Il veut être loin de France pendant la campagne électorale. Il votera pas correspondance, qu'on ne lui en demande pas plus !

Il reçoit de Pompidou une lettre dont la sincérité d'abord le frappe :

« Vous-même, je le crains, ne mesurez pas la tristesse qui m'étreint, écrit l'ancien Premier ministre... Que puis-je vous dire, mon général, qui m'avez tout appris... Maintenant j'entre dans une autre bataille et qu'il faut gagner... Vous accepterez de me guider dans une tâche qui n'a pour moi de sens que dans la ligne que vous avez tracée... »

Il hausse les épaules ! Comme si un homme qui aspire à la présidence pouvait reconnaître – autrement que par habileté – qu'il a besoin d'un guide !

Il faut répondre à Pompidou :

« Vous êtes certainement fondé à croire que j'approuve votre candidature. Je l'approuve en effet.

« Sans doute eût-il mieux valu que vous ne l'ayez pas annoncée plusieurs semaines à l'avance, ce qui a fait perdre certaines voix au "oui", vous en fera perdre quelques-unes à vous-même... Mais dans les circonstances actuelles, il est tout à fait archinaturel et tout à fait indiqué que vous vous présentiez. J'espère donc vivement votre succès et je pense que vous l'obtiendrez. »

Mais point de malentendu.

« Il va de soi qu'au cours de la "campagne"... je ne me manifesterai d'aucune façon. En particulier votre lettre du 28 avril et ma réponse d'aujourd'hui resteront entre nous... »

Il a hâte de partir, de laisser derrière lui ces batailles, ces rivalités, qui ne le concernent plus.

Ici, il ne peut pas s'en dégager, il ne peut même pas sortir se promener dans le parc car les journalistes sont toujours là, plus nombreux encore, chasseurs à l'affût dont il est le gibier.

Insupportable !

Et en même temps, il y a cette chaleur de l'affection d'un peuple d'anonymes, ces centaines de bouquets, modestes ou somptueux, qui arrivent à la Boisserie, muguet du 1er mai, fleurs de la confiance et de la peine.

Il y a l'émotion d'un Jacques Foccart qui vient déjeuner et auquel il dit : « Il faut maintenir ce noyau, pur, dur, de gens décidés... Grâce à eux, plus tard, pourra renaître le gaullisme. Il faut entretenir cette foi. » Et le prévenir : « Je ne serai pas là le 18 juin. La cérémonie du 18 juin, au mont Valérien, aura lieu mais je n'irai pas. »

Il sera loin, en Irlande.

– Et puis, vous comprenez, pour Pompidou, il vaut mieux, quand il fera sa campagne, qu'il ne se dise pas : « Il est là dans son salon, devant sa télévision. Il me regarde. » Ça risquerait de le gêner. Oui, ce sera moins gênant pour Pompidou, c'est mieux à tous égards.

Il secoue la tête.

– Pompidou, le voilà déjà avec ces histoires de Giscard, des uns et des autres, cela va tourner au radicalisme... Vous allez voir les concessions : l'Allemagne qui pose des conditions en ce qui concerne la monnaie... Ce sera le retour du protectorat. Je me serai efforcé pendant tout le temps que j'étais là de sortir la France de cet état de protectorat... Mais je me rends bien compte que les Français n'y tiennent pas...

L'amertume tout à coup et la tristesse.

« Ils n'ont pas dit "non" à de Gaulle. Ils ont dit "non" à l'effort. Ils ont choisi le renoncement. Ils ont choisi d'être un petit peuple... Ils n'ont plus besoin de de Gaulle pour leur traintrain quotidien. »

Il se lève, entraîne Foccart vers la salle à manger.

Il est « retiré », explique-t-il.

« Je comprends très bien qu'ils fassent autre chose, mais qu'ils ne se réclament pas de moi pour le faire. Ce n'est plus moi qui continue... Ce sera leur affaire. Ce qui se passe ne concerne plus le général de Gaulle, dites qu'il est tout à fait en dehors de tout, complètement détaché de tout, qu'il ne pense plus qu'à ses *Mémoires*. »

Il prend place en bout de table. Il remplit les verres. Il est le maître de maison. Il faut toujours respecter les petites règles qui sont les fondations d'une civilisation.

– Comment, vous ne prenez pas de fruit ? Je suis sûr que, comme moi, vous trouvez que c'est bien gros. Nous allons partager.

Il coupe la pomme en deux.

On passe au salon. On bavarde. La tristesse est enfouie sous la conversation.

Il raccompagne Foccart jusqu'au seuil, mais il ne peut aller plus loin. Il les entend. Les journalistes sont toujours là.

– Cher ami, ce n'est pas un adieu, n'est-ce pas ? Je vous reverrai aussi longtemps et aussi souvent que vous voudrez. Je serai toujours prêt à vous voir, bien entendu si vous en êtes d'accord.

– Mon général, comment pouvez-vous en douter ? Vous savez combien je vous suis attaché, c'est ma vie...

Il rentre dans son bureau.

Il s'assoit lourdement. Le départ pour l'Irlande est fixé au 10 mai, à 8 heures du matin, de manière à échapper aux journalistes.

Il baisse la tête, il ferme les yeux.

« Il fallait bien que cela se termine un jour. »
C'était ma vie.

32

Il semble d'abord à de Gaulle que tout est gris.
Comme le ciel et la mer qui vient battre la barre
rocheuse sur laquelle est bâti le Heron's Cove
Hotel, où, en cette fin d'après-midi du samedi
10 mai, il est arrivé en compagnie du capitaine de
vaisseau François Flohic et d'Yvonne de Gaulle.

Gris comme l'exil. Et il ressent d'abord la tristesse d'avoir été contraint de quitter la France
pour essayer de trouver la paix, à l'abri des
rumeurs et du harcèlement des journalistes, et
pour marquer qu'il n'est plus concerné par la vie
politique qui va s'enflammer avec la campagne
électorale pour désigner son successeur.

Mais tout est gris.

Il traverse les salons de cet hôtel modeste où il
va disposer d'un appartement. Il regarde Yvonne
de Gaulle qui ouvre les valises, range avec l'aide
des femmes de chambre les vêtements, les livres.

Il s'approche. Il aperçoit les dossiers qu'il a fait
constituer afin de pouvoir commencer ici la rédaction de ses *Mémoires*, mais il s'interroge : aura-t-il
la volonté, l'élan nécessaires ?

Yvonne de Gaulle lui tend les livres qu'il a
choisi d'emporter de la Boisserie, le *Mémorial de
Sainte-Hélène* et les *Mémoires d'outre-tombe*.

L'exil.

Il reste immobile, tête baissée.

« J'ai été blessé en mai 1968, dit-il, et maintenant, ils m'ont achevé et maintenant je suis mort. »

Il devine qu'Yvonne de Gaulle l'observe. Il se redresse. Il sort faire quelques pas dans le parc de l'hôtel.

L'allée qui conduit du perron du Heron's Cove Hotel au portail est bordée d'une végétation luxuriante, composée de fougères immenses, d'azalées et de rhododendrons.

Il marche quelques minutes, aperçoit des silhouettes qui se dissimulent, sans doute celles des policiers irlandais chargés de le protéger.

L'accueil du gouvernement, ce matin, sur l'aéroport de Cork, a été chaleureux. Le Premier ministre Lynch, qui l'attendait au bas de la passerelle, accompagné du ministre des Affaires étrangères, a déclaré : « L'Irlande tout entière est honorée de votre venue. » Et de Gaulle a répondu qu'il était « heureux de se trouver en Irlande, un pays noble, la patrie de mes ancêtres maternels, les McCartan ».

Il s'enfonce dans les allées, à l'abri des arbres et des massifs. Des dizaines de journalistes, a indiqué Flohic, sont déjà installés au grand hôtel du village voisin de Sneem. Ils sont sûrement à l'affût.

La colère l'empoigne. Ils ne le laisseront donc pas jouir de sa liberté !

Il a envie de marcher dans les dunes, d'entendre le bruit des vagues qui viennent rouler sur la plage de Derryname, dans la petite crique que domine le Heron's Cove Hotel. Il veut explorer les baies voisines, qui font la beauté de la province du Kerry.

Il rentre. L'hôtel est modeste, la nourriture simple. Mais qu'importe ! Il a besoin de solitude et de calme.

Les jours passent. Il commence à se sentir mieux, apaisé. Mais il ne peut pas s'empêcher d'écouter la radio, de lire les journaux.

Il déplie le *Daily Mail*. Il étouffe un juron. Une photo le montre en train de trébucher après qu'il a buté sur un galet lors d'une promenade dans les dunes. Ils ont choisi de le montrer ainsi, pour faire croire qu'il est un homme diminué.

Les Anglais ont la vengeance tenace ! Il découvre d'autres photos où il avance, canne à la main, le vent soulevant son grand manteau sombre.

Il regarde longuement les clichés. Au fond, ils ne lui déplaisent pas. Ils expriment même ce qu'il ressent : la volonté dans la douleur de rester debout, d'avancer encore, contre le vent, et d'affirmer seul, face aux éléments, la mer voisine et la lande nue, son destin, sa vision. C'est la photo d'un combattant qui ne capitule pas. Et qui, obstiné, affirme sa liberté.

Il referme le magazine. Et pourtant en même temps ces photos le révoltent. On a volé son intimité. Transformé sa résolution en spectacle, livré à tous les regards ce qui était effort solitaire. Il se sent trahi, dénudé. On l'a trompé et capturé par surprise. Comme dans un attentat.

Ils n'en auront donc jamais fini.

Mais c'est comme si la colère lui donnait de l'énergie.

Il s'installe à sa table de travail. Il va leur échapper. Être maître de son passé et donc de l'image qu'aura de lui l'avenir. Il commence à écrire. Il rature. Il s'obstine. Il appellera ce nouveau volume *Mémoires d'espoir*. Il en dresse le plan : un premier tome s'intitulera *Le Renouveau*, et un second *L'Effort*.

Il ne sort plus guère, écrivant tout le jour. Il veut terminer le premier chapitre, vite. Il le faut parce que la pensée a besoin, pour ne pas divaguer et s'émietter en lamentations inutiles, de s'appliquer à une tâche, de prendre appui sur un projet.

Le jeudi 15 mai, il a terminé. Et il se sent mieux, aussitôt, presque joyeux pour la première fois depuis des semaines.

Il peut débattre avec Flohic du rôle de la marine impériale, incapable de permettre le passage de la Manche par la Grande Armée de Napoléon ! Il peut évoquer le souvenir de ce livre écrit par sa grand-mère maternelle et consacré au patriote irlandais O'Connel. Et il retrouve tous les détails de cette vie héroïque et tragique.

Il sent que l'étau qui le serrait s'ouvre peu à peu. L'Irlande, ce n'est donc pas l'exil, mais le lieu où il va reconquérir la quiétude, l'énergie, les forces nécessaires pour parcourir la dernière étape de sa vie, et faire surgir de ce temps, avant que la mort ne le saisisse, une œuvre, ses *Mémoires* pour les générations futures.

Et un homme a besoin d'un but.

Il va mieux. Si loin déjà ce 27 avril ! C'est comme si le vent chargé d'embruns et le crachin avaient noyé et recouvert le référendum perdu, étouffant la douleur et la tristesse sous une pellicule transparente. Il est toujours là, ce refus des Français, mais déjà devenu un événement historique, qui se confond parfois avec des souvenirs plus lointains, tout aussi douloureux, l'échec devant Dakar, à l'automne 1940, ou bien la démission en janvier 1946.

Il se sent « délié » de ce contrat qu'il avait passé avec les Français. Ce sont eux qui l'ont voulu.

« Les Français d'à présent ne sont pas encore, dans leur majorité, redevenus un grand peuple pour porter à la longue l'affirmation de la France que je pratique en leur nom depuis trente ans », explique-t-il à sa sœur.

Il est ému de la lettre que Marie-Agnès lui a adressée. Il la relit comme celles que lui ont fait parvenir Philippe et ses neveux. Les siens, aimants et solidaires, comme toujours.

Il faut qu'ils comprennent le sens des événements, « l'inévitable crise de médiocrité », dans laquelle le pays est entré et qu'ils ne plaignent pas « Sisyphe » – c'est ainsi qu'une correspondante l'a nommé – « qui ne roule plus son rocher ».

Oui, il s'est « retiré ». Oui, il est « délié ». Et l'actualité n'est plus qu'un ressac qui parfois le frappe durement, mais qui heureusement s'éloigne, et jusqu'à la prochaine vague, il peut écrire, se promener, découvrir une autre résidence, Cashel House, dans le Connemara, puis, à Killarney, le Dairy Cottage.

Il se félicite d'avoir choisi l'Irlande.

« Ici, tout est pour le mieux en fait de détachement et d'isolement... Très grande sympathie et calme complet. J'y retrouve le souvenir de nos ancêtres McCartan. Certains de leurs descendants m'écrivent avec ardeur. »

Il va, en longues promenades, sur la lande et dans les dunes. Yvonne de Gaulle et l'aide de camp Flohic marchent près de lui. Le vent est vivifiant, et le ciel s'est mis au bleu.

« Le pays est vraiment très beau, écrit-il à Philippe, et l'installation suffisamment confortable nous met en face d'un paysage grandiose : une baie de l'océan au milieu de vieilles montagnes rocheuses et désolées. »

Il sent qu'il appartient à ce pays des Celtes. Il comprend mieux cet oncle Charles, devenu « barde », écrivant une épopée celtique en gaélique. On ne peut effacer ses origines.

Il est reçu par Eamon De Valera, le président de la République, le héros de la lutte pour l'indépendance, dans sa résidence d'Aras an Uachtarain. Il reconnaît en cet homme de quatre-vingt-cinq ans, de haute taille, un proche. Il lui prête l'appui de son bras car De Valera est aveugle. Ce vieux lutteur, incarnation de son peuple, menhir volontaire enraciné dans l'histoire irlandaise, l'émeut. Il est de sa famille. Quand il se lève pour répondre au toast que De Valera a prononcé en français au cours du dîner officiel, il sait qu'il peut se confier.

« En ce moment grave de ma longue vie, dit-il, j'ai trouvé ici ce que je cherchais : être en face de moi-même. L'Irlande me l'a offert de la façon la plus délicate, la plus aimable... Votre œuvre est une grande œuvre nationale. Moi aussi, j'ai essayé de faire une grande œuvre nationale... Je lève mon verre à l'Irlande tout entière. »

La presse censure cette dernière phrase. Il se souvient de son cri : « Vive le Québec libre ! » Les notables n'aiment pas qu'il dise à voix haute l'espoir des peuples.

C'est le ressac. L'actualité qui revient. L'élection à la présidence de la République de Georges Pompidou, le 15 juin. Il l'avait prévu, souhaité contre l'avis de Flohic qui aurait préféré pour marquer la rupture l'élection d'Alain Poher. « La politique du pire n'est pas une politique qu'on puisse accepter », a-t-il dit.

Il transmet à Xavier de La Chevalerie, son directeur de cabinet resté à Paris, un message à porter à Georges Pompidou : « Pour toutes raisons nationales et personnelles, je vous adresse mes biens cordiales félicitations. »

Il lit maintenant la réponse que Pompidou lui adresse le 17 juin : « Votre message m'a infiniment touché, écrit le nouveau chef de l'État, et votre caution personnelle et nationale apportée à mon élection est pour moi plus précieuse que tout... Je ne quitterai pas la voie que vous avez tracée en matière de défense nationale et de politique étrangère... »

Il secoue la tête. Il n'a apporté aucune « caution » ! Et il n'a pas d'illusion.

« Le glissement de la France vers la médiocrité va se poursuivre. »

Mais, ajoute-t-il, « tant que je suis là, il y a certaines choses que Pompidou ne pourra pas faire et que je ne lui laisserai pas faire ».

Il s'interrompt. Il en est sûr : l'avenir est du côté de ce qu'il a entrepris. Alors, peu importe l'actualité !

« C'est donc à ces lointains que je pense beaucoup, plutôt qu'à l'immédiat. »

Il reçoit les descendants des McCartan. Il regarde cette trentaine d'hommes et de femmes qui l'entourent, parmi lesquels un prêtre, un instituteur, une carmélite, un agriculteur, un directeur d'hôtel, tous si divers et si semblables.

Les visiteurs lui présentent l'arbre généalogique du « clan ». Le chef de famille, en 1690, participa à la bataille de la Boyne, qui opposa les catholiques de Jacques II Stuart aux soldats de Guillaume d'Orange. Il y fut tué en même temps que son fils aîné.

Le second fils se réfugia dans les montagnes pour résister. Quant au fils cadet, il émigra en France. C'est de lui que le général de Gaulle descend.

Il écoute. Il a du mal à quitter ceux qui sont l'une de ses racines, ceux qui appartiennent aussi à sa famille, ceux qui incarnent aussi l'esprit de résistance.

Il cache autant qu'il le peut son émotion. C'est cela une lignée. Il pense à Marie-Agnès. Il aurait tant aimé qu'elle puisse, elle aussi, vivre ces instants.

« Que nos chers parents et ceux que nous avons perdus, et qui nous aimaient, prient pour nous deux, ma bien chère sœur ! »

C'est le 18 juin 1969.

Pour la première fois depuis la libération de la France, il ne sera pas au mont Valérien. Il sait que beaucoup de gaullistes souffriront de son absence.

Il vient de recevoir une lettre émouvante de Michel Debré qui lui écrit :

« ... Je me considère depuis votre départ comme un orphelin... Être orphelin, c'est se sentir seul. Et je me sens seul. Certes les fermes fidèles sont très nombreux, mais ce n'est pas dans l'élite politique qu'on en trouve le plus. »

Heureusement, ce 18 juin, il pénètre dans l'ambassade de France où l'accueille Emmanuel d'Harcourt, un ancien de la France libre, compagnon de la Libération. L'ambassadeur avance lentement vers lui, marchant difficilement parce qu'il a perdu une jambe au cours des combats de la guerre.

D'Harcourt lève son verre, à la fin du repas, évoque « cette journée de juin 1940 où vous avez convié tous les Français à s'unir dans l'action, dans le sacrifice et dans l'espérance ».

De Gaulle voudrait répondre aussitôt, mais il est ému et reste longuement silencieux. Enfin, il peut parler :

« Je vous remercie des paroles que vous venez de prononcer. Il est évident que cet anniversaire est celui d'un grand moment par ce qu'il a représenté. Il est bien que ce soit vous qui l'évoquiez. »

Sa voix se fait plus forte :

« Moi, de Gaulle, je suis honoré d'être ici car vous êtes d'Harcourt. Et vous d'Harcourt, vous l'êtes de m'avoir ici, car je suis de Gaulle. »

C'est le silence pendant qu'il lève son verre.

– Évidemment, nous pensons à la France, ajoute-t-il.

Demain, il regagnera Colombey-les-Deux-Églises.

Il est saisi par la tristesse à l'idée de quitter l'Irlande, ce havre, et de rentrer dans cette France qui lui a dit « non ». Mais il sera à la Boisserie comme dans une île.

Emmanuel d'Harcourt s'approche, lui présente la page de garde du tome III des *Mémoires de guerre*. L'ambassadeur sollicite une dédicace.

De Gaulle prend sa plume. Les phrases viennent seules et il les écrit vite, les unes sous les autres :

> *Moult a appris qui bien connut ahan* [1].
>   (vieux proverbe du XIVe siècle)
> *Rien ne vaut rien,*
> *Il ne se passe rien,*
> *Et cependant tout arrive,*
> *Mais cela est indifférent.*
>   Nietzsche
> *Vous qui m'avez connu dans ce livre,*
> *priez pour moi !*
>   Saint Augustin

18 VI 69

Dublin   Charles de Gaulle

---

1. « A beaucoup appris qui a beaucoup peiné. »

De Gaulle s'assoit à son bureau. La page blanche est là devant lui, prête depuis la veille. Mais chaque matin, au moment de s'accouder, c'est la même question qui le taraude : à quoi bon ? Il l'écarte, ouvre l'un des volumes de *L'Année politique*, consulte la chronologie des événements principaux.

Il prend le dossier que l'un de ses collaborateurs, Pierre-Louis Blanc, a constitué, rassemblant les dépêches, les documents, les notes transmises à l'époque par son cabinet de l'Élysée.

Il commence à lire. Les souvenirs surgissent. Maintenant, il va falloir écrire. Et, la question revient : « À quoi bon ? » Pourra-t-il finir ses *Mémoires* ? Il aura soixante-dix-neuf ans dans quelques semaines. Et il entrera alors dans cette quatre-vingtième année, qui souvent lui semble un gouffre, où il va peut-être tomber, avant d'avoir terminé ce travail.

« Il faudrait que Dieu m'accorde cinq années pour en venir entièrement à bout. »

Il lève les yeux. Il est tenté de sortir se promener dans le parc, de marcher sous les pins, de s'arrêter devant les mirabelliers, de regarder au loin les plateaux dans la brume de l'été, et de suivre du regard cette vallée de l'Aube, ligne mauve dans l'étendue jaunie des prairies.

Il ferme un instant les yeux. À chaque moment de la vie, il y a une tâche à accomplir. La dernière qui lui reste, c'est d'achever ces *Mémoires d'espoir*. Il faut qu'il y travaille six heures par jour. Et quels que soient l'effort que cela coûte, la difficulté qu'il éprouve à trouver le mot juste – il rature, reprend –, il ne doit pas s'interrompre. Et seule la mort pourra l'empêcher d'aller jusqu'au bout.

Il se penche. Il recommence à écrire. Il retrouve ces moments d'âpres combats, quand ses ennemis clamaient : « L'OAS frappe quand elle veut et où elle veut. » Et il se souvient de ces instants de grâce quand les Français se rassemblaient autour de lui.

La plume vole, les mots viennent. Il revit les années passées. Il écrit : « De mon côté, je ressens comme inhérents à ma propre existence le droit et le devoir d'assurer l'intérêt national. »

Il avait alors soixante-dix ans. Il va entrer dans sa quatre-vingtième année. Il peut avouer à Philippe : « C'est dire qu'il faut me hâter malgré les doutes et les fatigues de l'âge et des épreuves. »

Il n'y a pas d'autre choix. Vivre, c'est ne pas renoncer. Il pense à ses petits-fils.

« Il faut que ces enfants sachent, sans intermédiaire, ce que j'ai fait et pourquoi je l'ai fait. »

Il écrit pour eux, contre le temps, contre l'oubli, contre la mort.

Il sort dans le parc après plus de deux heures de travail.

Il aime ce moment. Au bas du verger, il cueille quelques cerises mûres qu'il savoure lentement. Il longe la haie, marche d'un pas lent sous les grands trembles.

Il reçoit Jacques Vendroux ou Alain de Boissieu, ce sont les « siens ».

Il accepte les visites de Couve de Murville, Jeanneney, Messmer, Pierre Lefranc, François Goguel,

Bernard Tricot. Ce sont des fidèles qui ne sont plus en charge des « affaires ». D'un geste, d'un mot, il précise que tout cela ne le concerne plus.

« Ma retraite à Colombey, dit-il, est délibérément complète. Mais elle n'empêche pas, pour moi, les souvenirs et les sentiments. »

Mais qu'on n'insiste pas. Il ne participera plus à aucune cérémonie, même celle du mont Valérien.

– Je vous dis, c'est fini, fini. Je n'irai plus jamais au mont Valérien.

Il s'arrête dans sa promenade. Le contrat entre lui et les Français a été rompu. Il se sent « délié ».

– De toute façon, le peuple m'a lâché. J'ai été liquidé. Alors, c'est raté... Les Français, j'ai essayé de leur insuffler l'amour de la France. Je n'y ai pas réussi.

Il retourne à son bureau. Certains jours, il ressent de l'accablement. « C'est un vrai pensum » d'écrire.

Mais il s'assoit, retire le capuchon de son stylo.

– Je veux dire moi-même ce que j'ai voulu faire.

Il approuve Pierre Lefranc qui pense à créer une fondation Charles de Gaulle qui favorisera le développement d'études consacrées à ce qu'il a réalisé ou entrepris. Il faut aussi regrouper ses archives. Il accepte qu'on rassemble les *Discours et messages*, en cinq volumes qui seront publiés entre avril et septembre 1970.

Sera-t-il encore vivant quand le dernier volume paraîtra ?

Mais il ne doit pas se laisser envahir par l'ombre noire. Il doit écrire.

« C'est la seule chose utile que je puisse encore faire : montrer au pays ce que j'ai voulu, le rappeler à l'essentiel. »

Parfois, le doute : et si la France arrivait au bout de son histoire ?

Il ressent alors un mélange d'amertume, d'effroi même et de désespoir.

Ce qu'il voit, ce qu'il imagine est insupportable. Et cependant, cela peut advenir.

Il secoue la tête.

« Pour les civilisations, dit-il, comme pour tous les êtres vivants, il n'y a que la mort qui gagne. »

Le pessimisme le submerge. Peut-être est-ce à cause de ce mois de novembre, de ce soixante-dix-neuvième anniversaire qui approche, de cette année des quatre-vingts ans qui sonne.

– Demain, tout va se diluer, dit-il. J'en ai peur. Oh, les Français continueront à vivre. Vous voyez ce que je veux dire. Il y aura toujours des cuisiniers français, des parfumeurs français, des politiciens français. Mais la France, où sera-t-elle ?

Il ne peut accepter cela. Il faut faire comme si la nation était capable de se ressaisir.

Il hausse la voix. Il fait face à Vendroux, dans ce jardin que le brouillard envahit lentement.

– La France a connu des hauts et des bas, tout au long de son histoire, dit-il avec force. Mais pour finir, c'est toujours elle qui gagne.

Il recommence à marcher, frappant le sol du bout de sa canne, sans regarder Vendroux.

– Maintenant, c'est la grisaille, mais la France ne peut pas s'en contenter indéfiniment. Un jour peut-être il y aura à nouveau un élan national. Je ne sais pas quand ce mouvement naîtra. On se souviendra de de Gaulle. C'est la jeunesse qui le découvrira. C'est pour elle que je m'astreins à cette dernière tâche. C'est la jeunesse qui, avec son intransigeance habituelle, imposera la rigueur sans laquelle il n'y a pas de grandes affaires... C'est elle qui saura reconnaître ce qui est essentiel. Ce sont les idées simples et élevées qui touchent les hommes. Ils se sentent grandis en épousant une grande cause.

Il continue de marcher, silencieux.

Il ne sera plus là quand ce mouvement se produira. Voici le doute à nouveau. La mort peut tout saisir.

490

Il dit seulement :

– J'écris au sujet d'un passé qui sera peut-être utile à l'avenir. En attendant, ce qui se passe maintenant ne me concerne plus.

Il tend le bras, il montre à André Malraux qui vient d'arriver à la Boisserie, ce 11 décembre 1969, les grands plateaux recouverts de neige, ce « paysage noir et blanc » sur lequel s'ouvre le bureau.

– Voyez tout ceci a été peuplé jusqu'au ve siècle, et il n'y a plus un village à l'horizon.

Il s'assoit, invite Malraux à prendre place.

– Cette fois, c'est peut-être fini.

Il se penche. Il hausse les épaules.

– Les Français n'ont plus d'ambition nationale. Ils ne veulent plus rien faire pour la France.

Il hoche la tête.

– Je les ai amusés avec des drapeaux, je leur ai fait prendre patience, en attendant quoi sinon la France ?

Malraux se met à parler.

Il aime écouter la voix de l'écrivain. Elle jaillit comme dans une forge. Avec lui, seule compte la perspective. Malraux regarde les lointains. Il est le contemporain de saint Bernard et des générations futures. La médiocrité des ambitions, les petitesses quotidiennes des hommes tombent comme poussière, et reste seulement l'âme des événements.

– C'est ce que nous avons voulu, dit de Gaulle, entre vous et moi, pourquoi ne pas lui donner son vrai nom : la grandeur. C'est fini... Le pays a choisi le cancer. Qu'y pouvais-je ?

Il se lève, va vers la fenêtre, laisse son regard errer sur cette étendue blanche, où les arbres dénudés sont des gibets dressés.

– On doit savoir, continue-t-il, et je compte sur vous, que je suis étranger à ce qui se passe. Ça ne me concerne aucunement. Ce n'est pas ce que j'ai voulu. C'est autre chose. J'entends ne m'en prendre à personne : s'en prendre à quelqu'un est toujours une faiblesse. Mais la page est tournée. Une fois de plus on va se mettre à suivre sur la carte les étapes victorieuses des autres et à en discuter magistralement !

La neige se met à tomber, drue. Il regarde vers Colombey, vers ce cimetière que l'on ne peut apercevoir.

— La mort de ceux que l'on aimait, dit-il au terme d'un long silence, on y pense après un certain temps avec une inexplicable douceur.

Le temps a passé. La nuit déjà s'est étendue.

Il raccompagne Malraux jusqu'à la voiture. La neige ne tombe plus et, même, par une trouée dans les nuages, on aperçoit une poignée d'étoiles.

Elles sont comme le rappel à « l'insignifiance des choses ».

Il reste immobile en face de Malraux, comme pour prolonger leur entretien. Dans quelques minutes, il va retrouver le silence et la solitude. Il va à chaque instant de la journée être confronté à lui-même, à ce qu'il a fait. Et cette méditation ne cesse jamais. C'est un monologue intérieur, ininterrompu, et le soir il le poursuit aussi devant la table de jeu, retournant machinalement les cartes pour la rituelle réussite des fins de journée.

— Avant dix ans, dit Malraux, il s'agira de vous transformer en personnage romanesque... La réalité que vous avez empoignée ne sera pas votre héritière : les personnages capitaux de notre histoire sont dans tous les esprits, parce qu'ils ont été au service d'autre chose que la réalité.

La voix de Malraux se tend encore. Il semble qu'il parle pour ne pas s'étouffer :

— Avoir eu l'honneur de vous aider, dit-il, était la fierté de ma vie, et l'est davantage en face du néant.

Et le tombeau s'est ouvert, comme si cette quatre-vingtième année qui commence n'était que cela, une fosse dans laquelle il doit se coucher, et où un à un le précèdent, comme pour lui montrer le chemin et lui annoncer que l'heure sonne, ceux qui furent ses proches.

Catroux meurt le premier.

« Pour le temps qui me reste à vivre, je serai fidèle à sa mémoire comme il le fut toujours à notre amitié. »

Puis Capitant s'en va.

« Je le ressens d'autant plus profondément qu'entre lui et moi, il n'y eut jamais depuis plus de trente ans que confiance, amitié et fidélité. »

Mais il ne veut pas encore se laisser saisir.

Il a autrefois, dans les années de sa jeunesse, fait le vœu de se rendre, comme un pèlerin, à Compostelle, dans cette Espagne de la foi, dans ce bastion de cette chrétienté dont la France a été l'âme.

Il part au début juin 1970. Il ne veut pas être présent en France, le 18 juin. Alors, autant rouler en Castille, dans l'austère paysage pierreux de ce cœur royal de la Péninsule. Rouler mille kilomètres, malgré la chaleur et travailler à l'étape, relire le manuscrit du tome I des *Mémoires d'espoir*, qu'Élisabeth a dactylographié et qui sera publié en octobre.

Dans chaque *parador*, ces résidences isolées, propriétés du gouvernement espagnol, où il fait étape, on refuse de lui présenter la note. Il proteste, menace d'interrompre le voyage, puis il laisse en pourboire ce qu'il aurait dû débourser pour son séjour.

Il est reçu par le général Franco. Il regarde cet homme, son cadet de deux années, qui, au nom d'une idée de l'Espagne, a capturé et fusillé l'une des deux âmes de sa nation. Mais Franco qui est l'Espagne depuis trente ans.

En retrouvant la Boisserie, le 27 juin, il lit sous la plume de François Mauriac une condamnation de cette visite : « J'en reste glacé et je l'ai subie comme une offense, écrit Mauriac. Cette fois encore, comme tant d'autres fois, à propos de de Gaulle, il m'a fallu répéter les vers d'*Athalie* :

Ce que j'ai fait, Abner, j'ai cru devoir le faire
Je ne prends pas pour juge un peuple téméraire...

« En fait, de Gaulle a pris en tout le contre-pied de Franco, il a sauvé la République », ajoute Mauriac.

De Gaulle s'est installé à sa table de jeu. Il ferme à demi les yeux, retournant les cartes de sa réussite machinalement.

Il se sent si peu atteint désormais par ces polémiques. Il voulait visiter l'Espagne, parcourir la Sierra Blanca, visiter l'Escurial, être confronté au souvenir de Charles Quint et de Philippe II, voir enfin Compostelle, pèlerin de fin de vie. Comment pouvait-il alors refuser l'invitation de Franco ? Qui pourrait le confondre avec ce général de pronunciamiento ? Qui pourrait, sinon les esprits médiocres, identifier celui qui, à Hendaye, en 1940, serra la main d'Hitler, et l'homme qui avait lancé, quelques mois auparavant, l'appel du 18 juin ?

Et qu'importent maintenant les polémiques ?

Qu'importe même le succès que rencontre la publication des *Mémoires d'espoir* ! Il lit les articles consacrés à son livre.

Il pourrait être satisfait tant ils sont nombreux. Mais il hausse les épaules, referme le dossier de presse et entraîne Alain de Boissieu dans une longue promenade dans la forêt des Dhuis.

Ici, dans la futaie, entre ces vieux chênes qui semblent n'avoir pas changé depuis des décennies, enracinés qu'ils sont dans la suite des siècles, il peut, en quelques mots, juger les commentaires des journalistes.

« Le fond du problème, l'importance des questions ne les intéressent pas, dit-il. Ils recherchent l'anecdote qui permet de bâcler un article. Ils aiment ce qui n'a pas d'importance. »

Il marche, soulevant du bout de sa canne les amoncellements de feuilles mortes.

– La presse française est ainsi faite : elle ne peut louer que ceux qu'elle méprise parce que de cette manière elle a barre sur eux, ajoute-t-il. Avec moi, bien sûr, ce jeu-là n'était pas possible...

C'est à nouveau l'automne, la grisaille, la mort qui saisit tout ce qui est vif. Pourra-t-il survivre à cet enfermement, connaître à nouveau le vert léger des bourgeons et des jeunes pousses ?

François Mauriac meurt.

« Son souffle s'est arrêté. C'est un grand froid qui nous saisit... Je ne me consolerai pas de la perte de François Mauriac. »

Pourquoi rester en vie quand disparaissent ceux qui vous accompagnèrent, ceux qui vous soutinrent, ceux qui eurent, comme Mauriac, le sens de la grandeur et du patriotisme ?

Cette mort de François Mauriac, il la ressent comme l'annonce de l'approche de la sienne.

Et meurt aussi, ces mêmes jours, un proche compagnon exemplaire, Edmond Michelet, « toujours au premier rang des plus méritants, à qui je portais autant d'amitié et d'estime que cela est possible ».

Que reste-t-il, sinon à méditer, à continuer d'écrire certes, mais en levant de plus en plus souvent la tête, pour se retourner vers le passé ?

Jamais les siens, ceux qui lui donnèrent le jour, n'ont semblé aussi proches. Il rencontre sa sœur. Ils sont les deux derniers témoins des origines.

– Ce qui m'a souvent réconforté depuis le 18 juin 1940, dit-il, c'est la conviction que maman aurait été toujours, et en tout, avec moi. Papa aussi, oui, bien sûr, mais peut-être y aurait-il eu de sa part une nuance de prudence.

Papa, manan, les mots de l'enfance qui reviennent.

Que reste-t-il au bout de la vie, sinon d'abord le souvenir des premières années, l'amour des siens et, à l'autre extrémité, la pensée des enfants et de leur descendance, auxquels on a donné naissance ?

Il met de l'ordre, pour eux.

Il veut aider Philippe à acheter une maison.

Il fait un virement à son notaire.

« Dans mon esprit, cela te met à même de payer le terrain que tu as acheté et de faire exécuter tout l'essentiel des travaux... »

Puis il évoque la Boisserie, les petits-enfants, dont certains sont adultes déjà, qui y viennent.

« Puisse cette maison être pour notre famille un centre affectif de réunion, cela tant que nous y serons ta Maman et moi, puis ta Maman après moi, mais, cela aussi je l'espère, autour de toi et d'Henriette, quand nous aurons disparu. »

Ce sont les premiers jours de novembre 1970. Ce mois des morts.

Il se rend sur la tombe d'Anne, qui sera la sienne.

Il passe entre les dalles. Il s'arrête, déchiffre les inscriptions dans le granit.

– Comme l'on vivait vieux à Colombey, dit-il, quatre-vingt-cinq ans, quatre-vingt-trois ans, quatre-vingt-dix ans...

Il fait quelques pas. Le gravier crisse.

– Je vais avoir quatre-vingts ans... Quelle épreuve !

Il s'immobilise devant la tombe. Il prie. Yvonne de Gaulle, Élisabeth et Alain de Boissieu près de lui.

Novembre, mois des morts.

– La porte du cimetière est trop étroite, ajoute-t-il, en s'éloignant. Comme il y aura peut-être quelques visiteurs, quand je serai ici, il faudra percer le mur et ouvrir une seconde porte.

Il regagne son bureau.

Il y a des questions de remembrement à régler. Il doit écrire à René Piot, son voisin agriculteur.

« Pour les prés dont j'étais propriétaire... dont vous étiez locataire et en possession desquels vous entrez. Je m'en remets à vous pour l'enlèvement des clôtures et veuillez m'en adresser la facture, le cas échéant... »

Il se sent las. Il y a si longtemps encore avant que la vie ne resurgisse de la terre froide.

Il faudra franchir les portes de ce quatre-vingtième anniversaire, et s'enfoncer plus avant dans l'inconnu sombre du grand âge.

Le désir est si fort de ne plus regarder devant, mais de tourner la tête vers ce qui fut.

Il écrit à Marie-Agnès, ce 6 novembre 1970.

« Comme toi, cette semaine, j'ai porté ma pensée et ma prière vers ceux que nous avons perdus. Si dans l'ensemble les nôtres mènent actuellement une vie aussi heureuse qu'il est possible en ce monde, peut-être les chers défunts leur accordent-ils pour cela une protection après leur avoir laissé tant d'excellents exemples. »

C'est le lundi 9 novembre. Il est à son bureau.

« Tout est très calme ici. Je poursuis mon grand travail. J'écris au sujet d'un passé qui sera, peut-être, utile à l'avenir. »

Il achève un chapitre de *L'Effort*, le tome II des *Mémoires d'espoir*. Le passé explique le présent :

« Comment n'aurais-je pas appris que ce qui est salutaire à la nation ne va pas sans blâmes dans l'opinion, ni sans pertes dans l'élection ? »

Mais comme s'éloignent déjà ces années d'il y a quatre ou cinq ans. Elles sont plus lointaines que les souvenirs de jeunesse, que cet assaut sur le pont de Dinant, un 15 août 1914, quand tous tombèrent, troués par la mort en pleine vie.

Et il est encore vivant, lui. Et, tout à coup, en se souvenant de ces visages de camarades d'alors, il lui semble que c'est injuste, qu'il doit rejoindre maintenant, puisque le devoir est accompli, ceux qui sont morts à l'orée de leur vie.

Il reçoit René Piot l'agriculteur, son voisin. On bavarde. Le ciel est bas. Un mot pour conclure :

« Cher Monsieur Piot,

« Après notre bon accord de tout à l'heure, je vous demande d'accepter ceci qui tient compte de votre gracieux renoncement à notre bail.

« Veuillez croire, cher Monsieur Piot, à mes sentiments bien cordiaux.

« PS : chèque joint à la lettre. »

Il prépare ses dossiers pour le travail du lendemain matin. Il place la feuille blanche au centre du bureau.

Il se lève, se tourne pour embrasser d'un regard ces livres, cette table et, au-delà, la nuit qui ferme l'horizon.

Puis il gagne la bibliothèque.

Il étale sur la petite table les cartes et commence sa réussite. Il est un peu plus de 18 h 50.

Il regarde Yvonne de Gaulle qui écrit, assise devant son petit secrétaire.

Il retourne les cartes.

Il pense à cette journée éclatante de soleil, ce 15 août 1914, sur le pont de Dinant, à ces cris qui jaillissaient comme un flot de sang des poitrines déchirées.

– Oh, j'ai mal, là, dans le dos...

« Pour mes obsèques »

16 janvier 1952

« Je veux que mes obsèques aient lieu à Colombey-les-Deux-Églises. Si je meurs ailleurs, il faudra transporter mon corps chez moi, sans la moindre cérémonie publique.

« Ma tombe sera celle où repose ma fille Anne et où, un jour, reposera ma femme. Inscription : « Charles de Gaulle 1890-... » Rien d'autre.

« La cérémonie sera réglée par mon fils, ma fille, mon gendre, ma belle-fille, aidés par mon cabinet, de telle sorte qu'elle soit extrêmement simple. Je ne veux pas d'obsèques nationales. Ni président, ni ministres, ni bureaux d'assemblées, ni corps constitués. Seules les armées françaises pourront participer officiellement, en tant que telles. Mais leur participation devra être de dimension modeste, sans musiques, ni fanfares, ni sonneries.

« Aucun discours ne devra être prononcé, ni à l'église, ni ailleurs. Pas d'oraison funèbre au Parlement. Aucun emplacement réservé pendant la cérémonie, sinon à ma famille, à mes Compagnons, membres de l'ordre de la Libération, au Conseil municipal de Colombey. Les hommes et femmes de France et d'autres pays du monde pourront, s'ils le désirent, faire à ma mémoire l'honneur d'accompagner mon corps jusqu'à sa dernière

500

demeure. Mais c'est dans le silence que je souhaite qu'il y soit conduit.

« Je désire refuser d'avance toute distinction, promotion, dignité, citation, décoration, qu'elle soit française ou étrangère. Si l'une quelconque m'était décernée, ce serait en violation de mes dernières volontés.

« Charles de Gaulle »

Le surlendemain, dans le jour gris des funérailles, je me hâte sous le glas de Colombey auquel répond celui de toutes les églises de France et, dans mon souvenir, toutes les cloches de la Libération... À Colombey, dans la petite église sans passé, il y aura la paroisse, la famille, l'Ordre : les funérailles des chevaliers.

« La radio nous dit qu'à Paris, sur les Champs-Élysées qu'il descendit jadis, une multitude silencieuse commence à monter, pour porter à l'Arc de Triomphe les marguerites ruisselantes de pluie que la France n'avait pas apportées depuis la mort de Victor Hugo.

Ici, dans la foule, derrière les fusiliers marins qui présentent les armes, une paysanne en châle noir, comme celles de nos maquis de Corrèze, hurle : "Pourquoi est-ce qu'on ne me laisse pas passer ? Il a dit tout le monde !"

Je pose la main sur l'épaule du marin.

– Vous devriez la laisser passer, ça ferait plaisir au Général : elle parle comme la France.

Il pivote sans un mot et, sans que ses bras bougent, semble présenter les armes à la France misérable et fidèle, et la femme se hâte en claudiquant vers l'église, devant le grondement du char qui passe.

André Malraux,
Les chênes qu'on abat.

OUVRAGES DE CHARLES DE GAULLE

La Discorde chez l'ennemi. (Librairie Berger-Levrault, 1924, Librairie Plon, 1972)

Le Fil de l'épée. (Librairie Berger-Levrault, 1932, Librairie Plon, 1971)

Vers l'armée de métier. (Librairie Berger-Levrault, 1934, Librairie Plon, 1971)

La France et son armée. (Librairie Plon, 1938 et 1971)

Trois études. (Librairie Berger-Levrault, 1945, Librairie Plon, 1971)

Mémoires de guerre. (Librairie Plon, 1954, 1956, 1959)
* L'Appel 1940-1942
** L'Unité 1942-1944
*** Le Salut 1944-1946

Discours et messages. (Librairie Plon, 1970)
* Pendant la Guerre (Juin 1940-Janvier 1946)
** Dans l'Attente (Février 1946-Avril 1958)
*** Avec le Renouveau (Mai 1958-Juillet 1962)
**** Pour l'Effort (Août 1962-Décembre 1965)
***** Vers le Terme (Janvier 1966-Avril 1969)

Mémoires d'espoir. (Librairie Plon, 1970 et 1971)
* Le Renouveau (1958-1962)
** L'Effort (1962-....)

Articles et écrits. (Librairie Plon, 1975)

Lettres, notes et carnets. (Librairie Plon, 1980, 1981, 1982, 1983, 1984, 1985, 1986, 1987 et 1997)
1905-1918
1919-Juin 1940
Juin 1940-Juillet 1941
Juillet 1941-Mai 1943
Juin 1943-Mai 1945

Mai 1945-Juin 1951
Juin 1951-Mai 1958
Juin 1958-Décembre 1960
Janvier 1961-Décembre 1963
Janvier 1964-Juin 1966
Juillet 1966-Avril 1969
Mai 1969-Novembre 1970
Compléments 1924-1970

Table

pas suivi et l'Histoire jugera. » (Charles de Gaulle à Jacques Foccart, 23 avril 1969.)

28 avril 1969 – 9 novembre 1970
« Je veux que mes obsèques aient lieu à Colombey-les-Deux-Églises... Ma tombe sera celle où repose déjà ma fille Anne et où un jour reposera ma femme. Inscription : "Charles de Gaulle 1890-...." Rien d'autre.
« ... Je désire refuser d'avance toute distinction... » (Charles de Gaulle, « "Pour mes obsèques", 16 janvier 1952. »)

Également chez Pocket

Les romans et l'Histoire par Max Gallo

De Gaulle 1. L'appel du destin (n° 10641)
        2. La solitude du combattant (n° 10642)
        3. Le premier des Français (n° 10643)

Revivez les combats d'une grande figure du XXe siècle, qui fut toujours guidée par une "certaine idée de la France", et incarna le destin d'une nation.

Napoléon 1. Le chant du départ (n° 10353)
        2. Le soleil d'Austerlitz (n° 10354)
        3. L'Empereur des rois (n° 10355)
        4. L'immortel de Sainte-Hélène (n° 10356)

Le mythe fait homme : un récit de la vie de Bonaparte unique en son genre, où l'on est pris dans le mouvement trépidant de l'action et de l'intimité d'un personnage dont on partage toutes les pensées et tous les élans.

La Baie des Anges 1. La Baie des Anges (n° 10787)
        2. Le Palais des Fêtes (n° 10788)
        3. La Promenade des Anglais (n° 10789)

La chronique de l'émigration italienne à travers l'histoire de trois frères venus chercher l'Eldorado à Nice, de la fin du XIXe siècle aux années soixante-dix.

Œuvres de Charles de Gaulle

Mémoires de guerre 1. L'appel (1940-1942) (n° 2000)
2. L'unité (1942-1944) (n° 2001)
3. Le salut (1944-1946) (n° 2002)

Rédigés pendant la traversée du désert, les *Mémoires de guerre* relatent magistralement la Seconde Guerre du point de vue de l'homme qui incarnait la France Libre.

IMPRIMÉ EN FRANCE PAR BRODARD ET TAUPIN
2026 – La Flèche (Sarthe), le 2-05-2000
Dépôt légal : mai 2000

POCKET – 12, avenue d'Italie - 75627 Paris cedex 13
Tél. : 01.44.16.05.00